LA VIDA SIN PIXIE

JOAQUÍN MORTIZ • MÉXICO

serie del volador

RUY XOCONOSTLE WAYE

La vida sin Pixie
(una comedia)

COLECCIÓN: Narradores contemporáneos/Serie del volador

Portada: fotografía de Ruy Xoconostle Waye
Dibujo de solapa: Abraham Morales

© 2005, Ruy Xoconostle Waye
Derechos reservados
© 2005, Editorial Joaquín Mortiz, S.A. de C.V.
Editorial Planeta Mexicana, S.A. de C.V.
Avenida Insurgentes Sur núm. 1898, piso 11
Colonia Florida, 01030 México, D.F.

Primera edición: septiembre del 2005
ISBN: 968-27-0991-1

La vida sin Pixie
se imprimió en los talleres de
Litográfica Ingramex, S.A. de C.V.
Centeno núm. 162
Colonia Granjas Esmeralda
México, D.F.

Impreso y hecho en México
Printed and made in Mexico

Om Ganapati Namah.
Salutation to Ganesha.
Saludo a Ganesha.

Al no poder suprimir el amor, la Iglesia
ha querido al menos desinfectarlo y ha
ideado el matrimonio. Lo malo del amor
es que es un crimen en el que no se
puede prescindir de un cómplice.

> CHARLES BAUDELAIRE,
> *Mi corazón al desnudo*

I'm all lost in the supermarket
I can no longer shop happily
I came in here for that special offer
A guaranteed personality.

> THE CLASH,
> *Lost in the Supermarket*

It's not going to stop
'Til you wise up.

> AIMEE MANN,
> *Wise Up*

Prefacio

En aquellos tiempos (y vaya que eran buenos), podías ser un "paiki" o un "báber". El primero era más bien un paria, y el segundo un yuppie. El báber generaba la riqueza y el paiki la succionaba con alegría. El paiki dedicaba su vida a dos cosas y sólo dos: tomar cerveza y jugar videojuegos. Para ser un paiki, como pueden imaginarse, se necesitaba una encomiable cantidad de tiempo libre, y sobra decir que ningún paiki podía darse el lujo de ser un paiki respetable a menos que se esforzara por ser, también, un huevón de clase mundial. Y tengo por seguro que Cuki Pirulazao, en cuya vida y obra está basado este libro, era un huevón de clase mundial.

El autor,
Santa Fe, México
31 de marzo de 2004

DRAMATIS PERSONÆ

LOS PIRULAZAO

CLAVIUS, hermano mayor báber
CUKI, hermano de enmedio paiki
ALO, hermano menor escolapio
MARPIS, hermana mayor deprimida
KAREN, hermana menor escolapia
MADRE, progenitora de todos los anteriores
PADRE, progenitor ausente

GENTE QUE TIENE QUE VER CON LA HISTORIA DE CUKI

COLE, amigo paiki de CUKI
PIMP, amigo paiki de CUKI
HANK, paiki
TOPISTO, representante de prensa de CUKI
MIDYET, ex esposa de CUKI
PRIMO PERFECTO, primo de MIDYET
ROBIN SIMON, conductora del talk show
EDITOR JIMÉNEZ, editor de CUKI

GENTE QUE TIENE QUE VER CON LA HISTORIA DE CLAVIUS Y MARPIS

OBE SAN ROMÁN, amigo paiki de CLAVIUS
JOSELÍN DAMM, amigo báber de CLAVIUS
ANYI VLAP-VLAP, esposa de JOSELÍN DAMM
DEBBIE JAY, esposa de CLAVIUS
DANILO, esposo de MARPIS
COLE, hijo de MARPIS
MARVIK, paiki
TAKENAGA, contralor

GENTE QUE TIENE QUE VER CON LA HISTORIA DE ALO Y KAREN

BOBBY, interés amoroso de KAREN
EL PAIKI QUE VIVE ADENTRO DE LA CABEZA DE ALO, amigo imaginario de ALO
BELYNCH, misteriosa puberta

ESCENA: Naucalpan, en el Valle, de las ocho de la mañana del viernes 12 de julio a las tres de la tarde del sábado 13.

Mañana

JONK,

jonk, ese es el claxon. Afuera de la casa de San Diego de los Padres está el Caprice negro de flacas llantas. Clima, asientos reclinables, ceniceros, espejo de vanidad. Los esenciales que uno necesita para llevar una vida moderna y confortable.

Jonk jonk.

Cuki sale.

Sube al Caprice.

Cierra la puerta.

Mmm.

Ahí parada en la puerta, está Madre. Sostiene, triunfante, una bolsa de papel de estraza en las manos. Le dice con voz tipluda:

—¡Cuki, cariño!

Mmm.

Abrir la puerta.

Bajar del Caprice.

Correr a casa.

—Se te olvida tu lonch —Madre arquea las cejas.

—Gracias, ma —Cuki da media vuelta.

—¿No se te olvida algo más?

Girar de nuevo en sus talones. Mua mua. Dar dos besos bien plantados, uno para cada cachete.

Luego, una mirada sospechosa.

—¿Qué?

Cuki se siente amenazado. Y un poco ultrajado.

—¿Qué? —repite.

—Hoy es el gran día —Madre se sonríe perversamente—. No me digas que así vas a ir a tu entrevista.

Cuki Pirulazao: pants azul marino con raya blanquiplateada en la pierna, playera con manga de tres cuartos, sudadera abierta, gorra de los Dodgers y tenis Vans, los mismos que modeló Sean Penn en *Fast Times at Ridgemont High*. Cuki es un paiki. Cuki es el Iggy Pop de todos los paikis.

—Ma…

—Vas a salir en el fido y todos te vamos a ver en la fiesta de los Randyson, ¿recuerdas?

—Qué emoción.

—¡Sólo quiero que estés presentable!

—Regreso para cambiarme —se encoge de hombros—. Antes de las dos estoy aquí.

—¿Seguro?

—No problemo.

Regresar al Caprice. Subir. Cerrar la puerta.

Run run.

—Hola —dice Cuki.

—Hola —le dicen al unísono sus comparsas. Pimp, rechoncho y burdo, viaja en el asiento trasero. La mirada perdida, la sonrisa eterna en el rostro. Los pelos lacios de Shaggy le cubren las orejas.

Cole, estridentemente rubio, encantador y perverso, conduce.

—¿Hoy es el programa? —pregunta Pimp, emocionado.

—Prefiero no hablar de eso —pide Cuki.

—¿Podemos ir de paleros? —insiste Pimp.

Cole gruñe:

—Pendejo, que no lo estés chingando —le guiña el ojo a Cuki por el espejo retrovisor—. ¿En serio podemos ir, man?

—Sí, güey. Pueden acompañarme —suspira Cuki—. Nomás no vuelvan a tocar el tema.

Cuki ocupa el asiento del copiloto. Siempre ocupa el asiento del copiloto. Nada más va ahí, con su cara de pendejo, viendo hacia afuera. Cuki tiene el pelo oscuro. Negrísimo. Cuki es como Han Solo, y Cole como Luke Skywalker.

Pimp es como Citripio. Lerdo y atarantado.

El Caprice tiene un radio, claro.

—Hey, tiene radio —avisa Pimp y no le hacen caso.

Todos los días, bueno, no todos los días porque no todos los días hacen *la cosa*, pero sí cada vez que hacen *la cosa*, rentan un auto en lo de Kaufman. Y a veces, como hoy, Cole y Pimp rentan el auto antes de hacer *la cosa*.

—Les digo que tiene radio —repite Pimp.

Lo que siempre pasa, siempre, es que el sujeto de gafas que está detrás del mostrador, el que pone a Cole a firmar una montaña de papeles, les avisa que debajo del asiento del conductor hallarán un casete, una especie de acoplado, música, seis o siete tracks que suele regalar Kaufman Rent-A-Car para premiar la fidelidad de sus clientes. Ellos tres, en este caso. Una cortesía. Y no me pregunten por qué lo ponen debajo del asiento del conductor, no me pregunten por qué la xodida política del corporativo de Kaufman Rent-A-Car estipula que el acoplado de cortesía con su cajita de policloruro de vinilo no está ensartado en la guantera o en algún otro sitio más a la mano. No sé por qué no son prácticos. Simplemente, no lo son. Sé algo del mundo corporativo, así es que entiendo las decisiones arbitrarias e ilógicas. Y a la vez no. Xodidamente, no lo sé. Sólo sé que es una cortesía, una puta amabilidad que el sujeto de gafas de la Kaufman les ha anunciado veinticinco veces con un

"es una cortesía"

y después

"eso quiere decir que es suyo"

y luego

"considérenlo un regalo. De Kaufman Rent-A-Car para ustedes. De nosotros para ustedes"

y de paso

"no tienen que fingir demencia e intentar robarlo, no es necesario que lo guarden furtivamente en su chamarra o mochila, pues es suyo".

No lo dice con esas palabras, pero es exactamente la misma idea.

Uff.

Son pendejos, pero no tan pendejos como para robarse a ellos mismos. Menos aun cuando en la cajita de cloruro de polivinilo dice claramente "ejemplar de cortesía".

Pimp, párvulo y rollizo, urge a que pongan el casete. En ese momento abandonan la zona de San Bartolo y entran a toda velocidad al Lyndon B. Johnson. Cole —canalla y grosero— hurga sus narices con las sucias garras que Dios le ha dado por manos y dedos y uñas. Las mismas garras con las que sujeta el volante del Caprice.

El lonch de Madre sale disparado por la ventana.

Cool.

Ok, ponlo.

Venga, así.

Cuki inserta el casete en la ranura.

Play: A Flock of Seagulls, *I Ran (So Far Away)*.

Sonríen.

La vida regresa al trío. Discuten sobre ir juntos a Flynn's o Penny Land, comprar un nuevo paquete de tarjetas Topps en el bazar y reunirse para grabar *Video Rock* con Elsa Saavedra en la sala que Padre preparó especialmente para el fido.

—¿Te la estás pasando bien? —le pregunta Cole a Cuki.

Pasan frente a un espectacular de Camel. Un modelo mamadísimo y bien guapísimo con atuendo a la James Bond sostiene un cancro en la mano y posa a un lado del eslogan: "Me gustan por su sabor".

—Me la estoy pasando increíble —responde Cuki.

En el Lyndon B. Johnson no hay mucho tráfico. Un anuncio de neón… el Hilton… una anciana manejando una Blazer atascada hasta el cogote con bolsas del grocery. Las mismas furgonetas, las mismas guayines, los mismos Datsun, cochecitos japoneses fabricados por japoneses de mierda que comienzan a apropiarse del país. Perros atropellados. Sus cráneos reventados sobre el pavimento del progreso. Lo mismo de siempre: el horizonte grisáceo, frío, apático. Me divierte imaginar que algún psicópata se acercará al Caprice, al mismo y xodido Caprice que rentaron en lo de Kaufman, y que disparará contra ellos. Bang bang, estás muerto. Bang bang, bienvenido a las estadísticas de muerte por arma de fuego. Bang bang, los gringos triunfaron, ya somos como ellos, este es sólo el preludio al Nuevo y Encantador México. Bang bang, no más A Flock of Seagulls. Bang. Bang. Bang.

Pero eso jamás pasará.

Es el mismo freeway seco, estéril.

Sin vida.

—Man.

—¿Qué?

—¿Puedes checar a qué temperatura estamos? —pide Cole.

Los muslos de Cuki se pegan a los pants. El sol de la mañana quema sus brazos. Baja la ventanilla. El aire helado. Se chupa el dedo. Lo saca. Se congela. Lo vuelve a meter. Cierra la ventanilla.

—Como a diez grados —dice Cuki.

—¿Seguro?

En Naucalpan hace frío todo el año. Pero no es el tipo de frío como para ponerse abrigo o instalar calefacción en la casa. No. Es un frío estúpido que te xode, simplemente te xode. Es un frío que nunca se recrudece. Sólo está ahí. Molesto. En la mañana hace frío. Pero al mediodía hace calor. Y en la tarde llueve. Ese es un día típico en Naucalpan. *Este* es un día típico en Naucalpan. Cuki va a ir a su entrevista en el fido.

—Sí, como diez grados —dice Cuki—. Qué hueva.

★ ★ ★

ALO PIRULAZAO abre los ojos con pesadez. El techo le da vueltas. La cruda le arranca la vida. Lo invade la sensación de que alguien lo observa con atención.

Un chirrido, y luego:

—*¡Arriba, Alonso, que hay que ir a la escuela!*

Gira la cabeza. Ahí está: la voz de Madre, emergiendo de la bocina, fuerte y clara. Alo quiere regañarla por xoder desde tan temprano, pero no puede hacer nada. Desde la casa de San Diego de los Padres, Madre grita fuerte y claro al micrófono manoslibres:

—*¡Arriba, Alonso, que hay que ir a la escuela!*

Madre es la única persona en el mundo que llama "Alonso" a Alo.

—*¡Arriba, arriba, arriba!*

Alo se quita el pedazo de cobija que le cubre la cara y mira la bocina.

—Ma… estoy en la escuela —farfulla con voz modorra—. Y hoy es… sábado.

Madre, en el desayunador de la cocina, moja un cuernito en una taza de café.

—¡Negativo! ¡Hoy es viernes! ¿Qué harías sin mí? Ahora llegarás temprano a tu clase —y su voz se disuelve.

Alo envuelve la cabeza de regreso a las cobijas. Odia el campus. Preferiría estar en alguna playa, Zipolite, Zicatela…

—¡Arriba! —la bocina se enciende repentinamente y Alo brinca en la cama con el corazón palpitándole.

CORTE A: Madre sonriendo en la cocina de la casa de San Diego de los Padres. Observa con morbo el altavoz; es idéntico al que tiene Alo, pero está junto al hornito.

—Caraxo. ¿Por qué eres así? —chilla Alo desde el otro lado de la bocina.

—Te recuerdo que hoy es lo de los Randyson.

—Sí, ma.

—Ahí vamos a ver la entrevista de tu hermano. ¡Hoy es el gran día!

—Sí, ma.

CORTE A: la almohada en la que nuestro resacoso amigo había estado reposando su cabeza, volando cual proyectil amorfo hasta posarse justo encima de la pequeña bocina.

Clic. Fin de la transmisión.

—Gkjhtkld.

Bueh, es demasiado tarde. Uno de los dos rumeits de Alo mienta madres desde su cama.

—Quítale ya esa chingadera a tu mamá —dice rúmeit no. 1.

Alo pone los pies en el suelo. Bosteza al tiempo que pronuncia un maltrecho "buenos días". La boca le sabe a guano; como si toda la noche hubiera masticado una moneda.

Ocho de la mañana.

Ánimo flagelante.

Preferible siempre será soñar con mujeres hermosas

Algo le cae en la cara. Ropa. Huele como la mierda que dejan los burros que por las noches se meten clandestinamente al country. Despeja su visión. Rúmeit no. 2, perfectamente vestido y acicalado, se encuentra bajo el marco de la puerta del baño, mirándolo con los brazos cruzados.

—¿Qué pasa? —pregunta Alo realmente confundido—. ¿Por qué la agresión?

Rúmeit no. 2 revira:

—Sabes que me caga que tomes mi ropa sin pedirme permiso y que, aparte, me hagas estas mamadas.

Alo revisa la prenda, un saco amarillo huevo de Versace. Primero no entiende bien en qué consiste el problema, pero luego hace un "ahhh" abriendo la boca de par en par. Además del olor fétido, el saco está tieso de la parte superior de la manga y la solapa derechas, y con varios trocitos de *algo* pegados.

—Perdón —se disculpa rascándose la sien—, es que la botana estaba medio mala.

Rúmeit no. 2 golpea con su talón el piso.

—¿Por qué llegas y lo cuelgas en el clóset?

—No sé… ¿porque ese es su lugar?

Rúmeit no. 1 grazna:

—¿Pueden callarse el hocico?

El asunto termina con Alo aceptando llevar el saco vomitado a la tintorería de Wong, ahí mismo en el campus.

—Ya, ya.

Mete el masacote en una bolsa de cartón de Aurrerá.

Alo es el hermano menor de Cuki. Eso ustedes ya lo saben. O por lo menos lo intuyen. Estudia en la universidad y vive, de lunes a viernes, en un dormitorio del campus.

Tiempo de encerrarse en el baño. Al pasar, rúmeit no. 2 lo empuja con el hombro. Respirando profundamente, Alo se sienta en el escusado. Toma una *Mad*. Abre la página en la que comienza el especial "Grandes éxitos de Sergio Aragonés".

Del otro lado, rúmeit no. 2 grita:

—¡No vayas a ensuciar la taza, cabrón!

Alo vuelve a respirar profundamente. Opta por dejar el escusado para mejor ocasión. Se levanta y toma el jabón y el champú y la esponja y se da una larga ducha.

No es un buen día para salir, se repite una y otra vez mientras la espuma baja por su abdomen perfectamente plano y virginal.

✷ ✷ ✷

—Parece ser un día perfecto —declara Joselín Damm, mirando melancólicamente por la ventana mientras soba su corbata de Valentino.

—Ahora que estuve en el norte, me la pasaba todo el xodido día con los de la Asociación de Pulgas —platica Clavius Pirulazao, sobando los acabados en caoba de su Wagoneer—. Lo cabrón es que no necesitan a los huichos. Entre ellos se cuidan. Todos andan bigotudos y de botas y manejan trocas.

—¿Qué es una troca? —pregunta Obe San Román desde el asiento trasero.

—Una camioneta. Lo que quería decir es que son rudos. No broza, ni raspa. Sólo rudos. Rudísimos.

—Suena a las luchas.

—¿Pero qué caraxos tiene eso que ver? —replica Joselín Damm, quien había procurado intervenir lo menos posible.

—Güey, estoy tratando de hacer una analogía —explica Clavius.

—¿Una qué?

—¿Qué te pasa? —xode Obe San Román—. ¿No te interesa el tema o qué?

—Es que me he soplado tres veces esta mierda —responde Joselín Damm.

—En cierta ocasión vi a uno de ellos darle una madriza a un pelele —sigue Clavius, muy espichado.

Clavius es el hermano mayor de Cuki. Y también es mayor que Alo, eso no es muy difícil de adivinar. Clavius es un "huicho"; es decir, gana grandes cubetadas de dinero encerrando vendedores ambulantes. Clavius también es un báber.

—¿Qué tipo de madriza?

—Del tipo de madriza que te deja paralítico y comiendo con un popote por el resto de tu vida.

Sí, Clavius es un báber, y de los peores, pues también es un "corpócrata". Un "corpócrata" es como un "paria institucional", o sea, un "paria" mantenido por una gran compañía multinacional. Pero esta curiosa clase de "parias" no acepta que es "paria". Más bien cree que se merece todo lo que tiene.

—¿Y por qué se lo madrearon?

—El cabrón les había robado unas cosas. Silbatos y esposas, creo.

—¿Silbatos y esposas? —interroga Obe San Román, perplejo.

Obe San Román, en cambio, es un paiki. Mucho mayor que

Cuki, por supuesto, y en muchos sentidos su maestro y tutor, pero nunca tan paiki como miermano Cuki. Lo cual no le quita lo paikoso, claro.

—Silbatos y esposas de juguete.

—Ah.

—Tengo una hueva infame —comenta Joselín Damm, aburrido.

Joselín Damm es como un "yuppie", otro vulgar y convencional báber. Trabaja en el mismo edificio que Clavius, pero en otras ondas. Y en otro piso.

—Sigue con la historia, Clavius.

—Estos ambulantes se van a la hora que se tienen que ir y recogen su desmadrito.

—¿En serio?

—Sí, eso es cierto —irrumpe de nuevo Joselín Damm—. Vi un documental en el ocho. Dejan las calles limpias y son muy ordenados.

—Y nadie se queja. En el norte, los huichos están como pintados. Los ambulantes recogen sus puestos y se largan a tiempo. Y el domingo ves las calles vacías.

—¿Qué hace la gente el domingo? —interroga Obe San Román.

—Ven el fido.

—¿Qué ven?

—Su deporte nacional.

—¿Qué deporte es ese?

—Se llama poot.

—¿Y cómo es?

—La verdad, no lo entiendo muy bien —carraspea Clavius.

Joselín Damm bosteza. Luego añade con voz macilenta:

—Es una madre que juegan en un campo como de golf, con palos y escopetas. Se disparan una pelota y la cachan con redes.

—¿Y tú cómo sabes eso?

—Vi un documental en el ocho.

—Me quiero cagar —exclama Obe San Román—. ¿No ven el futbol o algo más normal?

—Güey, el futbol les vale verga.

—Guau.

—Pero bueno, todo estuvo muy tranquilo. Sólo tuvimos que perseguir a un par de padrotes de una pulga que no tenían registro —dice Clavius—. De ahí en fuera, como si estuviera de vacaciones.

—Huevón —señala Obe San Román—. Burócrata.

—¿Ustedes no tienen hueva? —xode Joselín Damm.

—Hey, a mí me paga la compañía.

—Y a la compañía le paga el gobierno —aclara Obe San Román.

—Somos contratistas freelance —dice Clavius.

—¿Y en el norte cómo es?

—Diferente. El gobierno se encarga de todo.

—¿O sea que allá no podrías hacer las transas que haces aquí? —interroga Obe San Román.

Ajá, Clavius Pirulazo está hasta el cuello de mierda. Un elaborado desfalco. Un crimen de "cuello blanco". Un fraude de proporciones dantescas. Pero ya habrá tiempo de llegar a eso.

—Un mes más y habría encontrado la forma —se sonríe Clavius—. Pero no hubo tiempo.

—¿Dónde vamos a recoger a Debbie y Anyi? —pregunta súbitamente Joselín Damm.

—En casa de mi mamá —aclara Clavius.

—¿Por?

—Quieren dejar ahí el coche. Las llevamos al country y de ahí se van caminando a lo de los Randyson, para ver la entrevista de mi hermano.

—Claro, la gran entrevista —trompetea Joselín Damm—. Qué pérdida de tiempo.

—Hablando de eso, ¿nunca viste a tu hermano y a su esposa allá? —retoma Obe San Román.

—Cuki vivía en Saltillo, genio. Yo estaba en Tangamanga.

—Ah. ¿Y no te aburrías?

—Entre semana no estaba tan mal.

—¿Pero qué hacías los domingos?

Saludan a los policías de la caseta, y la Wagoneer se interna en el country.

—Veía el poot. Tirado en la cama. Sin ganas de hacer nada.

*** ✦ ✦ ✦ ***

MARPIS LLEVA media hora sentada en la cama. Como cuando no estás pensando mucho, pero tampoco te metes de nuevo a las cobijas. Y aunque lo hicieras, no podrías dormir. Alrededor de ti puede haber un hombre o una mujer (según sea el caso) arreglándose para salir de la casa, encendiendo y apagando el fido, vociferando o hablando por teléfono. Alrededor de ti puede haber una quema de libros, una revolución de descamisados, una venta nocturna de fetos humanos. Y tú, ido.

O ida, según sea el caso.

El fido está sintonizado en el canal 127-B. Aparece un comercial con un locutor de voz gruesa y aparatosa:

¡Hoy, en 'El show de Robin Simon'!
"La agarró y la puso en una cosa"
¡MI NOVIA FUE ABDUCIDA POR EXTRATERRESTRES!
"No entendía su fijación con la leche"
¡MI NOVIA SE CONVIRTIÓ EN UN CHEERIO!
"Amaba a Pixie pero me casé con la hermana"
¡MI NOVIA ES EL PERSONAJE DE MI LIBRO!
¡'El show de Robin Simon', hoy, a las 4 de la tarde! (Hora del Valle)

Clic. Apaga el fido.

Se estruja los cabellos.

Marpis Pirulazao es la hermana mayor. Eso lo dice todo, espero.

Tiene que vestirse y ponerse guapa. Quedó de desayunar con su cuñada y una amiga de su cuñada en uno de los restaurantes de la casa club del country.

Y después tiene que ir a la fiesta de los Randyson.

Puff. Qué hueva.

"Qué día me espera", piensa con sopor.

Marpis no se siente bien.

Cole pasa por el pasillo. Por si se lo preguntaban, este es otro Cole, el hijo de Marpis, no el amigo de Cuki. Mameluco de Spider-Man y pelos despeinados. Camina, como el enano modorro que es, directo al baño para mear. Marpis sonríe por un momento.

Sólo un momento.

Ese peludo sentimiento. De esas veces que te preguntas qué hago aquí, a dónde voy, qué será de mí, es esta la vida que quiero llevar, cómo voy a estar en veinte años, me encuentro con la persona indicada, con la que debería pasar el resto de mi vida...

Preguntas.

—¡Flacaaaaa! —grita Danilo desde la planta baja—, ¿ya te metiste a bañaaaaaar?

Qué hago aquí a dónde voy qué será de mí es esta la vida que quiero llevar cómo voy a estar en veinte años estoy con la persona indicada con la que debería pasar el resto de mi vida/

★ ★ ★

—LE VOY A hacer algunas preguntas —dice el agente de migraciones.

La mujer del otro lado de la terminal es delgada, relativamente alta, semigüera y de ojos verdáceos.

—Okey.

La mujer del otro lado de la terminal está perfectamente vestida con pantalones de mezclilla stonewashed, chamarra negra de piel, playera blanca con rayas negras horizontales y pelo suelto, largo y lacio.

—¿Nombre, empezando por su apellido?

—Halliburton, Midyet.

—¿Edad?

—Veintiocho.

—¿Estado civil?

—Casada —duda un segundo—. Separada.

—Casada —teclea el agente de migraciones sin hacer caso de la aclaración—. ¿Ocupación?

—Consultora de flujos de información.

El agente de migraciones observa a Midyet con interés.

—¿Qué es eso?

—¿En verdad quiere que se lo explique?

—No —vuelve a la computadora monocromática—. ¿Cuál es el motivo de su visita al Valle?

—Vengo a una entrevista.

—¿De trabajo?

—No —Midyet sonríe, y en verdad se ve angelical—. Me van a hacer una entrevista. En el fido.

—¿No me diga? —el agente de migraciones toma una pluma y la muerde, nervioso—. Con razón me parecía conocida. ¿No es usted…?

—No, no soy.

—¿Pero no salió en esa película, la del…?

—No —Midyet es tajante.

—Okey —el curioso agente de migraciones regresa a la terminal—. ¿A qué programa va?

—Al de Robin Simon.

—¡Claro! —muerde con más fuerza la pluma—. Mi esposa lo ve.

—Ya le contará cómo estuvo —Midyet mira su reloj. Nueve con cincuenta de la mañana. Se siente harta. Tantas revisiones. Tanta seguridad.

—¿Viaja acompañada?

—Con mi primo —señala con los ojos a un tipo más o menos alto que está a dos cubículos de ella.

—Okey, el primo —el agente migratorio sigue tecleando—. ¿Cuánto tiempo planea estar en el Valle?

—Mañana mismo me regreso.

—Parece que va a tener un día pesado —remata el agente migratorio y, un minuto después, estampa su pasaporte con un sello. Midyet agradece con una sonrisa.

Cinco minutos después, un chofer del canal 127-B los recoge en el área de ascenso y descenso.

Quince minutos después, Midyet observa por la ventana de la limusina el frío paisaje naucalpense.

★ ★ ★

EL CAPRICE RUEDA por el freeway gris. El sol comienza a asomarse. El tedio americano.

—¿Cuánto dijiste? —pregunta de nuevo Cole.

—Diez. Grados. Celsius.

Cole le pide que ponga la calefacción, y si Cole lo pide, bueh, hay que hacerlo. Cole es como el patrón de Cuki. Cole le da trabajo. Ergo, hay que hacerle caso a Cole. No que lo necesite. O que deba hacerlo. Por definición, un paiki no tiene trabajo. Un paiki juega videojuegos, bebe cerveza y tiene amigotes. En ningún lado figuran las palabras "trabajo" o "empleo". Además, las finanzas de Cuki son estables. Cuki es dueño de una cuenta bancaria retacada de dólares. Y si algo saliera mal, Madre y Padre le harían el favor de proveerlo con suficiente dinero como para despreocuparse y rascarse los yarboclos de aquí a que el infierno ofrezca membresías dos por uno en la compra de un kilo de detergente y lejía marca propia Sam's Club.

—Seguro, tich.

Cuki acompaña a su amigo Cole por buenaonda. Cuki hace como que trabaja y Cole hace como que le paga.

—¿Eres feliz, man? —pregunta Cole.

—No. ¿Y tú?

—No —ríe.

Reír y por un segundo fingir que eres feliz. Reír mientras circulas por el freeway y alucinar, pendejamente, que esta vida sirve de algo y hay una xodida olla con oro al final del arcoiris. En el casete, el track tres: *Rio* de Duran Duran. Track cuatro: *Tainted Love* de Soft Cell. Track cinco: *More Than This* de Roxy Music. Puedo enumerar veintiún canciones que me ayuden a pensar en el Caprice rodando por el freeway, pero eso sería realmente estúpido. Prefiero contarles del aburrido cemento, de la aburrida planicie naucalpense desprovista de montañas, de la aburrida canción de mierda que han escuchado doscientas veces y que loopean sin cesar, de sus pendejas discusiones en torno a si Nintendo va a desplazar a Atari, de sus teorías sobre las verdaderas motivaciones comerciales de Steven Spielberg y George Lucas para filmar una tercera parte de *Los cazadores del arca perdida*, de las aburridas putas que se cogieron en Petey's anoche. Pero todo es igual.

¿Jueves? ¿Viernes? ¿Sábado? No importa.

Who fucking cares.

Entran al dauntaun. Pimp, el muy imbécil, quiere robar el casete de Kaufman Rent-A-Car y, por más que le explican o tratan de explicarle que es un regalo y que alguien no puede ser tan pendejo como para robarse a sí mismo, no entiende y guarda, sacadísimo de onda, la caja plástica. Se detienen en el QuickStop de la Avenida 5 y ahí hay unas prietas, Dios, unos pedazos de paraíso: enormes culos, relucientes bembas, tetas desbordantes y un lingo estridente que hasta el rexodido Huidobro les envidiaría. Unas prietas de mierda más buenas que la puta que las parió bajando por la calle hechas una batucada pringosa, haciendo ruido con las monedas en los bolsillos y las pegajosas suelas de los tenis, sí, un mediocre fusil de Stomp. Las prietas toman Slurpee y conversan afuera del QuickStop.

—Son como simios —declara Pimp realmente escandalizado por el espectáculo.

—Cállate, pendejo —responde Cole sin mirarlo.

Imaginan qué pueden contener sus bolsas de piel de cochino, quieren lamer una de esas tetas a punto de estallar... los morados pezones... las vulvas tan hinchadas y grandes como sus bembas.

Cole decide que deben pararse frente a ellas, hechos unos cabrones. Así lo hacen.

—Cuki se graduó de la universidad —les dice Cole—. Es nuestra esperanza. Él es el futuro.

Vean a Cole, con anteojos Nerds como los que usa Bruce Willis en *Moonlighting*, tratando de impresionar a las prietísimas. Cuki se pone nervioso y prende un cancro.

—No deberías fumar —dice una de las prietas.

—Son Camel. Me gustan por su sabor —dice Cuki e inhala.

—¿Perdón?

—Soy un manojo de hits publicitarios, soy el sueño húmedo de un mercadólogo retrasado mental, así es que siempre digo que fumo Camel porque "me gustan por su sabor".

Las prietas se aguantan la risa un segundo, y después estallan.

Cole se incomoda. Él es el güerito. Las prietas deberían estar impresionadas con él.

Pimp, adentro de la tienda, roba unas moritas o un Frutsi.

Cole sugiere que los seis vayan a Six Flags Over Texas. Ellos... tres paikis... solos... tres prietas buenísimas frente a sus narices... algo excitante. ¿Va o no va? ¿Va o no va?

—Hey —exclama súbitamente una de ellas—, yo a ti te conozco. ¿No sales en el fido?

Y Cuki:

—No.

—Claro —dice otra—, yo te vi en el fido. Tú fuiste el que escribió ese libro. Vas a salir en el programa de Robin Simon. Lo han estado anunciando toda la semana.

Y Cuki:

—No.

—Pensé que eras más alto.

—Soy como soy.

Entre risotadas, las prietas se alejan del trío de paikis, y yo sé que no las volverán a ver jamás.

—Vamos.

Abandonan el QuickStop y se adentran todavía más en el dauntaun. Se estacionan frente a un edificio abandonado, cerca de donde le dispararon a Manuel B. por la espalda hace cuatro años; del otro lado de la calle hay una máquina expendedora de cerveza que es como una caja de zapatos vertical.

Cole dice "esperen aquí" y, como siempre, Pimp y Cuki asienten. Cole se baja, abre la cajuela del Caprice, saca su pistola nueve milímetros, la esconde en el pantalón, se acomoda un bucle dorado y cruza la calle hasta llegar a la puerta del edificio. Toc toc.

Entrar.

Desaparecer.

Aprovechando el momento, Cuki baja del coche. Estirarse. Ah.

Observar la máquina expendedora de cerveza.

Cruzar la calle y llegar hasta ella. Insertar un quinto. Ah. Frente a él cae una lata de Miller High Life. Ah. Destapar. Beber. Rezar:

"Me gusta por su sabor."

A un lado hay un teléfono.

Lo piensa dos veces. Revisa sus pantalones. Trae otro quinto. Meterlo.

Marcar.

Ring ring.

—*¿Bueno?*

Esa es una voz femenina del otro lado.

—¿Está Karen?

—*Salió tantito. ¿Quieres dejarle recado?*

—No.

Clic.

Ese es Cuki colgando.

"Qué día, caraxo", piensa. "Dónde estás, Karen Difusa."

Cole regresa. Trae bajo el brazo un bulto envuelto en papel de estraza. Lo echa en la cajuela, junto con el arma.

—¿Vamos al Brubaker? —pregunta Cuki, Miller High Life en mano, mientras lo sigue de vuelta al Caprice.

Después de dudar un segundo, Cole responde:

—Sólo si después desayunamos. No tengo nada en la panza.

★ ★ ★

EN AYUNAS, SENTADO en una banca, Alo prende un cancro. No ha comido nada todavía, pero en algún lado leyó o creyó leer que fumar un cancro en ayunas es buenísimo para oxigenar el cerebro. En sus pies está la bolsa de Aurrerá con el saco vomitado. Fuma.

Decide no entrar a la segunda clase, ni a la tercera. Por ahí de las diez y media de la mañana, el sol se asoma, custodiado por un tímido cúmulo de nubes. Alo, todavía en la banca, se pone los anteojos oscuros y trata de dormir.

Cerrar los ojos.

El Paiki Que Vive Adentro De La Cabeza de Alo se para frente a él.

—¿Qué haces, huevón?

Abrir los ojos.

—¿Se te perdió algo? —pregunta Alo.

El Paiki le recuerda que es viernes. Ya es tiempo de ir al lugar donde todos los estudiantes beben cerveza hasta embrutecerse y perder el control. Un lugar junto a la autopista. El highway 12. Veinticuatro carriles de alta velocidad. Y una lateral por la que los estudiantes entran al antro de cervezas.

—Vamos —ordena Alo sin pensarlo mucho.

Alo y El Paiki se suben al Máverick y toman el highway 12 y manejan por la lateral y llegan al antro de cervezas y se estacionan en el estacionamiento de tierra.

Listo.

Alo toma asiento sin soltar la bolsa de Aurrerá. La silla de madera está arrugada como tetas de vetarra de la tercera edad y catacuás. El coxis le duele. Pide una cerveza. La sostiene, helada, en la mano derecha. Lo importante es ponerse pendejo.

El Paiki está junto a él. Suspira.

Ahhh.

En un rincón hay una pecera sin peces, pero con sobras de carnes peludas de puerco. Al lado, un tarugo con un machete enterrado. Por doquier crecen las mesas de lámina. Colgando del techo, una parchada conexión con cinta de aislar y, al final del cable, una grabadora. El piso es de cemento terroso, sucio; el techo, de lámina. Parece que va a caerse. Insuficiente. Se hacen corrientes de aire. Alo siente frío. Las articulaciones le duelen.

Los estudiantes comienzan a llegar. Son de agua. Agua ondulada. Las rejas de malla, abiertas de par en par, reciben a una mujer acuosa que se detiene frente a Alo, y este mete la mano en su cabeza. Agita con fuerza y se la deshace.

Queda solo, tal como quería, pero con el brazo empapado.

Saluda a la señora que prepara las quesadillas. "Deme dos", pide con gestos. Junto a la señora reposa una hielera obesa de cervezas… una obesa hielera de cervezas. Pondera la situación general. Los estudiantes se instalan en las mesas… comen quecas… compran cerveza… algunos se arremolinan afuera del antrillo, invadiendo el highway 12. Hablan de cosas. Unos brindan. Otros escupen.

La autopista le sonríe. Se toma de la barbilla y acomoda la solapa de su chamarra de mezclilla y el enorme copete engelado que cubre sus ideas de los rayos del sol.

Karen Pirulazao entra por las rejas de malla y se dirige a Alo, quien, hecho un caballerito, inclina la cabeza.

—Galanazo, ¿cómo estás?

—Más o menos.

—¿No te parece este un día hermoso?

—Ajá.

Karen, mechón rosado, playerita pegada. Cháicol en la boca.

—Hay veces que me encantaría llegar a saludarte y que me dijeras: estoy muy bien.

—Eso equivaldría a decirte "soy muy puto", ¿no crees?

Masticar ese cháicol. Uno. Dos.

—¿O sea que te sigue gustando que te metan un pepino por la cola?

—Yo decía puto en el sentido de que me gustan las putas.

—Putero, querrás decir.

—Eso.

—¿Sabes? La próxima vez que te salude no te voy a decir nada.

—Sorry.

—¿Zorri?

—Luego luego a sacar a las garlopas.

—¿No que te gustan mucho las putas?

—Pues la verdad, no sé; tú me gustas, eso que ni qué.

—Y no soy puta.

(…)

—¿Por qué has callado, Alito?

—Porque otorgo.

—O sea que no soy puta.

(…)

—¿Otra vez, recabrón?

—Te estoy xodiendo.

—Vete a xoder a alguien más.

—Ya me toca, Sunrise. Ya me toca.

—¿A qué viene eso?

—Sabes muy bien de qué hablo.

—¡Alito, corazón de melocotón! —Karen le pellizca los cachetes—, ¡no te me pongas así!

—¡Me mandaste a chingar a mi madre!

—¡Aliviánate!

—¡Cada vez que quieres me mandas a chingar a mi madre!

—¡Shh!

—¿Por qué me callas?

—No lo eches a perder.

—¿Qué? ¿El momento?

—Alito, corazón: nunca se te va a quitar lo estereotipado —se saca el cháicol de la boca y lo pone en una envoltura de origen desconocido que toma de uno de sus bolsillos.

—En los estereotipos siempre hay uno bueno y uno malo. ¿Cuál soy yo?

—¡Piensa!

—¿El malo?

—No.

—El bueno, pues —Alo se cruza de brazos.

—¡Tampoco!

—¿Entonces?

—¡Eres el pendejo!

Alo ríe. La parca risa sin vida.

—Una película con el bueno, el malo y el pendejo —ríe desencantado.

—¡Exacto!

—¿Y ahora estamos haciendo la segunda parte de la película?

—Preferible a hacer la segunda parte del libro.

—No me hables de ese pinche libro de mierda.

—Okey, okey, sigamos con los términos fílmicos —Karen toma la mano de Alo—. Digamos que… digamos que la película aún no acaba.

—Sólo espero que no termine igual que la anterior, Sunrise.

—La pasada duró lo que tenía que durar y se acabó como se tenía que acabar. Fue lindo lo que pasó entre nosotros, y eso es todo.

(…)

—¿Y qué hubiera pasado si siguiéramos juntos?

—¿Juntos? —Karen suelta una carcajada—. No seas ridículo, Alito. La gente se saldría del cine. Sería la película más aburrida del mundo.

—Yo no lo creo.

—No hay drama sin conflicto, Alito.

—¡Gracias, mamona!

—¡Shh! ¡No lo eches a perder!

—¡Tú, con un caraxo! ¿Qué clase de comentarios son esos?

—¿La verdad duele? —Karen suspira—. Siempre me he preguntado por qué los hombres sí pueden herir y luego fingir demencia…

—Siempre me he preguntado por qué eres tan honesta.

—Ya ves.

—No veo. ¿Así le haces a tu novio?

—Que por cierto, anda por ahí.

—Dime —insiste—, ¿así le haces a tu novio? ¿Así lo xodes?

—No lo sé. ¿Por qué no le preguntas?

—No me interesa —Alo pone cara de digno.

(…)

—Oye —Karen se torna un poco más seria.

—¿Qué?

—¿Vas a ir a lo de los Randyson?

—No sé. ¿Tú?

—¿Por qué crees que te pregunto, idiota?

—Mira, huevos —bebe de su cerveza. Luego, ve a Karen con interés morboso—. ¿Desde cuándo tan interesada en los eventos familiares?

—¡Te vale pito!

—¡Realmente quieres ir!

—Ash.

—No me digas que…

(…)

—¿Qué?

—No me digas que a la nihilista Sunrise le interesa seguir siendo parte de la patética familia.

—Pues no, no exactamente.

—¿Entonces?

—Quiero ver lo de Cuki y ya.

—Lo puedes ver en cualquier lado. ¿Por qué ahí?

—Mira, ya sabes que por mí todos se la pueden arrancar.

—Eso no es cierto. Te interesa la familia. Y mucho.

—Ay, ya.

—Moralina.

—Síguele.

—Fresa —da otro trago, y se levanta de la silla—. ¡Moralina!

—Pícate el ano —Karen da media vuelta y camina lejos de ahí.

Triunfante, Alo termina con su cerveza de un trago y levanta el casco al gritar:

—¡No vayas a tomar mucho! ¡Tu adorado Cuki no merece que su primera vez en el fido lo veas en estado de ebriedad!

(…)

En efecto: Karen se apellida Pirulazao y es hermana de Alo. Y Alo está enamorado de ella. Sí.

★ ★ ★

35

—¿Sí? —CONTESTA Clavius su pesado teléfono móvil del tamaño de un tabique, conectado permanentemente al tablero de la Wagoneer—. ¿Sí, bueno?

—*¿Maese Pirulazao?*

—Dime, Merci.

—*Volvió a llamar su cita de la una.*

—¿Quién es?

—*Maese Takenaga.*

—¿Para qué?

—*No me quiere decir.*

—¿De dónde es?

—*De la contraloría.*

—Válgame.

Clavius suspira.

(…)

—*¿Quiere que le confirme la cita?*

—Y… sí. Está bien. Gracias Merci.

—*También le recuerdo que hoy es la entrevista de su hermano. A las cuatro en el canal 127-B.*

—Gracias Merci —repite Clavius, harto.

Gruñe y arroja el aparatejo.

—¿Quién era? —pregunta, ahuevado, Joselín Damm.

Clavius, Obe San Román y Joselín Damm están estacionados en la Wagoneer afuera de la casa de San Diego de los Padres.

—Nadie.

—¿Crees que tarden mucho?

—¡No lo sé, caraxo! ¿Desde cuándo puedo exigirles que se apuren?

—¿A dónde van? —pregunta Obe San Román.

—Al country.

—¿A desayunar?

—Yo supongo.

—Igual y me les pego —Obe San Román se soba la panza—. Tengo hambre.

—Como quieras.

Clavius toca el claxon.

★ ★ ★

COLE MIRA el claxon del Caprice. Pimp mira a Cole.

—¿No vas a tocarle?

Cole no dice nada. Sólo mira los interiores del Caprice negro de flacas llantas estacionado afuera de la casa de San Diego de los Padres.

—¿No vas a tocar el claxon? —insiste Pimp.

—Ahorita —farfulla Cole y respira hondo—. Oye…

—¿Qué?

—¿Me juras que no vas a decirle nada a Cuki?

—Sí sí. Nada.

—Conste. Necesitamos el dinero.

—Sí sí.

(…)

Jonk, jonk. Ese es el claxon del Caprice.

✹ ✹ ✹

JONK, JONK. Ese es el claxon de la Wagoneer. Segunda vez que lo toca. Por la cochera aparece Danilo, trapo y armorol en mano.

—¡Hola! —saluda efusivamente.

—Hola —responde Clavius menos efusivo y luego se dirige a Obe San Román en tono secretivo—. ¿Qué hace este pendejo aquí?

—Yo qué sé —tose Obe San Román—. Es tu cuñado. No el mío.

—Voy a ver qué pedo con estas viejas —Clavius abre la puerta de la camioneta y, refunfuñando, baja de la Wagoneer para introducirse en la casa, no sin antes estrechar la mano de Danilo ("¿Qué haciendo aquí?"/ "Ya ves, pedí el día en el trabajo").

En el desayunador, muy acicaladas, están Madre, Debbie Jay, Marpis y Anyi Vlap-Vlap. Madre es la madre de Clavius y de Cuki y de Alo y de Karen y de Marpis. Debbie Jay es la esposa de Clavius pero van derechito por el caminito del divorcio. Anyi Vlap-Vlap es la esposa de Joselín Damm. Ellos no se van a divorciar.

Las tres cotorras fuman y toman café.

—Ejem.

Ese es Clavius carraspeando. No le hacen caso, así es que se cruza de brazos, como enfrentándolas, y añade:

—¿Y bien?

—¿Qué quieres?

Esa es Debbie Jay, claro.

—¿Nos podemos ir? Se me hace tarde para el trabajo.

—Espérate tantito, ¿sí?

—Caraxo.

—Ash.

A regañadientes, las tres cotorras se separan de la nicotina y el tabaco. Pero sólo es momentáneo: en breve seguirán tomando café y fumando cancros y cotilleando.

¿Sobre qué?

Sobre nada.

¿Por qué?

No lo sé.

—¿Vienes, ma?

Y Madre:

—Na, yo los alcanzo en lo de los Randyson. Tengo que hacer un mandado.

Clavius se recarga contra un librero. Mira su reloj. Se acomoda la corbata. El traje príncipe de Gales parece incomodarlo. Me siento como un payaso, piensa. Gira la cabeza a la izquierda. Por un pasillo aparece fugazmente una figura en pants y playera y pelos parados.

Es Cuki.

—¡Hey!

Detenerse.

Regresar.

Asomarse.

—¿Qué? —pregunta Cuki desde una posición segura, asomando sólo la cabeza.

—¿Vienes?

Encogiendo los hombros:

—No mames —y se esfuma—. Ya vienen Cole y Pimp por mí —añade la voz de Cuki desde algún sitio de la casa.

Clavius encoge los hombros y camina hacia la voz. Al final del pasillo hay otro pasillo, y al final de éste, un baño. Cuki abre la llave del lavabo justo cuando su hermano lo alcanza.

—Oye, ¿cómo estás? —se pasa la lengua por los labios—. ¿Nervioso?

—No.

—Te vamos a ver todos en la fiesta de los Randyson.

Cuki no dice nada. Sólo llena el lavabo de agua. Una vez que está copado, mete la cabeza ahí.

—¿Estás nervioso? —insiste Clavius.

Sacar la cabeza, empapada:

—No problemo.

Meter la cabeza.

—¡Clavius!

Detenerse.

Regresar.

—¿Qué? —pregunta Clavius desde una posición segura, asomando sólo la cabeza.

—¿No estabas xodiendo con que nos fuéramos? —pregunta Debbie Jay desde el pasillo—. Ven, te voy a anotar el teléfono de los Randyson para lo que se ofrezca.

Clavius se encoge de hombros y mira a su esposa escribir algo en un papel. En un descuido, se voltea con Cuki y lo señala con el dedo índice:

—¡No vayas a faltar a tu entrevista, güey!

Sacar la cabeza, empapada:

—No problemo.

✲ ✲ ✲

—NO HAY PROBLEMA —platica el chofer, una especie de oriental mezclado con indígena. Los pedales le quedan lejos, y ve a sus pasajeros por el retrovisor—, vamos a tomar el Lyndon B. Johnson, que a esta hora está menos cargado. ¿Es su primera vez en el Valle, missy?

—Segunda —responde Midyet, todavía con la mirada perdida.

—¿Ya había venido, entonces? ¿Por una entrevista?

—No, es mi primera vez en el fido.

—Claro. ¿Y usted? —se dirige al acompañante de Midyet. Por decencia, evitaré decir su nombre, así es que me referiré a él por el apelativo que todos conocemos: "Primo Perfecto". Si alguien más lo llama por su nombre cristiano, simplemente lo omitiré con un ~~censurado~~—. ¿También repite visita al Valle?

—No, esta es mi primera.

—¿Y qué le parece? ¿No es el ombligo del mundo?

—No lo había pensado así —dice con desprecio Primo Perfecto.

—El Valle es grande y omnipotente —filosofa el chofer—. Y Naucalpan podrá no ser su capital, pero es la urbe. Y con mayúsculas: LA URBE. Naucalpan es el ombligo de México.

★ ★ ★

EL DAUNTAUN de Naucalpan está en ebullición. Marchas, tráfico absurdo, gente caminando por las calles, frío y calor. Los edificios de vidrio y metal se sienten parcos y ausentes. Clavius y Joselín Damm circulan, ya solos, a vuelta de rueda en la Wagoneer. No hablan. Simplemente escuchan el radio y observan la colorida y hormigueante calle afuera.

Clavius encuentra un papel doblado en la bolsa de su camisa. Lo abre. Qué es esto, piensa. El teléfono de casa de los Randyson. Claro. Recuerda cuando Debbie Jay se lo dio en la casa de San Diego de los Padres. Mmm. Piensa que le urge salir de la ciudad. Perderse en la playa. Y no regresar.

Semáforo. Luz roja.

¡Splat!

Dropea el pensamiento.

—¡Oye, no!

¡Splat! ¡Splat!

Un morro limpiavidrios se ufana con su parabrisas.

—¡No! ¡No!

No tiene que decir más. Dos huichos salen de la nada y amagan al descamisado, arrastrándolo lejos de la Wagoneer y hasta la banqueta, en donde lo esposan.

Joselín Damm observa la escena con apatía. La camioneta arranca, pero él sigue con la mirada el arresto del limpiavidrios.

—Qué hueva —asevera.

★ ★ ★

—QUÉ CANSANCIO —se estira Midyet en su asiento—. Mucho tráfico.

—Así es la hora pico, missy. Pero verá que llegamos pronto. En unos cuarenta y cinco minutos.

—Dígame, ¿cómo se llama el restaurante al que vamos?

—Gogladys o algo. Se desayuna rico. Muy buen restaurante. De los mejores de la zona.

Midyet le hace una mueca a Primo Perfecto, quien de inmediato busca el itinerario.

—¿censurado, me pasas la agenda, por favor?

Agradeciendo, Midyet toma el documento. Lee:

GOLIGHTLY'S

—Golightly's —dice en voz baja, casi adormilada.

—Missy…

Ese es el chofer.

—¿Sí?

—¿Le puedo decir algo?

—Por supuesto —sale de su sopor.

—Con todo respeto para el caballero aquí presente —le sonríe a Primo Perfecto—, es usted una jovencita muy hermosa y muy educada. Y sus ojos en verdad son cautivadores. Usted va que vuela para dejar huella en el programa.

Primo Perfecto sostiene la risa en la garganta.

—¡Gracias!

Midyet ha dicho lo último con una sonrisa charming que ilumina el interior de la limusina.

—Y quería preguntarle si no es usted la actriz que salió en esa película…

—¿Cuál película? —pregunta Midyet, divertida.

Primo Perfecto se encoge de hombros.

—La de *Laberinto*.

Arqueando las cejas, Midyet responde:

—No. No soy. Pero muchas gracias —regresa la mirada al frío paisaje naucalpense—. Ya salí en un libro. Pero nunca en una película.

★ ★ ★

BRUBAKER NO ES una película, sino un edificio. Cole y Pimp están sentados en unos sillones comodísimos del piso 93. Ajá, una sala de espera. Ya han asaltado la maquinita de Nescafé que tan diligentemente alguien ha puesto para que los visitantes no desesperen mientras aguardan su turno.

—Señor, no se puede fumar.

Esa es la recepcionista, quien ya le dijo dos veces a Cole y Pimp que

—¡No se puede fumar!

Uff.

En el letrero que está encima de la recepción se lee:

EDITORIAL FRANCINE-GLADYS

Es el piso 93 del edificio Brubaker, es una espaciosa oficina, es un sujeto relativamente gordo de corbata y camisa arremangada que seguramente tiene los niveles de colesterol y ácido úrico hasta el cielo y metidos por el culo. Observa a Cuki con interés. Y con hueva.

No hablan.

Cuki juega con un clip. Bebe de su cerveza.

El sujeto gordo es un editor. Se apellida Jiménez.

Suda copiosamente.

En una pared de la oficina tiene un póster de Paul Newman en *Cool Hand Luke.*

Bebe de una taza con café humeante. En ésta se lee: *Editors are forever. I'm so glad you are mine.*

Carraspea.

Empieza de nuevo:

—No me parece buena idea que la heroína de tu primer libro, que resulta ser tu novia muerta/

—Nunca nos casamos, tich.

—¿Quién dijo que se casaron?

—Nadie. Pero lo pensaste —Cuki deja el clip y comienza a arrancar, ociosamente, la etiqueta de la botella.

—¿Estás nervioso por lo de hoy? Sé que es un día complicado, por lo de la entrevista y todo…

—¿Quién está nervioso? Yo no estoy nervioso. ¿Tú estás nervioso?

—Olvídalo —el Editor Jiménez agita las manos.

—Si estás nervioso cancelamos todo.

—¿Puedo seguir?

—Por favor.

Cuki se ve particularmente paiki y huevón. Con sus pants desaliñados y sus Vans y su gorra de los Dodgers.

Y su chelota en la mano.

—Te decía que no me parece buena idea que la heroína de tu primer libro, que francamente no tiene nada que ver con el segundo, sea precisamente la heroína del segundo.

—Estás muy repetitivo hoy. Y cacofónico.

—Lo sé —dice el editor con desgano.

—¿Cuál es tu punto?

—Mi punto es que no me encanta que mezcles a la Pixie del primer libro armando una Pixie completamente nueva en el segundo.

—¡Considera a Pixie como un personaje de ficción y asunto arreglado!

—No, justamente el problema es que Pixie no es un personaje de ficción, sino alguien que era de carne y hueso/

—Mi Pixie está muerta —una lagrimita de cocodrilo se asoma por el rostro de Cuki—. ¿Tienes que recordármelo todo el tiempo?

—Cuki, yo…

—Y nunca nos casamos —Cuki agita el dedo índice con un movimiento pendular. Mastica y escupe el clip.

—¿De nuevo con esa mamada?

—No me digas que no lo pensaste —se termina de un trago la Miller High Life.

—¿Ya acabaste? —el gordo trata de arrebatarle el casco vacío.

—¡Es mío, es mío! —forcejean, y Cuki finalmente se impone.

—¿Para qué lo quieres?

—¡Los colecciono!

—Estás mal. Muy mal —el Editor Jiménez respira pesadamente.

—Pixie y Baquero son buenos nombres —Cuki abraza su botella—. Excelentes nombres.

—¡Pero Pixie es la heroína del primer libro!

—¿Y eso qué?

—¿Quieres que la gente piense que tienes una fijación con tu ex novia, que está muerta, por cierto?

—Me lastimas, tich.

—Cuki/

—Me vale madres que lo piensen. Todos creen que nos casamos y eso también me vale madres. He aprendido a que me valga madres.

—Ahora tú estás repitiendo palabras.

—¿Cómo debería de llamarse entonces?

—No lo sé, pero…

—¿No lo sabes? ¿No eres tú el editor? —sigue dando manazos al aire—. Como esa mierda de que yo escriba la cuarta de forros —lo arremeda, haciendo una voz gangosa—. "Cuki, haz tú la cuarta de forros porque a mí me da hueva."

—No me chingues.

—¿Qué quieres, güey?

—¿Cómo me dijiste?

—¡Güey! ¡Güey!

—Caraxo —el Editor Jiménez se limpia el sudor de la frente con la mano—. Yo sólo sé que *Pixie y Baquero* no es un buen título.

—Te recuerdo que yo quería ponerle al primero *Coahuila, Texas* y no me dejaste.

—Retomando el tema: no creo que *Pixie y Baquero* sea un buen título.

—Retomando mi tema: si me hubieras dejado no estaríamos metidos en este pedo.

—¿Si te hubiera dejado qué?

—Usar *Coahuila, Texas* para el primer libro.

—¡Eso no tiene nada que ver!

—¡Tiene mucho que ver!

—¡*Pixie y Baquero* no es un buen título! ¡Fin de la discusión!

El Editor Jiménez se está poniendo bastante pendejo. Y necio. El sarcasmo siempre es bueno, piensa Cuki, y dice:

—¿Cómo debería ponerle entonces? —Cuki mira la botella de cerveza que había puesto en sus brazos—, ¿*Miller y Baquero*?

—¡Preferible!

—Te tengo una mejor: ¿qué tal *Miller y Jiménez*?

—No me estés chingando, Cuki…

—Tú empezaste.

—Mira, yo…

—¡Con una chingada, que no me casé con ella!

—¿Qué caraxos te pasa?

Cuki tira la botella de Miller High Life en el escritorio. Realmente encabronado, el Editor Jiménez se levanta.

—¿Qué pedo contigo? —increpa.

—No, qué pedo contigo.

—¿Qué pedo contigo?

—No: qué pedo contigo.

—Estás loco.

—Voy a hablar con tu jefe —Cuki se levanta, hecho una furia.

—Haz lo que se te hinchen los huevos.

Cuki se detiene en la puerta:

—¡Ya me voy a hablar con tu jefe!

Portazo.

—¡Por mí, arráncatela! —el Editor Jiménez recoge la botella de Miller High Life—. Tienes problemas mentales. Pendejo.

★ ★ ★

—Tengo problemas mentales.

Marpis recarga las palmas en el lavabo del baño de mujeres del country. Observa su traqueteada figura en el espejo. No tan vieja, pero tampoco tan joven.

—¿Por qué dices eso, darling?

Esa es Anyi Vlap-Vlap, abrazándola fraternalmente. Marpis sólo atina a encogerse de hombros.

—No sé, algo me pasa. Ya tiene tiempo.

—Ajá…

—Me siento como fuera de lugar. Como que nada tiene sentido. Como que la vida se me ha complicado y a la vez es inútilmente simple y banal. Nada me sorprende, nada me llena. Ni los viajes, ni la ropa, ni que mi hermano salga en el fido… siento que he caído en una rutina que, quizá, debería de hacerme feliz, ¡pues alguna vez me hizo feliz!, pero ya no. Ya no. ¿Sabes? —voltea y encara a Anyi Vlap-Vlap—. Como cuando sientes que absolutamente nada tiene sentido y despiertas con un agujero en el estómago y te vas a dormir con un agujero en el estómago. ¿Sabes?

Anyi Vlap-Vlap cierra la boca.

—No, la verdad no sé.

Mmm.

—Luego se te pasa, darling —la rodea con su brazo y la sacude de los hombros—. Vámonos, nos están esperando ya en la mesa.

Marpis suspira y después repite:

—Sí, vamos. Nos están esperando.

★ ★ ★

—TE ESTABA ESPERANDO —dice El Paiki Que Vive Adentro De La Cabeza De Alo al tiempo que pone otra cerveza en la mesa de latón. Es la quinta de la mañana. Alo, muy sentado, ve con curiosidad a su amigo imaginario.

—¿Otra? —es la pregunta de Alo, con un leve atisbo de culpa.

—Otra —es la sardónica respuesta de El Paiki.

—Tengo que desayunar algo. O me voy a poner muy estúpido.

—¿Qué pasó con tu hermana?

—Se encabronó.

—¿Por tu culpa?

—Algo hay de eso.

—¡Felicidades! Ya era hora de que la castigaras.

—Me siento mal.

—No mames.

—¿Crees que sería bueno que hablara con ella?

—¿Para que te veas como un rogón?

—No le voy a rogar, sólo quiero arreglar el problema.

—No vayas, man.

—¿Tú qué sabes? Ni siquiera existes.

—¡Perdedor! ¡Mediocre!

Poniéndose la bolsa de Aurrerá bajo el brazo, buceando entre los estudiantes, manoseando el cemento, oliendo las señales, siguiendo las huellas como el buen sioux que es, Alo busca y busca a Karen. Por el highway 12 cruzan dos rubias, cuatro morenas, seis caníbales, una caravana mortuoria, una patrulla motorizada y unos cuantos estudiantes más acercándose al antro de cervezas.

Al fin la encuentra, sentada en el cofre de un Ford. Brazos cruzados y cara despreocupada.

—¡Sunrise! —gritonea Alo—, ¡Sunrise!

Karen se llama Karen en honor a Karen Carpenter, cuyo ridículamente exitoso sencillo *Close to You* puso en un estado de shock permanente a Madre, quien no lo dudó un segundo y decidió nombrar a su casi recién nacida en honor a la soon-to-be-anoréxica-favorita-de-este-lado-del-Atlántico. Alo le dice Karen a Karen, y no precisamente por la anoréxica, sino porque así se llama. Pero también le dice, como ya se habrán dado cuenta, "Sunrise" o "la Sunrise", y a veces "Tequila Sunrise". El mote nació un día de verano, o de primavera, whatever, en el que Alo se quedó dormido en uno de los camastros junto a la piscina de la casa de San Diego de los Padres. Las muy diversas razones por las que el huevón burgués le metía con singular alegría a las siestas no vienen al caso, lo verdaderamente importante es que, en ese día de verano o primavera (whatever), tuvo un sueño. Aquella noche pasé a visitar a miermano Cuki para jugar un poco del viejo y nostálgico Atari. En la cocina, mientras asaltaba el fridge de los Pirulazo, Alo se me acercó y me describió su sueño:

"Estaba echado con las piernas encima del volante de un Cádillac azul, azul cielo. Vestiduras blancas. Convertible. Vestía pantalones de algodón y cinturón de cuero; camisa de cuello largo y manga corta; zapatos de charol y calcetines blancos; sombrero de paja y lentes oscuros. El carro se encontraba parado en la periferia de un enorme estacionamiento, el cual estaba totalmente vacío, a excepción del lugar que el Cádillac y yo ocupábamos. Frente a mí, lejísimos, parecía haber una tienda de grocery. Yo soy más viejo de lo que soy. Entonces, noto que alguien sale de la tienda de grocery. Comienza a sonar *Close to You*, ya sabes, la canción de mierda que le encanta a Madre. Cuando la figura se vuelve nítida, caigo en cuenta de que es una mujer. Viste blusa y falda azul cielo, muy pegada, arriba (definitivamente) de la rodilla; guantes, alpargatas y bolso blancos; también lentes oscuros y un pequeño sombrero circular. Bajo los pies del volante. Se detiene frente a mí. Nos quitamos los lentes al mismo tiempo. La mujer es Karen. Sube al carro sin que yo mueva un dedo. Me dice: '¿Cómo te llamo?', y yo le contesto: 'Alo. ¿Y yo a ti?' Luego de un segundo, responde: 'Sunrise'."

Bueno, más o menos así era el sueño. No me pidan que se los

cuente al pie de la letra, ya que pasó hace tiempo. De todos modos, al menos tres puntos quedaron comprobados: uno, que algunos sueños son locos y estúpidos; dos, que Karen también era la Sunrise. Al menos en la cabeza idiota de Alo.

Tres: que un sueño con música de fondo de los Carpenters es una combinación apestosamente peligrosa.

—Sunrise…

La Sunrise voltea.

—Qué ondas.

—Oye… ¿estás enojada?

—No.

—Pero lo siento en tu voz.

—¿Qué? ¿El dizque enojo?

—Pues sí.

—¿Duele?

—Algo.

—Eres un recabroncito.

—Oye.

—Eu.

—¿Quién eres? —dice lo último pegando su nariz a la de la Sunrise—. ¿Eh, quién eres?

—Confórmate con saber quién no soy.

—Ay sí, cálmate tú.

—Válgame, Alito.

—Bueh.

—No soy moralina, ni fresa, ni me da frío. ¿Okey?

—Eres superwoman. Y eres impresionantemente hermosa.

—Ajá.

—Eres fea, entonces.

—No soy repugnante.

—Okey, eres bonita.

—Por eso, no soy fea.

—¿Y nosotros?

—¿Nosotros qué?

—¿También me enteraré de qué sucede con nosotros sabiendo lo que no somos?

—Sí. Creo.

—¿Qué no somos?

—No somos novios.

La Sunrise se aparta con delicadeza.

—Entonces, ¿vas a ir a lo de los Randyson? —pregunta Alo, ligeramente derrotado.

—Sí. ¿Y tú?

—Sólo si tú vas.

—Yo creo que sí.

—Entonces sí voy.

—Okey —Karen se acomoda el mechón rosado—. Creo que hoy me habló Cuki.

—¿Cómo que crees que te habló?

—Me dieron el recado de que alguien llamó al dormitorio —Karen bosteza—. Pero no se identificó.

—¿Segura que fue él?

—Sí. Lo conozco.

(…)

—¿Con quién vas?

—¿A dónde?

—A lo de los Randyson.

La Sunrise ríe.

—¿Cómo que con quién voy? Con Bobby.

Eso dolió.

—¿No es obvio, Alito?

—Pero…

—No más pendejadas por favor. Y tira esa mierda —señala la bolsa de Aurrerá—. Te ves patético.

Alo suspira. Quiere otra cerveza. Pronto.

☆ ☆ ☆

—VAMOS POR OTRA chela —dice Cuki al alcanzar a sus compadres en la sala de espera—. Pronto.

—Ahora sí estás hablando, tich —responde Cole tronándole, de paso, los dedos a Pimp—. ¿Desayunamos en Deep Ellum?

Pimp sale de su catatonia.

—Sí, sí…

—¡Cuki!

Esa es una voz femenina.

—No te vayas, Cuki.

Cuki voltea con una hueva del tamaño de La Bombonera en el rostro. Por supuesto, ya sabe quién es.

—¡Hola! —saluda alegremente, el muy falso—, ¿cómo va?

—¡Bien! —la dueña de la voz es una especie de guiñapo humano, anteojuda, más chaparra que un neumático rin diecisiete y más fea que un culo con granos. Se llama Topisto pero todos le dicen Srita. Topisto—. ¿Listo para la gran entrevista?

—No lo sé —sonríe Cuki—. ¿Tú estás lista?

Cole y Pimp se vuelven a sentar. Han visto esa escena en otras ocasiones.

—¡Pero claro que estoy lista, tontolete! ¡Lista para apoyar a mi escritor favorito!

Antes de volverse paiki de tiempo completo, Cuki Pirulazao escribió un libro. Tal proeza, pues así es justo llamarla, sucedió en términos verdaderamente milagrosos, no sólo porque los paikis prácticamente no sabemos leer y escribir, sino porque lo logró mientras vivía en un país extranjero. Ahora bien, los parroquianos podrán decir (con suficientes argumentos) que, al escribir un libro, Cuki automáticamente dejó de ser un paiki. Básicamente porque los libros son cosas edificantes y buenas, y eso hace a los escritores gente edificante y buena.

—¿Siempre eres así? —pregunta Cuki con asco.

—¿Cómo? —pregunta pendejamente Srita. Topisto.

—Una metiche. Una cualquiera. Una zorra estúpida que se mete en lo que no le importa —y Cuki toma el revólver calibre treinta y ocho que guarda en los pants desaliñados y le mete tres balas a Srita. Topisto en pecho y cuello, y ésta se derrumba contra los perfectos sillones del piso 93, formando al instante un charco de sangre púrpura.

Ya saben que el último diálogo es completamente imaginario. Lo que Cuki pregunta —en efecto— es:

—¿Siempre eres así?

Y lo que Srita. Topisto responde es:

—¿Cómo?

A lo que Cuki añade:

—¡Un encanto! ¡La mejor representante de prensa que hay en el Valle!

Srita. Topisto es la encargada de coordinar los esfuerzos mediáticos de Cuki. Al notar el sorprendente interés morboso que esos simios llamados periodistas mostraron en su libro, la Editorial Francine-Gladys se aseguró de que Cuki llevara una nana para lidiar con los Jimmy Olsens. En cada presentación, en cada entrevista, en cada inflamación mediática en la que nuestro autor favorito debe aparecer en público, Srita. Topisto está ahí. Ella es su propia y privada representante de prensa.

—Gracias, querido —ladra Srita. Topisto al mostrar sus dientes podridos—. Eres un amor.

Aunque es de todos sabido que los escritores son huevones de clase mundial, paradójicamente, ser boludos tampoco los eleva a la categoría de paikis. Eso hace de miermano Cuki un encanto, un verdadero ruiseñor en nuestros tiempos aciagos y mudos. Cuki es el único y original paikiliterato, el primer bibliopaiki de la historia.

—¿A qué hora paso por ti?

Sin duda, miermano Cuki es único e irrepetible.

—A la hora que quieras.

—¿A las tres?

El libro de Cuki se llama *Pixie en los suburbios* y es, por si se lo preguntaban, una confesión. Una larga, larga, larga, larga, larga confesión escrita a la manera y en el tono de un monólogo.

¿Ha tenido éxito?

Sí.

¿Más de lo que se esperaba?

Sin duda.

¿Por qué?

No porque en este país de subnormales la gente acostumbre leer, sino porque a todo mundo le interesa el cotilleo. Saber las cosas que hacen los de enfrente. Y en ese sentido, si se hubiera dicho que *Pixie en los suburbios* era una obra enteramente de ficción, no habría tenido ni el dos por ciento de las ventas que resultó tener. Ayudó, claro, que Padre es Famoso Empresario Sin Escrúpulos y que el supuesto progenitor (supuesto porque no es su padre, verán, sino su tío) de las dos protagonistas saltillenses es Famoso Político Sin Escrúpulos.

—Vale. A las tres.

El libro describe a Padre como un ricachón que sólo juega

golf y se caga encima de Madre. Y cito un párrafo de *Pixie en los suburbios:* "Iba a evitar los sábados con Padre en el country, los horrendos sábados de horrendo golf, los horrendos sábados rodeado de pegacanicas chistines de chalecos Chemise Lacoste y caquis Nautica y spikes Nike y pelotas Titlest y maderas de titanio Taylor Made y caddiebar y un Black Label tras otro y pendejas conversaciones en torno a… nada. Nada interesante". El supuesto suegro de Cuki, un senador norteño de derecha identificado por la prensa como Baldo Halliburton, se conoce en la obra de marras como "el cenador", y cito de nuevo a Cuki: "El padre de Pixie es senador. Pero yo le digo el cenador porque es un gran cerdo de ciento veinte kilos, altísimos niveles de colesterol malo […] y una papada tan grande que podrías escribir en ella un culebrón a la Tolstoi en tipografía Arial y a catorce puntos. El cenador tiene miles y miles de dólares en el banco. Mis impuestos, y los tuyos, trabajan por él".

—¡Entonces nos vemos al rato! —Srita. Topisto desaparece de la vista de Cuki y sus compas.

Si suponen que la publicación de *Pixie en los suburbios* resultó escandalosa, suponen bien. ¿Qué tanto? Bueno, digamos que uno puede encender un fuego en el desierto, pero no habrá nadie ahí para alarmarse o preocuparse por apagarlo. Y no tienen que haber leído *Ulises* en lunfardo para saber que si prenden ese mismo fuego en medio de la capilla sixtina se llevarán una zurra del tamaño de Chihuahua. A nadie le importa la confesión de un pobre bastardo, pero cuando el bastardo en cuestión es adinerado y con recursos, como en el caso de Cuki, la cosa se pone interesante. Y cuando el padre del bastardo en cuestión es sumamente adinerado y popular en las revistas del corazón, la cosa se pone requeteinteresante. Y cuando el supuesto suegro del bastardo en cuestión es objeto de rebatingas informativas entre la prensa sensacionalista política, oh sí, tenemos un pedo de proporciones bíblicas.

—¡Okey, chao!

No que todos tuvieran algo interesante que decir al respecto.

CORTE A: la rueda de prensa de *Pixie en los suburbios*:

"Estimado Cuki", dice Periodista Interesante no. 1, "¿en verdad se metía o le gusta meterse velas por el ano?"

CORTE A: Srita. Topisto tapando el micrófono que le han puesto a Cuki, y tomando la batuta de la contestación:

"Nos llama la atención que insistan en preguntarle a nuestro autor si, como se dice en el libro, se metía velas por salva sea la parte. De nuestra parte queremos pedirles que observen las verdaderas intenciones de la obra. Es decir, ¿qué significa meterse velas por salva sea la parte? Uno puede hablar metafóricamente, ¿no? Cuando yo le digo a alguien 'fórmate en la cola' no le estoy diciendo que se coloque a escasos milímetros del recto, ¿cierto? Ahora bien, no es el momento de discutir las diferencias entre la analogía y la metáfora, las cuales no conozco, pero sí puedo negar categóricamente que absolutamente todo lo que describiera Cuki en su maravilloso libro deba tomarse al pie de la letra. ¡Gente, por favor! ¡Hay cosas más importantes que discutir!"

CORTE A: Periodista Interesante no. 2:

"Pero dinos, Cuki: ¿te metías velas por el ano?"

CORTE A: Cuki arrancándole el micrófono a Srita. Topisto: "Sí. ¿Por?"

Como ustedes pueden imaginarse, el libro ha resultado ser bastante complicado e incómodo. Y estúpido, comenzando por su título. Después de leerlo (sentado en el salón del fido de la casa de San Diego de los Padres, ya que no tenía un dólar para comprármelo) concluí que a] en el libro casi no aparecen los suburbios y b] la Pixie mentada ni siquiera figura como el personaje principal. Pixie.

Pixie.

★ ★ ★

MIDYET CAMINA ENTRE las mesas de Golightly's. Hermosa. Sonriente. Firme. Con una belleza plutónica, neutrónica y cancerígenamente radiactiva. Sigue de cerca a un educado maitre panzón y pelón; la acompaña el robótico Primo Perfecto. La terraza está cubierta por unas lonas muy nais y da a una avenida.

Ajá, Midyet se ve encantadora. Los anteojos hacen un buen trabajo para cubrir esa maraña de problemas que guarda en la cabeza.

Robin Simon ya la está esperando. Ataviada también con anteojos oscuros pero maquillaje cargado, la carcamal, más estirada que las chichis de la Félix, revisa algunas notas acompañada de un expreso. Midyet le regala una sonrisa.

—¡Hola, mucho gusto, Midyet! —le propina severo beso pringoso y acto seguido se dirige a Primo Perfecto—. Hola a ti también.

—Él es ~~censurado~~, mi primo.

—Mucho gusto, ~~censurado~~ —le da beso, también pringoso—. Cuéntenme, ¿qué tal su vuelo?

Robin Simon parece la Bruja Cacle Cacle.

—Todo bien, gracias.

—¿Les ofrezco algo de tomar?

No, ese no es Primo Perfecto, es el maitre panzón y pelón.

—Yo quiero una botella de agua. Y un americano descafeinado, por favor.

—¿Y para usted?

—Jugo de naranja con apio y nopal y poro.

Ajá, el jugo de naranja con apio y nopal y poro es totalmente Primo Perfecto.

Robin ataca:

—No sabes el gusto que me da conocerte al fin, Midyet.

—El gusto es mío, Robin.

—Qué educada eres, chiquilla —la caclecacle enciende un cancro—. ¡Y qué linda! ¿Te habían dicho que te pareces muchísimo a Jennifer Connelly?

—Varias veces.

—Disculpa si suena molesto, pero el parecido es sorprendente.

—No te preocupes.

—Bueh, ya había visto fotos tuyas. Salió algo en *EW*.

—Algo supe.

—Y bueno: ¿has visto nuestro programa? ¿Lo pasan en el Norte?

—Sí, en cable.

—A veces tenemos problemas con los repetidores locales. ¡Dios, una lata!

—Me imagino.

—¿Tu bolsa es de Vuitton?

—Y... sí.

—Ash, esta cosa ya se enfrió —la carcamal le truena los dedos a un mesero—. Tráeme otro expreso y mucha azúcar light —se dirige a sus acompañantes—. Estos inútiles.

Midyet responde con una sonrisa charming. Una más.

—¡Pero qué lindos dientes tienes! ¡Son perfectos!

—¡Gracias!

—Nos llegaron los papeles antier —empieza la ruca.

—Eso te iba a preguntar.

—Muy a tiempo. ¡Muchas gracias! —le soba la mano a Midyet.

—De nada.

—Ya ves cómo son los productores. Bueh, y los abogados. Nos tienen agarrados de los cojones.

—De esos cojones.

—Era muy importante para ellos tener las pruebas de que, en efecto, Cuki y tú siguen casados.

—Claro.

—Porque... ¿siguen casados, verdad?

Midyet toma el estuchito mamón de Couch de Robin Simon.

—¿Puedo?

—¡Pero por supuesto, criatura! No sabía que fumabas.

—No, sólo quiero ver el estuche —lo examina—. Es monísimo.

—¡Gracias!

—Y sí, Cuki sigue siendo mi esposo —prosigue Midyet.

—¿Y te molesta? —el tono de Robin Simon es glacial.

—¿Ya empezó la entrevista?

—¡Chiquilla! —la caclecacle ríe vulgarmente—. No te pongas paranoica, sólo quiero saber. Esta es una charla informal para preparar todo lo demás.

—Me imagino que ya la tuviste con Cuki.

—¿Qué?

—La charla informal.

—Pues fíjate que no. Teníamos una cita. Pero nunca llegó.

—Ay, Cuki... —Midyet eleva los ojos al cielo.

—Pero no me importa —llega el expreso de la carcamal, junto con las otras bebidas—. Igual no es necesario que nos veamos previamente.

—¿Ah, no?

—De hecho, Cuki no sabe que vas a estar en el show.

—¿Ah, no? —Midyet repite lo último con un leve atisbo de preocupación.

Sólo un leve atisbo.

—Si se enterara podría boicotear todo. Y la sorpresa es clave, chiquilla, no lo olvides —Robin se encoge de hombros al actuar las palabras—. "¡Cuki, tengo una sorpresa para ti!"

—¿Y estás segura de que se va a presentar?

—¡Pero claro! Eso lo tengo arreglado.

—Guau —Midyet abre su botella de agua. Bebe.

—¿Por qué no me cuentas un poco de tu hermana Pixie, chiquilla?

Midyet termina el trago. Pone la botella plástica de regreso en la mesa. Tomándose su tiempo, cierra la rosquilla de la tapa. Arranca:

—¿Pixie? —de nuevo la sonrisa charming—. Verás, Robin, ese es uno de los temas que quiero aclarar.

—Soy toda oídos, nena.

—Yo no tengo ninguna hermana que se llame Pixie, sino dos hermanos mayores. Y el senador Halliburton no es mi padre, sino mi tío —señala a Primo Perfecto—. Él sí es hijo del senador —carraspea—. Mis padres murieron hace tiempo.

(...)

Lentamente, Robin Simon se quita los anteojos. Con patas de gallo arriba de las patas de gallo, mira a Midyet. Luego a Primo Perfecto, quien sólo atina a encoger los hombros y elevar las cejas.

La sorpresa da paso a una expresión viciosa, triunfante. Termina de un trago su expreso y dice:

—Pero vas muy rápido, querida. ¿Por qué no comemos algo y me platicas con más calma? —se levanta de la mesa, dropeando la servilleta de tela—. ¿Pasamos al bufet?

☆ ☆ ☆

Anyi Vlap-Vlap toma plácidamente de su café mañanero cuando Obe San Román, embarrando un pan con huevo revuelto, la interroga súbitamente:

—¿Cuántos años llevas casada?

—Tres. Bueh, casi tres.

—¿No te da miedo despertar un día y darte cuenta de que todo lo que esperabas sobre el amor el día que te casaste era falso?

—Eso es un poco dramático —espeta Debbie Jay, café humeante en mano.

—¿Dramático? Sólo para alguien que tiene la vida resuelta —replica Obe San Román.

—¿Qué quiere decir eso?

—Querida, tu vida se limita a regar las plantas, darle de comer al perro y esperar a que tu marido regrese de la oficina mientras contemplas al robot hacer los deberes que antes las mujeres auténticas llevaban a cabo.

—¿Qué tienes en contra de las amas de casa de hoy? —pregunta Marpis, horrorizada. Marpis había pasado los últimos diez minutos tratando de llamar a Cole con la mano. El morro es perseguido violentamente por un mesero armado con una servilleta.

—Nada. Sólo estoy en contra de la holgazanería. Por ejemplo, Debbie. Le regalaron un robot cuando se casó con Clavius. Y ahí empezó a ser una holgazana.

—Qué tiene. Estaba en la mesa de regalos —se defiende Debbie Jay.

—Pero no les regalaron vasos o un destapador. No: les regalaron un robot.

—No había destapadores en la lista de regalos de Clavius y Debbie —explica Anyi Vlap-Vlap.

Cole finalmente es pillado por el mesero. Lo lleva pataleando de regreso con su ma.

—Este bufet es muy bueno —comenta al aire Danilo, quien había permanecido callado—. Voy por más. ¿Quieres algo, Marpis?

—No, estoy bien —responde ella en un tono neutral.

—Te voy a traer pan dulce —Danilo se levanta.

—Sara y Ximena Holstein nos compraron el fridge —recuerda Debbie Jay melancólicamente.

—Esas perras…

—¡Obe! ¡Son mis amigas!

—Par de cocainómanas —completa Anyi Vlap-Vlap.

—Y los Hamburger se pusieron guapos con el robot —aclara Debbie Jay.

—Dios mío —suspira Marpis—. Los Hamburger.

Cole vuelve a escaparse. Sale corriendo como si le hubieran inyectado doce litros de cafeína en el cerebro.

—Pixie se casó con Cuki sin depender de una máquina —dice Obe San Román.

—Un momento, Cuki y Pixie ni siquiera estaban casados —interviene Marpis cuando Danilo arriba con los panes—. Gracias —le dice—, pero no quería.

—Cómetelos —ordena Danilo—. ¿En qué van?

—En que Cuki y Pixie nunca estuvieron casados —repite Debbie Jay.

—Pixie era una mujer que sí valía la pena —agrega Obe San Román—. Una joya en este pérfido desierto que llamamos vida. Ella tenía ética. Ella sí sabía lo que era la ética.

—¿Ya acabaste? —Debbie Jay parece molesta.

—No —Obe San Román se levanta—. Voy por más huevo. Me gusta por su sabor.

—Te acompaño —dice Danilo, y se dirige a Marpis—. ¿Quieres algo?

—"Continuará" —Obe San Román ejecuta las comillas en la cara de Debbie Jay y se aleja.

—No, Dani, estoy bien —responde, sumisa, Marpis.

—Te traigo jugo y más yogur —es la respuesta de su esposo.

★ ★ ★

MANZANA. PAPAYA. CAFÉ americano. Bísquet. Vaso de leche. Yogur. Tamal de dulce. Vaso de jugo de naranja: Cole, Pimp y Cuki están parados frente a la gran pared del Automat.

La gran pared es amplísima. Puedes correr veinte segundos de lado a lado y no se termina. En la gran pared del Automat hay cientos de minúsculas vitrinas, cada una con un alimento diferente. Manzana. Papaya. Café americano. Bísquet. Vaso de leche. Yogur. Vaso de jugo de naranja. Sólo tienes que insertar una moneda y listo: la vitrina se abre con un sonido mecánico bien padrísimo y el alimento es tuyo.

El Automat está frente al Cine Apolo. Los divide un camellón en el que un nutrido grupo de paikis pierde el tiempo admirando al Pelusa y otros sujetos menos talentosos armarse suertes imposibles en bicicleta. Un día el Cine Apolo va a cerrar y en su lugar pondrán un Home Depot y el Automat también cerrará y lo tirarán y pondrán un Pizza Hut o alguna otra franquicia gringa y el Pelusa ya no andará en bicicleta y seguramente conseguirá un trabajo formal y mal remunerado de nueve a seis. Cuki pensó, cuando entraban al estacionamiento del Automat y en el camellón, a la distancia, volaban las bicicletas: "Si llego a ser vicepresidente antes de los treinta voy a contratar al Pelusa para que me entretenga".

Pero esos tiempos se han acabado. Cuki tiene ya treinta años. Y nunca llegó a ser vicepresidente. Sólo está en el Automat. Frente a la gran pared. Decidiendo qué va a desayunar.

Meter la moneda.

Cole toma un café americano y un bísquet.

Jalar la perilla.

Pimp, una caja de Cheerios y un vaso de leche.

Tomar el alimento.

—¿Quieres algo, Cole? —pregunta Pimp con su comida en la mano.

—Cállate, pendejo —es la respuesta.

En el Automat hay mesas. Vidrio y cromo. El trío se sienta a disfrutar de su nutritiva comida. Yomi yomi. A algún simio mercadólogo se le ocurrió poner una estación de videojuegos adentro del Automat. Yomi yomi. Es una carcasa de metal cromado con un fido atachado. Yomi. Tiene demos de la nueva sensación, una cosa que se llama "Nintendo".

Dos morros juegan *Duck Hunt* bien entretenidísimos. Con soltura, disparan sus pistolas de luz a la pantalla y ven caer a los plumíferos.

—Te digo, man —dice Cuki—, este Nintendo va a ser la ruina de la industria.

—¿Por qué lo dices? —pregunta Cole.

—¿Qué es eso de cazar patos? ¿Qué es eso de un plomero que esquiva barriles?

—Arrojados por un chango, no lo olvides.

Cuki sabe un poco de lo que habla. Su anterior empleo había tenido que ver con videojuegos, aunque en aquellos años el término correcto era "juegos electrónicos".

—No xodas, tich, el Nintendo es cool. Todos quieren tirar sus Ataris y entrarle a la nueva ola.

—¿Qué tiene de malo tu Atari viejo?

—No hablo por mí, man, pero ya no me divierte *Circus Atari*.

—¡*Circus Atari* es bueno!

Ya habrá tiempo de relatarles cómo fue que los videojuegos cambiaron la vida de Cuki y ayudaron a su conversión definitiva a la religión paiki.

—Seguro.

—¿O sea que ya no quieres que juguemos Atari?

—Lo único que digo es que deberíamos evolucionar —lapida Cole.

—¿Vas a vender tu Atari? —pregunta Pimp.

—Cállate, pendejo —es la respuesta de Cole.

Pimp termina su desayuno antes que los otros. Se levanta. Abandona el Automat.

—¿Se enojó?

—Me vale verga.

Quince segundos después: gritos.

A toda velocidad, Cole y Cuki salen del Automat, dejando su comida atrás. Ahí, en el estacionamiento, está Ancianita Minusválida, tirada en el piso, la silla de ruedas a un lado (y la rueda todavía girando). Junto a ella, un desquiciado Pimp, sujetando una bolsa de mano.

Lo adivinaron: es la bolsa de Ancianita Minusválida.

Nuestros héroes se dan a la fuga.

Un paiki no es una persona deshonesta, mucho menos un felón. Así es que Cole y Cuki regañan a Pimp hasta que llora, y lo obligan, si bien no a confesar su crimen, sí a deshacerse del botín.

La bolsa de Ancianita Minusválida sale disparada a sesenta millas por hora y se estrella contra el pavimento del freeway.

Rodando en el Caprice, lejos de la escena del crimen, deciden detenerse en el Burger King de Lomas Verdes. Ahí conversan con Joey Brocoli, el negrillo que atiende la ventanilla dos del Auto King, sobre la apestosa temporada que se avecina para los Vaqueros de Dallas. Abren contra Pittsburgh. Desde que los Rams los blanquearon tres años antes no pueden regresar a playoffs. Nada ha sido igual desde que Staubach, Dorsett y Pearson se retiraron, pero ni modo. Así es el futbol.

Joey Brocoli les regala refrescos chicos para todos y un set de papas fritas tamaño Big Gulp.

—Vamos a hacer otra entrega —avisa Cole.

Ahora ruedan por Deep Ellum. Una patrulla de carabineros observa el área. Se estacionan frente a un antro de pilchas. "Esperen aquí", pide Cole. Se baja, abre la cajuela, saca el paquete, coge la pistola y entra al antro de pilchas.

Cuki se reclina contra el asiento. Respira hondo. Por el retrovisor ve a Pimp, quien ha olvidado ya su vulgar episodio y parece estar realmente entretenido con la caja del casete de Kaufman Rent-A-Car.

—Algún día voy a escribir sobre ti y las pendejadas que dices y haces —dice Cuki—. Vas a ser un gran personaje.

Pimp responde con un grjdmdkp.

Lo de siempre.

Cuki vuelve a reclinarse. Cierra los ojos. Piensa en la persona que era antes. En cómo somos cuando somos antes. En lo curioso que es acordarse de uno mismo. Como recordar a alguien que ya se fue, a alguien que nunca más volverá.

Diez minutos después, Cole regresa al Caprice.

—Mañana les pago —dice una vez que se trepa al auto.

Cuki trata de fingir sorpresa:

—¿Eso es todo lo que puedes decirnos? —pregunta con un falso enfado mientras se acomoda—. Madre cree que estoy haciendo un trabajo real.

—¿Ir a una entrevista en el fido no es un trabajo real?

—Mmm.

—Okey, déjame invitarte a desayunar —dice Cole, disculpándose—. Digo, ya que estamos en Deep Ellum.

—Pero ya desayunamos.

—¿En el Automat? ¡Este pendejo nos echó a perder todo! —Cole zapea a Pimp.

—Vale —responde Cuki hecho un facilón—. Vamos a desayunar.

✫ ✫ ✫

"AQUÍ ESTÁ TU desayuno", dice El Paiki Que Vive Adentro De La Cabeza de Alo. El Paiki está parado junto a una portezuela de madera. Tiene cara de payaso del infierno, pintado de pies a cabeza. Como esos buenos amigos de Twisted Sister. Alo, realmente intrigado y un poco ebrio ya, deja su cerveza y su bolsa de Aurrerá y se dirige a donde está El Paiki. Lo sigue hasta detrás de la portezuela. El Paiki tiene en su mano un cilindro de metal del tamaño de un encendedor pequeño. Alo sonríe. El Paiki sonríe. Caraxo, hasta el cilindro de metal del tamaño de un encendedor pequeño parece sonreír. "Aquí está tu desayuno." Toma el cilindro. La superficie es opaca. De un extremo cuelga una tapa, y del otro, apenas y asomándose, una pequeña aguja. Con pericia, la coloca en su cuello y siente el aguijoneo, rápido e intenso. En tres segundos, la sustancia invade su cerebro.

★ ★ ★

LA SOLEDAD CORPORATIVA invade su espacio vital, sus neuronas, su médula espinal, su bazo, su tráquea y su páncreas. Lo apachurra y lo ningunea. No lo deja respirar.

Clavius está sentado en su silla, completamente sumergido en sí mismo y en silencio. En su propio y privado silencio. Le da la espalda a su escritorio. Había levantado las persianas. Observa, por el grandilocuente ventanal, el eterno barullo del dauntaun de Naucalpan. Los camiones repartidores. Un zepelín con la efigie de la Corporación Shimago-Domínguez flota por la Av. Federico T. de la Chica, y desde sus bocinas se escucha una promoción para el puente del 15 de septiembre. Piensa que están en julio. Que no tienen madre. Que pronto les van a retacar la Navidad desde mayo.

Suspira.

Ring ring.

Malhumorado, acude al teléfono. Es Merci, su asistente. Clavius aprieta el botón del speaker.

—*¿Maese Pirulazao?*

—Dime, Merci.

—*Ya llegó su desayuno.*

—Pásale.

En tres segundos, Merci invade su soledad corporativa. Lleva una charola con café americano, palito revolvedor de madera, croissant, vaso de jugo de naranja (mediano), cháicols, servilletas, suficiente azúcar light y mentas.

Pone las cosas delicadamente sobre el escritorio.

—Gracias, Merci.

—De nada, maese —Merci tose—. Tengo muchos papeles para firma. ¿Quiere que se los pase ahora?

Merci es flaca, pálida y cabezona. Como un Piolín bizarro.

—Más tarde, Merci. Después de desayunar.

—Claro, maese.

Y desaparece.

Lo deja de nuevo en su soledad corporativa.

El plexiglás de treinta milímetros de grosor no permite pasar el ruido de la calle. Sólo son él y el incansable y discreto murmullo del aire acondicionado.

Rrrrrrrrrrrr.

Clavius desea estar lejos.

Mirando el mar.

En silencio.

Aquello es demasiado para soportarlo sin ayuda: en un desplante, coge el remoto y prende el fido.

★ ★ ★

—¿TÚ VES EL fido, querida?

—No, la verdad no. Desde que vivo sola no tengo fido.

—¡No me digas! Qué curioso.

—Eso es lo que dicen. La gente no está acostumbrada a que alguien no tenga fido.

—O sea que no te has enterado de todo lo que se ha dicho de ti.

Midyet clava la mirada en su plato de Corn Flakes.

—No es la única manera de enterarse de las noticias, Robin.

Haciendo un ademán falso, Robin arroja su servilleta a la mesa.

—¡Oh, pero claro que es la única manera! Una vez que estás ahí, y la audiencia te ve, te conviertes en una persona real. Antes de eso no eres nada. Poco importa lo que digas, si es verdad o no; lo único real es lo que sale en el fido.

Siguen desayunando en silencio.

Robin vuelve a la carga:

—Midyet, querida, me parece asquerosamente interesante que digas que no tienes ninguna hermana de nombre Pixie. Hicimos un poco de investigación…

—Me imagino.

—Sí sí, es la base de nuestro programa —Robin troza un pedazo de melón—. Periodismo serio, tú sabes. Do-cu-men-ta-do. Y bueh, no encontramos ni un solo rastro de una Pixie Halliburton. Maese Halliburton, Berman, no Baldo…

—Sí. Mi papá.

—¿Sí se llamaba Berman?

—Ajá. Berman Halliburton.

—Tu papá sólo tuvo una hija. Tú. Y los dos hermanos que mencionas, claro.

—Puedo confirmar tus sospechas —Midyet se encaja una cucharada de Corn Flakes en la boca.

—Pero entonces, ¿quién es Pixie? ¿Una outsider? ¿Una tercera en discordia?

—¿Quién es Pixie? —Midyet suelta una risita y se limpia la comisura de los labios con la servilleta de tela—. Yo te voy a decir quién es Pixie.

★ ★ ★

—PIXIE —CONTINÚA Obe San Román al regresar a la mesa—, esa divinidad encarnada, trabajaba y se valía por sí misma.

—¿De boletera en el cine? —se burla Debbie Jay—. Mejor que avienten mi hígado a los perros.

—¿Qué trabajo está a tu altura entonces? —aguijonea Obe San Román.

—Yo no pienso trabajar.

—¿Por qué?

—Porque no es mi papel.

El pequeño Cole hace pedazos una manteleta. Está harto de tratar de unir los puntos y formar la carita juguetona del Pato Donald.

—¿No te molesta que las vacaciones, la camioneta, los robots, la ropa y estos desayunitos idiotas salgan de las madrizas que tu esposo Clavius le mete a los pobres ambulantes?

—No —responde Debbie Jay, sardónica y coqueta—. ¿A poco no te gustaría estar en mi lugar?

—Dale su leche a Cole —le ordena Danilo a Marpis.

—¿Cómo? —se ríe Obe San Román—. ¿Casándome y jugando a la casita?

Marpis desvía la atención de la mesa al preparar un brebaje con agua, mamila y un polvo de color marfil.

—¿Qué es eso? —pregunta Obe San Román.

—Es la fórmula de Cole —responde Marpis.

—¿Qué es la fórmula de Cole? ¿Es como la emulsión de Scott?

—La leche le cae mal. Es un sustituto.

—Suena apestoso —tose Obe San Román, y regresa con Debbie Jay—. Viendo esto, confirmo que nunca me voy a casar. Mucho menos voy a tener hijos.

Cole mama ya de la fórmula de Cole.

—¿Cuántos años tiene? —pregunta Obe San Román, mirándolo—. ¿No está un poco grande para seguir tomando de la mamila?

—¡Así está bien! —ladra Danilo.

—Tomemos el ejemplo de los señores Damm —dice Obe San Román omitiendo el ladrido, y deja a un lado sus cubiertos.

—Lo mismo de siempre —suspira Anyi Vlap-Vlap—. ¿Por qué siempre tienes que sacar a colación a mis suegros?

—¡Porque tus suegros son la muestra fehaciente de que el matrimonio católico te deja estúpido y vegetal de por vida!

★ ★ ★

EL HEDOR DE la estupidizante cerveza, mezclado con el de la carne de puerco y el polvo.

"¿Dónde está mi mente? ¿Dónde está mi mente?"

Los estudiantes hormiguean por doquier.

Algunos están sentados, conversando. Otros se arremolinan afuera, como siempre, invadiendo el carril lateral.

Alo camina entre ellos, hasta el pito.

Si rodeas las mesas del mohoso antrillo hallarás un cobertizo en el que hay una tina con leños.

Ahí calientan
un chorromontón de agua
y gentemala armada con palos y cuchillos
asesina a los cerdos en una
onda de mutilación.

Les pegan enmedio de los ojos
y les rajan debajo de las patas en una
onda de mutilación.

A veces chillan y a veces no, pero de todas formas nunca se oyen sus lamentos; la música, los gritos y los olores crean una densa niebla que no permite que el lamento del cerdo llegue a los viciosos oídos.

Junto al matadero hay un alambre de púas y, detrás, un barranco de unos cuatro metros de profundidad. Allá hay árboles, pastos verdes y, subiendo, una vereda por donde a veces pasan los coches con sus pesadas máquinas. Alo solía orinar en dirección al barranco. Cuando se sentía mareado por la cerveza, hostigado por el hedor de la gente, iba a ese lugar a oler el olor del cerdo muerto.

Una onda de mutilaicón.

Mira hacia la vereda.

Al mear, intenta
atinarle a las hojas de los árboles de allá abajo.

Regresa al centro de la acción, esquivando diablos y flamas.

Saca algunos dólares de su billetera y compra otra cerveza. De nuevo lo asalta la duda: "¿Dónde está mi mente? ¿Dónde está mi mente?"

Sale del antro de cervezas
bolsa de Aurrerá en mano
y se detiene frente al
intolerable
vaivén del highway 12.

Mira la imponente, ancha e infinita autopista.

Divisa, enfrente, un camellón con una boya marina tirada enmedio.

Una boya marina. Metro y medio de diámetro. Roja.

Alo siente verguenza, y
lástima
de pensar en la pobre boya, completamente fuera de contexto, completamente inútil.

Mira el carril lateral.

El carril lateral es muy angosto: sólo pueden pasar un auto
de ida
y otro

de vuelta.

¿Dónde está mi mente? ¿Dónde está mi mente?

Gira la cabeza hacia su derecha.

El carril lateral, en forma de curva, se tuerce hacia arriba, en dirección al panteón.

Mira a la izquierda.

El carril lateral se alarga ad infinitum.

A la derecha, a unos cuantos metros de él, un tope.

A la izquierda, otro tope.

Regresa al antro de cervezas. No encuentra a Karen.

"¿Y el tal Bobby? ¿Qué coche traerá? ¿Qué gel se untará? ¿Qué música escuchará?"

Busca a la Sunrise. "Ea, güey, ¿has visto a la Sunrise?"

Se ve a sí mismo, repentinamente, hablando con toda la concurrencia. No para de estrechar su mano contra las de los demás estudiantes.

Toma una cerveza más, tipo Lager, según parece.

¡Hey! ¡Alo sólo quiere curar su resaca!

No debió de haber salido del dormitorio.

Debió haber hecho lo correcto.

Meter la cabeza en un agujero.

Y no salir en este día.

Pedir perdón,

retirarse,

ausentarse,

esfumarse.

Sale de nuevo al pie del highway 12, y la masa de estudiantes teporochos invade la mitad del carril lateral. Los coches tienen cuidado de no rebanarle las nalgas a algún escolapio. Ve de nuevo el

camellón

en donde estaba

la boya.

Qué curioso.

Antes, sólo una boya marina roja de metro y medio.

Ahora

dos imágenes antropomórficas,

pero difusas,

como las del fido,

justo como las del fido,
sentadas junto a la boya.
Alo intenta enfocar.
Poco a poco le hacen caso sus ojos.
La imagen más nítida.
Ya casi.
¡Chin!
Se atraviesa una lanchona LTD con los vidrios entintados.
Varios coches detrás del LTD.
Autos con gente triste.
Parroquianos llorando.
Sólo llorando.
Una onda de mutilación.
Alo mueve la cabeza a diestra y siniestra
izquierda derecha
derecha izquierda
arriba abajo
ya se cansó.
Ahora camiones.
Un pequeño caos vial a la altura de los topes.
Los estudiantes teporochos no quieren quitarse, no, ellos
quieren seguir ocupando la mitad del highway 12, su propia y pri-
vada carreterita que les pertenece.
No alcanza a ver el par de imágenes difusas que
sentadas están junto
a la boya marina
del camellón.
¿Por qué no camina hacia allá?
Caray, sólo es un pequeño trecho.
Y, después de todo, el carril lateral es muy angosto.
El problema (quizás) es que a veces ve lo que está junto a la
boya
y a veces no.
Ahora sí
ahora no
ahora tampoco
ahora menos.
Patrullas policiales.

Ambulancias.
Diapositivas.
Un momento
todo oscuro
luego
la imagen fugaz
después
un globo aerostático
un avión
cientos de eletedés transportando muertos
furgonetas
trocas.
Y los cadáveres no paran de reír.
Una caravana vaquera
un buque camaronero
el logo del canal de videos musicales
un pelotón de caminata olímpica preparándose para Seúl
monjas desnudas
un enjambre de abejas,
otro de tatankas y
hasta el zepelín de la Corporación Shimago-Domínguez ofreciendo una promoción para el puente del 15 de septiembre.
"¿Dónde está mi mente? ¿Dónde está mi mente?"
Alo: izquierdaderecharribabajo.
Caraxo.
Termina el caos vial.
Mira hacia adelante.
No hay nadie junto a la boya.
Aprieta la bolsa de Aurrerá. Se enfila rumbo al camellón. Prefiere detenerse y detener a un estudiante ebrio:
—¿No has visto a Karen? —le pregunta.
—Sí, se acaba de meter.
—Oh qué las chingadas.
Alo se clava a toda velocidad en el antro de cervezas. Hace stop en una mesa en particular.

★ ★ ★

CUKI, COLE y Pimp aplastan las nalgas en una mesa de material sintético del parlour de comida rápida del Galleria.

No hablan absolutamente de nada. Sólo comen, se dedican en cuerpo y alma a atragantarse, como los buenos cavernícolas que son, con la fast food que dan en el lugar. Cajitas de microcorrugado, servilletas desechables, vasos de plástico, bolsitas con salsa catsup, mostaza y jalapeño. La soledad muestra su fea cara. Loneliness rears up it's ugly head. El Galleria está un poco vacío a esta hora. Todavía no es la una. No hay nada interesante a la vista. Una chiquilla disfrazada como Madonna en su etapa Like A Virgin. Un barrendero vestido de amarillo. Una música demasiado lenta e hipnótica.

Entran en el tercer tiempo del lonch (es decir, pay de manzana), cuando dos carabineros, disfrazados a la vieja usanza, con chaquetas de piel negra y pistolas automáticas en los muslos, se presentan en el parlour de comida rápida.

Cuki los ve de soslayo, tratando de mantener los ojos en el pay. Baja ligeramente la visera de la gorra de los Dodgers.

Ni siquiera eleva la mirada.

Pimp suda copiosamente.

¿No fue Joe Strummer quien dijo "police and thieves in the streets, scaring the nation with their guns and ammunition"?

Los carabineros deciden dar un rondín.

Zzzzzzz.

Finalmente, reparan en nuestros héroes. Decididos, se dirigen hacia la mesa de material sintético. El que parece ser el líder, enfrenta a Cuki.

—Buenos días —le dice.

—Buenos.

—Estamos haciendo una revisión.

—¿De rutina?

—No. Alguien le robó su bolso a una señora.

—¿Aquí en el mol?

—En el Automat pasando la avenida. Pero creemos que se vinieron para acá.

Cuki, sentado; el carabinero, muy parado.

—No me diga —Cuki mastica su pay—. Qué desgracia.

—¿Me permite su identificación?

Cuki obedece. El carabinero la revisa.

—¿Les molesta si los cateamos un segundo? —añade.
—¿Es absolutamente necesario? —croa Cuki.
Cara de Piedra con un semblante poco amable.
—Sólo bromeaba.
Después de la manoseada, interrogan a Cuki:
—¿Nombre y apellido, empezando por el segundo?
—¿Por el segundo nombre? ¿Y si sólo tengo uno?
Gran Gorila con la identificación en la mano.
—Por el apellido.
—Pirulazao, Cukierzo.
—¿Edad?
—Treinta.
—¿Ocupación?
—Ninguna.
—¿Ninguna?
—Ninguna, dud. Soy desempleado.

Lo último es dicho con un acento de orgullo y autocomplacencia. Cuki se sabe paiki. Y no le avergüenza en lo más mínimo.

El carabinero permanece un par de segundos con la mirada clavada en Cuki. Como si lo reconociera.

—Hey —finalmente habla—, usted salió en el fido. En el programa de las entrevistas, en el que todos lloran.

Cuki suspira.

—Todavía no salgo en ese…

—Oh sí, usted es el del libro —lo señala para su compañero—. Es el que te dije. El que salía del clóset en el libro aquel.

—No me acuerdo —dice el otro gorila, indiferente.

—Yo no salí de ningún clóset —se defiende Cuki.

—Qué cagado. Realmente es usted el del fido —replica el gorilón con una sonrisa en el rostro—. Claro que…

—¿Qué?

—Pensé que era más alto.

Cuki se encoge de hombros.

Les regresan las identificaciones. La música lenta e hipnótica continúa.

✳ ✳ ✳

EL MÁNTRICO ESLOGAN del canal de videos musicales lo pone en un estado de relajación. "I want my OM... I want my OM... I want my OM."

Clic.

Clavius cambia el canal. Un anuncio. Clic. Otro canal. Puros anuncios.

"Doscientos y tantos canales y sólo hay comerciales", piensa.

Ante él desfilan los Cabbage Patch Kids, Gloria Vanderbilt, Zest, Alberto VO5, Emmanuel Lewis de *Webster* haciendo publicidad para Burger King, Brooke Shields ronroneando "¿sabes qué hay en medio de mí y mis Calvin? Nada", Jordache, Cheerios, Papas Sabritas A Que No Puedes Comer Sólo Una, Paula Abdul y Elton John tomando Diet Coke, "Welcome to Miller Time", el Tigre Toño, Toyota, Michael Jordan promocionando su nueva línea Air Jordan, "Cuéntaselo a quien más confianza le tengas y... ¡mucho ojo!", Michael J. Fox bebiendo Pepsi y Vaseline Cuidado Intensivo.

Clic.

De regreso en el canal de videos musicales. La campaña "Rock the Vote". El sustituto de Ronald se llama George. Hace proselitismo en el canal de videos musicales.

Clic.

Un promo del canal 127-B. La imagen de Cuki aparece fugazmente.

¡Hoy, en 'El show de Robin Simon'!
"La agarró y la puso en una cosa"
¡MI NOVIA FUE ABDUCIDA POR EXTRATERRESTRES!
"No entendía su fijación con la leche"
¡MI NOVIA SE CONVIRTIÓ EN UN CHEERIO!
"Amaba a Pixie pero me casé con la hermana"
¡MI NOVIA ES EL PERSONAJE DE MI LIBRO!
¡'El show de Robin Simon', hoy, a las 4 de la tarde! (Hora del Valle)

Prefiere apagar el fido.

Clic.

Ring ring.

—¿Maese Pirulazao?

—Dime, Merci.

—*Ya llegó su cita de la una.*

"Caraxo."

—¿Quién es?

—*Maese Takenaga. ¿Recuerda? De la contraloría.*

"Caraxo. Caraxo."

Clavius suspira. Mira hacia el techo de la oficina.

—Dile que me espere tantito, Merci.

—*Claro.*

Observa su desayuno. Está a la mitad. Igual ya no califica como desayuno. Es tarde. Se arregla la corbata. Una gota de sudor cae en su escritorio.

"Mi vida es un fracaso. Yo soy un fracaso."

★ ★ ★

—NO HE ENCONTRADO mejor ejemplo que ilustre el fracaso de la gran familia mexicana —dice Obe San Román—. ¿Les había hablado de esto?

—Sí —responden casi todos al unísono.

—Los señores Damm tienen una hija, Nectarita, que es el prototipo de la teenager mexicana sexy y aspiracional, y un hijo, Joselín, que se recibe de la universidad con honores…

—Al menos se graduó a tiempo —farfulla Anyi Vlap-Vlap.

—Omitiré tu salvaje comentario —Obe San Román eleva la nariz—. Luego consigue un buen empleo en un corporativo multinacional, se casa con una bella dama, aquí presente, y espera por lo menos tres o cuatro años para tener hijos porque quieren —actúa las comillas— "vivir su vida de pareja".

—¿Has terminado? —pregunta Anyi Vlap-Vlap, sumamente divertida.

—Este bufet es genial —dice Danilo, admirando el centro de mesa con gerberas.

—No —aclara Obe San Román—. Tus suegros tienen años sin dirigirse la palabra pero aparentan ser el matrimonio perfecto.

—Los pintas como si fueran monstruos —gruñe Marpis.

—Tú ni hables. Tus hermanos son tan patéticos que podrían

73

invitarlos a un talk show —dice Obe San Román, y luego se tapa la boca, actuadote—. Pero qué digo: ¡Cuki *realmente* va a estar en un talk show!

—¿Y ahora te vas a burlar de mi mamá? —pregunta Marpis, encabronada.

—La matriarca Pirulazao merece mención honorífica. O por lo menos su propio programa —Obe San Román toma una jarra de café y se sirve—. Pero a lo que iba es esto: los Damm no son monstruos. En una de esas hasta los aprecio.

—Si sigues así de necio, voy a necesitar un trago —advierte Debbie Jay.

—No se soportan y duermen separados, pero mantienen las apariencias. Y eso es algo que admiro.

—¿Qué es lo que admiras? —pregunta Any Vlap-Vlap.

—¿Pedimos la cuenta? —pregunta Marpis—. No me estoy sintiendo bien.

—¿Qué es lo que admiras? —pregunta Debbie Jay en turno.

—Que hacen lo que hacen por "el bien común" —remata Obe San Román—. "El bien común" exige que las apariencias se mantengan —Obe San Román mira fijamente a Debbie Jay, quien está empezando a ponerse fúrica—. ¿Tú sabes lo que es "el bien común," querida?

Debbie Jay no dice nada.

—Deberías saberlo —la mirada de Obe San Román se torna diabólica—. No nos gustan las mentiras, pero nadie niega que pueden ser muy convenientes.

★ ★ ★

—NO ME DIGAS que no te mueres por cogértela —dice El Paiki Que Vive Adentro De La Cabeza De Alo—, que no te cortarías un brazo con tal de cogértela…

—¿Alo?

Esa es la voz de Karen, sentada en una mesa.

Alo, con la mirada perdida.

—Jelou… ¿Alo?

Camina cual soldado prusiano, esquiva estudiantes, clava las narices en el hedor del antrillo. Percibe: otro puerco ha sido asesinado… otra cerveza destapada. Todo para llegar a esa mesa en particular, en la que está la Sunrise.

—¿Y este puto te va a quitar el privilegio de cogerte a tu propia hermana? —le dice El Paiki—. ¡Oh, no! ¡No señor!

Karen, ajá, con un brazo inconfundiblemente masculino abrazándola.

—¿Alo?

—Hola —Alo reacciona finalmente.

—Hola —replica Karen—. ¿Ya conocías a Bobby?

Es un sujetillo con zapatos de mascatuercas, peinado relamido y, sobre sus hombros, la cabeza de un asno. Parece que lo acaban de extraer del Magic Circus. Saluda:

—¿Qué onda mano, cómo estás?

—Bobby, a Alo no le gusta que le digan mano.

—Perdón —el Bobby Mascatuercas hace una caravana—. ¡Qué onda, chavo!

—Hola.

—¡Hasta que conozco a uno de mis cuñados! —el Bobby se acomoda el copete—. Al otro lo veo hoy en el fido.

—¿No me conocías, carnal?

—¿Carnal? —el Bobby y la Sunrise se voltean a ver con sorna y comienzan a reír bobaliconamente.

—¿A qué vienen las risas? —pregunta Alo.

—Nada personal, mano… ¡perdón, chavo! —exclama el Bobby.

Más risitas.

—Mejor me voy —anuncia Alo.

—No te vayas, chavo, haces buen mal tercio —le dice con la ceja arqueada—. ¿Qué pedo con la bolsa, eh?

Alo se dirige a la Sunrise:

—Anota esto para el archivo de la constancia: un hombre hiriendo a otro hombre.

—¡Tigre! —grita excitada la Sunrise.

—Ay, qué cosas dices, mano.

—Adiós —Alo da media vuelta.

—¡No te vayas, mano! —lo empuja el Bobby desde su asiento—. ¿O debo llamarte Alo? ¿Es un apodo?

—Así me llamo —Alo de nuevo da media vuelta.

—En realidad se llama Alonso —aclara la Sunrise.

—¿Por eso pareces puto?

—¡Ay, Bobby, cómo eres, ya lo echaste a perder! —interviene la Sunrise.

—No me defiendas tanto —ladra Alo y otra vez da media vuelta.

—¡No le digas qué hacer, mano! —de nuevo el Bobby lo empuja.

—¿Y tú te sientes el muy mayorcito o qué? —Alo lo enfrenta.

El Bobby se para. En verdad es más alto y fornido que Alo.

—¡Soy tu padre!

Dos segundos después, viene la respuesta de Alo:

—¡Con razón tienes cara de pendejo!

Empujones y puños alzados.

—¡Ya! —la Sunrise los separa metiéndose en medio de ambos— ¡Lo peor que puede pasarle a una mujer es que peleen por ella!

—¡No mames por favor, Karen!

—¡No le hables así, mano!

—¡Le hablo como se me hinchen los huevos!

—¡Shh! ¡No lo eches a perder, Alito!

—¡Cerdos! —Alo se arranca lejos de ahí—. ¡Cerdos los dos!

—¡Ya lo echaste a perder, Alito!

—¡Chinguen a su madre!

—¡Chíngala tú; pinche escuincle joto!

—¡Muérete, cabrón! ¡Muérete!

★ ★ ★

—PIXIE NO ESTÁ muerta —dice Midyet—. Eso es lo primero que te puedo decir. Todo ese lío que han armado sobre su muerte y el famoso accidente...

—¿Me estás diciendo que no hubo accidente? —interrumpe la caclecacle.

—No, sí hubo accidente. Pero Cuki iba conmigo. No con esta Pixie.

—Qué interesante...

—Ergo, Pixie no está muerta.

—¡Superinteresante!

—Pero hay más.

★ ★ ★

"Y ALGO MÁS: ¿Vas a dejar que te la quite impunemente? ¿Vas a permitir que ese Bobby Caradeperro se salga con la suya? Regresa ahí y diles algo. Dile a ella lo que sientes. Recuérdale lo que pasaron juntos. Que no te salga con una vaclayez, que no te salga con que ya no se acuerda o que fue una noche de calentura. ¡Fueron varias noches! ¿Cómo va a explicar varias noches de calentura? ¡Esto es amor! ¡Esto es amor!"

Alo destapa otra cerveza. Toma la bolsa. Camina de regreso a Karen.

★ ★ ★

—¿KAREN ESTÁ en edad de merecer, no?

Cuki mira de soslayo a Cole.

—¿A qué viene eso?

El parlour de comida rápida comienza a llenarse de oficinistas.

—¿Tiene novio?

—Karen tiene noooooooooooooovio —exclama mongólicamente Pimp.

—No, no tiene —dice Cuki.

—Eso no es lo que yo he escuchado —remata Cole.

Cuki respira hondo.

—¿Qué hora es? —pregunta, nervioso.

—La una y cacho.

—¿Me llevan a mi casa? —pide Cuki—. Voy a encerrarme toda la tarde.

—¿Qué vas a hacer? —interroga Cole, muy espichado.

—Me pongo a jugar o a escribir o algo.

—¿Y el programa? —pregunta Pimp.

—¡Cállate, pendejo!

—¿Caraxo, no les pedí que no tocaran el tema?

77

—Oigan —Cole esboza una gran sonrisa—, tengo una idea genial: ¿por qué no aprovechamos el tiempo en algo productivo y vamos a Flynn's? Así jugamos y seguimos chupando.

La idea genial de Cole todavía no suena como una emboscada.

★ ★ ★

TAKENAGA SUDA MENTIRA, extorsión y corrupción. Takenaga es un corpócrata treintón de ascendencia japonesa.

—Pásele, maese. Siéntese —le pide Clavius—. ¿Quiere algo de tomar?

Takenaga es hijo de padres divorciados. Él también divorciado. Vive solo en un leonero en el dauntaun de Tlalnepantla. Su esposa lo esquilmó en un juicio civil y huyó a Tangamanga.

—No, gracias, estoy bien.

Takenaga trabaja en la contraloría interna de la compañía. Eso lo hace un detective de porra. Busca casos de corrupción entre los ejecutivos y luego, usando su propio y privado lingo, les da "una calentadita".

—Es un lindo día.

—¡Un día perfecto!

El look de Takenaga es como de *Columbo*. Podría ser *Magnum P.I.* o *Miami Vice*. Incluso *Vegas*. Pero no, el vaclayo prefiere disfrazarse como Columbo.

Silencio sepulcral.

El run run del aire acondicionado.

—¿En qué le puedo ayudar?

Takenaga es adicto al Crixivan, un inhibidor de proteasa empleado en enfermos contagiados de El Virus. Pueden pensar que esa mierda te xode la vida, y vaya que tendrían razón: a Takenaga le ha provocado piedras en el riñón, problemas en el hígado, principio de hiperglucemia, pérdida de cabello y amarillamiento de los ojos y la piel. Imaginen a un hijo de japoneses con la piel y los ojos más amarillos de lo normal y obtendrán a Takenaga.

—¿Perdón?

—¿Que en qué le puedo ayudar?

—Ah, eso —Takenaga todavía no se sienta, y camina alrededor

del escritorio de Clavius. Toma una foto familiar enmarcada. Los Pirulazao—. ¿Su hermano el escritor?

—El mismo.

—Vaya —Takenaga deja la foto en su lugar—. Pensé que era más alto.

—¿Seguro que no quiere nada de tomar? —insiste Clavius.

—Vengo a hacerle una advertencia, Maese Pirulazao —dice Takenaga, cortante y con voz cavernosa.

Silencio sepulcral.

El run run del aire acondicionado.

—¿Una advertencia?

—Sí. Una advertencia.

Precio de un frasco de Crixivan con ciento cincuenta tabletas de 400 mg en Aurrerá: 900 dólares.

★ ★ ★

CUKI LE MUESTRA un fajo de billetes al clerc, quien de inmediato pone ojos desorbitados.

—¿Cuánto? —pregunta el clerc.

—Todo.

El clerc mete los tokens en una bolsa de tela, la cierra con la jareta y se la entrega a Cuki. Sus amigotes ya están detrás de él, esperando el botín. Cuki los mira como te mira aquel que posee exactamente lo que necesitas en ese preciso momento. Les pasa los tokens y se queda con unos cuantos.

—Caminemos por el lobby —dice Cuki con elocuencia.

Cuki puede ser un mero accesorio de Cole en el Caprice, pero en Flynn's se convierte en el auténtico Amo Y Señor Del Lobby, Su Satánica Majestad Cukierzo Pirulazao, El Paiki De Todos Los Paikis. Poco importan sus pants desaliñados o sus estúpidos Vans o su estúpida gorra de los Dodgers. Cuando Cuki camina por el lobby de Flynn's los parroquianos, sean paikis, babers o simples turistas, lo ven con respeto y reverencia.

Pasa junto a las máquinas de pinball, a las secciones especiales de Midway y Sega y Atari. Llega al rincón que le interesa, en el que están *Ms. Pac-Man*, *Matrix Blaster*, *Space Gunner*, *Code Wars*, *Intruders*,

Space Paranoids. Cuki piensa: "Y en el noveno día, Dios le dio al hombre pulgares para jugar videojuegos".

Cuki es el filósofo de los gamers.

Flynn's es el único antro de vicio y arcade que sobrevivió al crack. Y también Penny Land.

Cuki es un cliente frecuente.

Cuki es un creyente de la causa.·

Enfrenta la cabina de *Space Paranoids*. Inserta el token. Comienza a jugar.

Quince minutos después, los parroquianos se arremolinan junto a la máquina.

Cuki dispara y esquiva. Se acerca peligrosamente al récord.

Tres más.

Dos más.

Uno más.

Un nuevo récord.

En medio de la algarabía, Cuki se hace a un lado y se deja perder.

—¡Novecientos noventa y nueve mil puntos! —exclama un paiki nerdo—. ¡Es un nuevo récord!

Aplausos y gritería histérica. Cuki sonríe ampliamente. Ampliamente.

—¿Cómo lo haces?

Esa es una voz femenina.

—¿Perdón?

—¿Que cómo lo haces?

La sonrisa de Cuki se disuelve. Y no se disuelve porque haya visto algo espantoso y horrible, sino todo lo contrario. Frente a él está esta criatura hermosísima, güera o semigüera, delgada, relativamente alta, con una pony tail y playera pegadita con el logo de Flynn's levantado por dos chichis cuasiperfectas. Duras. En su lugar. Ojos enormes. Verdes.

"Guau", piensa Cuki.

El ruido del antro parece diseminarse y dar paso a una música suave, ligera, profunda.

"Pixie", piensa Cuki.

Más repuesto, dice:

—El secreto está en las muñecas.

La güera o semigüera sonríe.

Permanecen en silencio durante unos segundos. Mirándose.

—Estoy allá, junto a la barra —dice ella—. Atiendo la cubeta de cervezas. Si quieres/

—Al rato paso por una —la interumpe Cuki y los dos ríen. La güera o semigüera se despide.

Cuki se queda solo. Pimp y Cole se acercan. Se dirige al primero:

—¿Cuántos dólares tienes?

—Como diez.

—Dámelos.

—Pero…

—¡Cállate pendejo y dáselos! —lo empuja Cole.

La soledad muestra su bella cara. Loneliness rears up it's beautiful head.

Esquivando paikis, se dirige a la cubeta.

Se para frente a la güera o semigüera.

Tres Miller High Life.

La güera o semigüera de las chichis exquisitas fuma, pero no de los del camello: podría manchar sus delicadas manos y sus aperlados dientes.

A mí me gustan por su sabor.

—¿Puedes sacarlas? —pregunta la güera o semigüera señalando la cubeta, y Cuki hace su labor de buzo, claro, pues esos ojos texanos no podría encontrarlos ni en la Bauhaus. Le entrega las botellas y ella procede a destaparlas.

(…)

La clerc güera o semigüera dispara:

—¿No saliste en el fido?

—Una vez —responde Cuki con nerviosismo.

—¿Y hoy vuelves a salir, verdad? Vi los avances con Guillermo Ochoa.

—Sí —repite Cuki.

—Cool —la clerc güera o semigüera le lanza una mirada charming—. Son nueve dólares.

Cuki le entrega el billete de diez dólares.

—Gracias.

Camina de vuelta con sus cervezas. Tenso.

—¡Oye!

★ ★ ★

—¡OYE!

El Bobby voltea.

—¿Qué quieres, mano?

—Ositos de peluche psicodélicos: no lo echen a perder.

—¡Pero si es el Bobby Caralampio!

—Karen —el Bobby mira a la Sunrise con hastío—, dile a tu hermanito que se vaya.

—Alito, no seas así.

—¿Qué? Yo sólo quiero ser bueno.

—Eres un niño pendejo.

—¿Ves quién es el agresor?

—¿Y quién me llamó Caranosequé?

—Así te llamas, ¿no?

El Bobby se levanta.

—Mira…

La Sunrise de nuevo se pone en medio.

—¿Se van a comportar?

Los dos se sientan cual autómatas.

Karen pregunta con voz delicada:

—Bueno, ¿cuál es el problema, Alito?

—Ninguno.

—¿Por qué no eres un buen cuñado y platicas con Bobby del programa de Cuki o, no sé, box y autos y esas cosas que les gustan a los hombres?

—Eso: regáñalo —pide el Bobby.

—No, si lo mismo va para ti.

—Uh.

—Díganme, ¿cuál es el problema? ¿No quieren arreglar las cosas?

—Yo no sé —declara Alo.

—Yo tampoco —remata el Bobby.

—En ese caso, me voy.

—No te vayas —suplica el Bobby.

—Pinche rogón.

—A ver, ven —Karen le da un beso al Bobby—. ¿Nos disculpas un segundo?

—Pero sólo uno.

La Sunrise y Alo caminan lejos de la mesa. Pestañas, dientes, tono cariñoso:

—¿Qué chingados te pasa, corazón?

—No me digas que te gusta ese teto.

—Pues sí: me gusta. Y mucho.

—Ash.

—¿Qué?

—Siento celos.

—No sé por qué.

—¿Debo tomar eso como algo bueno o qué?

—Mira, celosito, vete a celarte las nalgas.

Karen se quiere ir, pero Alo la detiene violentamente, pegando su boca al oído de ella.

—¿No lo entiendes?

—¿Qué?

—Me debes algo. Tú me debes algo.

—¡Yo no te debo nada!

—Estábamos enamorados.

La voz de Alo suena creepy.

—¿Enamorados? Juar.

Al fin logra zafarse. Regresa con el Bobby. Alo permanece parado frente a ellos.

La Sunrise agita las manos:

—¡Sáquese!

★ ★ ★

"QUE SALGA DE aquí", piensa Clavius. "Que se vaya y que este día se acabe pronto. Salir pronto. De aquí."

—Dígame, Maese Pirulazao —comienza Takenaga—. ¿Sabe cuándo llegó el hombre a la Luna?

—¿El hombre a la Luna? —repite fútilmente Clavius.

—Ajá. ¿Sabe cuándo fue? ¿Tiene una idea?

—Me parece que sí —traga saliva—. ¿Pero ya tiene tiempo, no?

—Un par de décadas. ¿Y sabe cuándo se inauguró el primer Hilton en la Luna?

—El primer Hilton… —Clavius medita su respuesta—. ¿Fue hace poco, no?

—Dos años.

Takenaga cruza la pierna. La izquierda. Prosigue:

—De Neil Armstrong al primer Hilton ha sido un gran salto, ¿no lo cree?

—Sin duda.

—¿Sabe cuál es la moraleja?

(…)

—¿Cuál?

Clavius quiere estar de vuelta en su juventud. En los días interminables.

—Que todo llega a su tiempo.

En los veranos felices, despreocupados. En los largos años.

—Y su tiempo está llegando, Maese Pirulazao —añade Takenaga y toma un clip.

—Deberíamos discutirlo con más calma —responde rápidamente Clavius.

—Sí sí, habrá que hacer una cita —Takenaga juega con el clip—. Para platicar de varias cosas.

—Cuando usted diga.

—Bien. ¿Hoy?

—¿Hoy?

—Sí. Hoy.

—Pero hoy es viernes.

—Gracias por el dato —deja el clip en el escritorio—. ¿Lo veo a las ocho, aquí?

—¿Ocho de la noche?

—Ocho de la noche. Sí.

(…)

—Bueno —acepta, dudoso, Clavius.

—Bien. Hasta entonces.

Takenaga se levanta y sale de la oficina, cerrando cuidadosamente la puerta.

★ ★ ★

—¿PUERTA DE MARFIL o puerta de cuerno? —pregunta El Paiki Que Vive Adentro de la Cabeza de Alo. Sostiene dos cilindros de metal. Uno más chaparro que el otro.

—De marfil —responde Alo desapasionadamente. El Paiki le da el cilindro de metal más grande. Alo inyecta la sustancia en su cuello. Speed. Los ojos se le hacen chiquitos. La boca se le seca. Siempre es así. Se levanta y camina hasta perderse entre la multitud. Busca algo en sus bolsillos. "Pinche putana", piensa. "Zorra de mierda. ¿Dónde estará?"

Sale del antro de cervezas. Divisa la boya en el camellón.

Oh

una moto

un huracán

una ola con un surfer

un buque camaronero

una horda de niños de primaria

muchachas gordas en bikini

un sujeto idéntico a Cuki ahorcando a una mujer idéntica a Robin Simon

caos vial

desfile con banda y marchistas y carros alegóricos

un carro con la rechoncha cara de

Alo

al frente

y luego

uno con la cara de

¡Porky!

Otro con el rostro de la Sunrise

y uno con el del Bobby.

Una monja.

Sí, eso, una monja.

Alo abraza a El Paiki, quien no se había separado de él, y le susurra al oído:

"La monja desnuda tiene un fierro. La monja desnuda es idéntica a Karen. Babea. Yo soy un puerco. De preferencia, uno con personalidad: Porky. La monja no tiene que perseguirme, me clava el fierro en la panza y no sale sangre sino cientos, miles de bombones. Los veo en el suelo, los levanto y me los como. Miro a la monja-Karen. Olvido que soy un puerco y me abalanzo sobre ella."

El último carro alegórico jala, con un grueso cable, un gigantesco globo. Ese globo es la efigie de Cuki, sosteniendo el libro.

—El puto libro de mierda.

El Paiki, vestido de negro y con los ojos de conejo, se para frente a Alo y le dice con voz altísima:

—¿Has visto a Karen? ¿Verdad es que estaba sentada aquí hace un rato? ¿Verdad es que el Bobby le agarraba la mano? ¿Verdad es que te quieren ver la cara de pendejote? ¿Verdad es que ella te quiere a ti y a nadie más que a ti? ¿Verdad es que digo la verdad? ¿Verdad es que Karen es un cerda cachonda? ¿Verdad es que disfruta comiéndose los cuerpos de los hombres? ¿Verdad es que en estos momentos está comiéndose a ese hijoputa del Bobby? ¿Verdad es que están en el coche del Bobby? ¿Verdad es que no lo vas a seguir permitiendo?

Alo reacciona:

—¿Cuál es el coche del Bobby?

—¿Ves aquel Duster? —El Paiki señala el estacionamiento de tierra—. Detrás de él hay un Súper Bee con placas SMAG 271174. En ese coche llegó el Bobby.

—Gracias.

—De nada.

Alo corre.

—¡Hey!

—¿Qué?

—¡Tu bolsa!

Regresa. La toma.

—Gracias.

—De nada.

Alo corre y su cerveza se vacía en el camino. Corre directo al Súper Bee, casi empapado por el líquido maltoso. Justo en esos momentos arranca el Duster que lo ocultaba, dejando desnudo el vidrio trasero del Súper Bee. Sin detenerse, mira cómo un pie desnudo golpea el vidrio lateral y una mano (seguramente la izquierda), se pega contra el trasero.

Todo el auto se sacude.

Una frente se asoma.

Ahora un par de ojos.

Ahora una nariz.

Luego una boca.

Con barbilla.

Toda la cara.

Expresión de asombro.

★ ★ ★

DEBBIE JAY ENSAYA una mueca de horror:

—¿Quieres decirnos algo, Obe?

—¿Sí, qué quieres decir? —pregunta Anyi Vlap-Vlap.

Danilo parece no escuchar. Marpis guarda un silencio sepulcral.

Obe San Román sonríe malévolamente.

(...)

—Quiero decir que me gusta coger con señoras casadas —declara Obe San Román con naturalidad—. Para que vean la verdad de su cerda vida. Pero por "el bien común" prefiero no dar nombres.

(...)

Debbie Jay golpea en la mesa. Luego, lanza un sollozo:

—¡Eres un idiota! ¡Eres un miserable y un pendejo!

Se levanta y huye corriendo.

—Qué raro —dice Danilo.

—¿Cómo fue lo último? —pregunta Anyi Vlap-Vlap, buscando un lipstick en su bolsa.

—¿Por qué dijiste eso? —grazna Marpis.

—Nomás —responde, muy serio, Obe San Román.

El pequeño Cole da vueltas de carro por todo el restaurante.

—¿Podemos irnos? —Marpis evita la mirada de Obe San Román y se dirige a Danilo—. En verdad me siento muy mal.

—Estás bien loquito —dice Anyi Vlap-Vlap aplicando el lipstick—. ¿No han traído la cuenta?

—No, pero tenemos que irnos ya a lo de los Randyson —recuerda Danilo.

—¿Qué hora es?

—Casi las dos.

Marpis recoge sus cosas violentamente.

—¿Allá van a ver lo de Cuki?

—Que alguien le recuerde a la mesera lo de la cuenta, que la pedí hace rato —dice Anyi Vlap-Vlap, levantándose—. Voy al baño a buscar a Debbie. Seguro ahí está.

—Dile de mi parte —Obe San Román eructa—, que no sea dramática.

DANDO UN GRITO espantoso, Alo lanza el casco de cerveza contra el vidrio trasero. La botella rebota y sale disparada lejos de ahí. Alo se detiene, respirando y jadeando pesadamente. El Bobby sale del auto: pecho desnudo, pantalones desabotonados. Cierra los puños. Alo duda un segundo. Y luego ya no duda.

Toma una roca del terroso suelo y la estrella contra el vidrio, que ahora sí se rompe.

Lo siguiente:

Karen saliendo del auto a medio vestir, una multitud juntándose alrededor para la pelea, el Bobby masacrando a Alo, Karen tratando de detener al Bobby, pun, rodillazo, codazo, patín, salivazo. Otra roca en el suelo, Alo estrellándola contra la cabeza del Bobby, Alo metiéndose al Súper Bee para abofetear a la Sunrise, las sirenas sonando a lo lejos, Alo estrellando su puño cerrado contra el rostro de Karen, una, dos, tres veces, las torretas sonando y brillando cada vez más cerca, Alo saliendo del auto, completamente ensangrentado, el Bobby tirado en el piso, el caos vial por todos los mirones en el carril lateral, los carabineros golpeando estudiantes indiscriminadamente y subiéndolos a las julias, Alo, con la bolsa de Aurrerá en las manos, huyendo a toda velocidad.

CUKI REGRESA a toda velocidad.

—¿Sí?

La semigüera da una fumada y le lanza otra sonrisa hermosa.

—El nombre es Mildred.

—¿Mildred? —pregunta Cuki con asombro—. Yo soy Cuki.

—Sí, lo sé —se pasa la lengua por los labios—. Oye, salgo a las seis. ¿Por qué no vienes?

—Y… sí —responde Cuki con el asombro provocado de que aquello fuera tan fácil.

—Digo, cuando acabes lo que sea que tengas que hacer hoy.

—Sí, claro. Cuando acabe.

Cuki da media vuelta. Las tres Miller High Life en sus manos. Qué sorpresa.

Otra sorpresa.

Cole y Pimp, frente a él. Están acompañados por dos gorilas de saco y corbata azul marino y pantalones grises, ambos con audífonos de guarro.

Junto a ellos, Srita. Topisto.

Las botellas
cayendo
al suelo
estallando
en mil pedazos
como si estuvieran
predestinadas
a hacerlo.

Cuki trata de huir, pero es inútil. Los guarros lo capturan e inmovilizan. Cargándolo como un bulto, lo sacan de Flynn's ante la mirada atónita de paikis, babers y, ajá, esos turistas perdidos.

—¡Suéltenme!

—¿Pensabas que te me ibas a escapar? —lo xode Srita. Topisto mientras salen del yoint—. ¿Pensabas que iba a permitir que no fueras a tu compromiso?

—¡Zorra! ¡Zorra maldita!

Cole los sigue hasta la puerta de entrada, seguido por un Pimp avergonzado. Cuenta un fajo de billetes mientras camina. Desde su posición de muñeco de trapo, Cuki le gritonea:

—¡Judas! ¡Judas! ¡Me vendiste!

Cole se encoge de hombros.

Mildred se soba los brazos. Siente un estremecimiento.

★ ★ ★

ROBIN TRAGA SALIVA. Se siente nerviosa. Tenía tiempo sin sentirse nerviosa.

—Pero antes dime una cosa —dice Midyet—. ¿Esto lo haces con todos tus invitados?

—¿Esto de desayunar antes del programa?

—Sí.

—No con todos —la carcamal prende un cancro—. ¿Qué más hay?

Midyet se pone muy seria.

—Robin, querida. ¿Llevamos qué, desde las once platicando? ¿Y aún no lo entiendes?

La caclecacle se encoge de hombros.

—No sé, tú dime.

—Bueno, ya establecimos que yo no tengo ninguna hermana de nombre Pixie. Ni siquiera tengo hermanas. Y ahí están las pruebas —señala los papeles en la mesa—. ¿Cierto?

—Cierto.

—Cuki y yo nos conocimos en la fiesta que te platiqué. Salimos como un año y después nos casamos. Nos separamos como dos años después...

—¿Duraron dos años de casados?

—Un poco más de dos años —Midyet respira hondo—. Hizo sus estupideces en el trabajo, lo corrieron, se vino a vivir con mami y escribió su librito.

El maitre panzón y pelón arriba con la cuenta.

—¿En qué momento conoció a esta Pixie? —pregunta la caclecacle.

Una alarma comienza a sonar escandalosamente en la calle.

—Exactamente. ¿En qué momento? —cierra los ojos—. Sí, yo era y soy una adicta al trabajo. Probablemente soy la workaholic que describe en su librito. Y también estoy un poco loca. Pero amaba a Cuki. Por eso me dolió tanto.

—¿Te dolió tanto qué?

—Sacarlo de mi vida.

Robin sonríe triunfalmente.

—Yo lo corrí de la casa. No podía seguir con un mentiroso patológico. Ya tengo suficiente locura en mi vida. Olvídate de las tonterías de que agarró sus cosas y al perro y se fue a vivir su vida, a buscar su propia aventura.

Ya saben, esa sensación de que has descubierto la verdad. El viejo y estarrio frik.

—Cuki nunca conoció a ninguna Pixie. No afuera de nuestra relación.

La alarma se detiene.

—Yo soy Pixie.

Robin recarga los codos contra la mesa y entrelaza los dedos nerviosamente.

Un colibrí vuela bajo, en la mesa de al lado, vacía.

Robin la toma de la mano. No puede ocultar su felicidad.

—Ya nos esperan en el canal —la caclecacle sonríe hipócritamente—. ¿Nos vamos, Midyet querida?

Flashback elemental

EN

los baños podías escuchar a los babers pingarse a las cancrilleras. Podías escuchar los "ah ah" y los "uh uh". En cierto momento, entré a mear y de una de las puertas de los escusados, con un semblante histérico, apareció esta tetona espeluznante de top y minifalda de spandex, cargando su caja con cancros. Se había metido cocaína hasta el culo. Poco después apareció el báber, sintiéndose la gran cagada. Me guiñó un ojo y procedió a lavarse las manos y echarse agua en el pelo engelado. Salió. De vuelta a la fiesta.

Estaba solo de nuevo. Terminé de mear.

Atari, Inc. daba la fiesta. Un ejército de tetonas se paseaba por el salón sosteniendo charolas retacadas de frutas exóticas y cocteles elaborados. En los lounges VIP las mesas de vidrio y metal estaban listas para los arrancones de perico, y en los sillones warholianos las putanas masajistas aguardaban a los clientes potenciales. Los fidos de diez y quince metros de altura mostraban a toda potencia imágenes de los ejecutivos babers, responsables únicos del éxito de Atari, Inc. y de La Abundancia. Elefantes y camellos (es decir, auténticos elefantes y camellos) trasladaban a los invitados del servicio de valet parking a sus mesas, y las barras cantineras de neón le daban servicio a mil y tantos gorrones. Una banda de covers amenizaba con rayos láser y hielo seco, y tocaban *Modern Love* de David Bowie.

En aquellos años (y vaya que eran buenos), en los años de La Abundancia, Atari, Inc. era la fuerza dominante en la industria de los videojuegos. Atari, Inc. se había convertido en la empresa que más rápido había crecido en la historia. Nolan Bushnell ya no era su cherman, pero seguía siendo su gurú. Nuestro gurú. El paiki original. El Adán de todos los paikis.

Miermano Cuki estaba en este improvisado lounge árabe, disfrazado con un ridículo esmoquin de Armani, moño estridente y aparatoso, ligeramente desfajado, el saco tirado a un lado y los tirantes a la altura de los muslos. Acostado en un montón de cojines de satín rojo, observaba a una tetona ponerle uvas, en el mejor estilo caligulesco, en la boca. Un gafete VIP colgaba de su pecho.

Ah. La vida era simple.

Cuki era un postpuberto de veinticinco años, un inmaduro zoquete de dos décadas y media, un báber, un insensato y un palurdo. Había llegado a Atari, Inc. en medio de La Abundancia, por lo que no le costaba trabajo destilar malavibra y malaleche. Ya saben, se comía o creía comerse el mundo a puños. El pelo de Shaggy le cubría parcialmente las orejas, y un cancro de los del camello (que me gustan por su sabor) descansaba en sus dedos.

Ah. La vida era gozosa.

En un monitor aparecían imágenes de las últimas versiones de juegos que Atari, Inc. había diseñado para la consola 7800: *Missile Command*, *Pac-Man*, *Centipede*, *Space Invaders*, *Defender*, *Galaxian*, *Dig Dug*.

—Vamos a la barra —le grité, parado a contraluz—. No me gusta aquí —y la tetona me puso xeta.

—En algún momento —declamó Cuki en un tono nostálgico, sin voltear a verme—, alguien dijo que Nolan Bushnell era el tipo más inteligente sobre la faz de la Tierra. Paralelamente, un amigo cercano a él declaró que tiene un rango de atención similar al del Golden Retriever.

—Güevos. Yo me voy —y partí.

—Adiosito…

La tetona se rió artificialmente. En la pantalla apareció una imagen de una consola 7800, colocada encima de un plato transparente giratorio.

Ah. La vida era promisoria.

Cuki puso el cancro en su boca y aplaudió.

—¡Bravo! ¡Bravo! —volteó a encarar a la tetona—. ¿Sabes qué es eso?

La tetona giró la cabeza negativamente.

—La pieza de tecnología más avanzada del mundo. Dentro de unos meses y por la módica suma de cuatrocientos noventa y nueve dólares te podrás llevar a tu casa un sofisticado artefacto de entretenimiento fino y de vanguardia —fumó—. ¿Te digo algo?

La tetona encogió los hombros.

—En veinte años no se va construir una consola que supere tecnológicamente a la 7800. Así de buena es —le guiñó un ojo—. Boink.

La tetona volvió a reír artificialmente. Cuki se levantó agresivamente.

—¿Me estás escuchando? —tomó su saco y mostró la cartera. Extrajo un billete de veinte dólares y la tetona lo miró con pánico—. Toma, pendeja, ve y cómprate un cerebro —le arrojó el dinero en la cara y salió de ahí.

Ah. La vida era temeraria.

Movió la cortina de bambú y sacó la cabeza. Estaba en un piso intermedio, en una suerte de terraza. Desde ahí podía ver la infame y grandiosa orgifiesta. The Hasbeens, la banda de covers amenizaba en el escenario con sus fracs azul cielo y sus pantalones a cuadros. Las bocinas parecían estallar. Los parroquianos bailaban zangoloteando los brazos de un lado a otro. Las luces tintineaban, el neón vomitaba explosiones de color en los rincones, y los elefantes, mudos y majestuosos, caminaban entre mesas y bailadores, llevando y trayendo invitados.

Una gran caca. Plaf.

Cuki caminó por el jején, rodeando el excremento paquidérmico. Detuvo a otra tetona y le arrancó un coctel azuloso. Lo bebió de un solo trago. Arrojó el vaso al piso. Errante, caminó hasta hallar una de las barras de neón y ahí se estacionó, junto a mí.

Sonrisas de complicidad.

Frente a nosotros, un fido. En él aparecía Ray Kassar y, repitiéndose sin cesar, su mensaje de cumpleaños. Ray Kassar era el cherman de Atari, Inc. Ray Kassar había sustituido a Nolan Bushnell. Ray Kassar era, después de Boy George, el cabrón más homosexual del que tuvo registro La Abundancia.

Cuki le tiró una trompetilla.

Pidió un Jack D.

Encendió otro cancro.

Fumó.

Ah. La vida era buena.

—Salud —me dijo Cuki y chocó su vaso contra el mío—. Que viva La Abundancia.

Atari, Inc. representaba La Abundancia. Durante La Abundancia, los babers cobraban y gastaban en dólares.

Yo no. Siempre he sido un paiki.

—¿Qué pasó con la garlopa? —pregunté.

—Hueva. No necesito eso. No ahora.

Alguien en la barra nos observaba. Una mujercilla.

Más a Cuki que a mí. No me caracterizo por ser un paiki atractivo, saben.

—Hey, creo que te buscan —le dije.

Cuki me miró con interés. Luego a ella. Así pasó unos segundos, hasta que le gritoneó, desde su lugar:

—¡Hola!

Ella sonrió, elevó su vaso y regresó el cumplido:

—¡Hola!

Era esta mujercilla de pelos semigüeros y ojos verdes. Bueno, cambiaban de color de acuerdo al juego de luces. Y la banda de covers cantaba:

"Tienes ojos verdes / tienes ojos azules / tienes ojos grises / pero me quedo con la primera combinación."

La mujercilla le sonrió de nuevo. Él le devolvió la sonrisa.

Decidido, se levantó y tomó asiento junto a ella.

Se sonrieron una vez más.

—El nombre es Cuki.

—El nombre es Midyet.

—¿Midyet… como en enano?

Midyet se veía joven y pulcra. Ingenua y cándida. Nada que ver con la serena belleza de la madurez. Nada que ver con la mujer encantadora que compartiría el desayuno con Robin Simon cinco años después, dura, curtida y cansada. Pero con una belleza incomparable. ¿No fue Robert Smith quien escribió la línea "a woman now standing where once there was only a girl"?

—Sí.

En esa barra, en esa fiesta, en ese año, en ese momento, el rostro de Midyet era el de una niña. Suave y delicadito. El pelo esponjado y con suficiente mousse como para taponear el Chichonal. La nariz respingona pareció respingarse aun más cuando añadió:

—¿Cuki… como en galleta?

—¡Exactamente! —le guiñó un ojo—. Boink.

Luego se dieron la mano y se dijeron "mucho gusto".

Aquello fue amor a primera vista. Yo lo sé. La banda de covers cambió a *Drive* de The Cars.

Escuchen todos, sí existe tal cosa como el amor a primera vista.

—Nolan Bushnell —comenzó un ebrio Cuki—. ¿Sabes quién es él?

—¿El fundador de Atari?

—¡Correcto mondo! —Cuki giró su Jack D. en el aire y salpicó un poco a su alrededor—. En algún momento, alguien dijo que Nolan era el tipo más inteligente sobre la faz de la Tierra. Paralelamente, un amigo cercano a él declaró que tiene un rango de atención similar al del Golden Retriever.

Midyet no externó ninguna expresión facial. Sólo farfulló:

—Me imagino que lo último es requisito para dedicarse a los videojuegos.

—¿Cómo fue eso?

—Que me imagino que lo último es requisito para dedicarse a los videojuegos.

—¿No te gustan los videojuegos?

—¿No es obvio?

—¿Qué haces aquí entonces?

—¿Tú qué crees?

—¿Siempre respondes a una pregunta con otra pregunta?

—¿No lo sé, y tú?

Risitas.

—¿Qué haces aquí? —interrogó Midyet.

—Trabajando —Cuki le sacó la lengua—. Boink.

En esos años, Cuki repetía constantemente la palabra "boink". Pero no sé qué significa o con qué patrón u objetivo lo hacía.

—Supongo que trabajas para Atari —afirmó Midyet, señalando el gafete.

—Supones mal.

Ajá: Cuki no era un asalariado de Atari, Inc. Cuki trabajaba para una compañía que supervisaba los esfuerzos de comunicación de numerosos clientes en el Norte y el Valle. Entre ellos, Atari Latino. Cuki era su propio y privado consejero en asuntos de comunicación para la región. A los veintitrés años recibió la responsabilidad. Recién salido de la universidad. A los veintitrés años abandonó el hogar materno en Naucalpan y se fue a vivir a Saltillo.

—¿Entonces tienes bien puesta la camiseta?

—Atari es mi cliente. Los trato como un rey. Y ellos me tratan igual —eructó—. Es un buen trato.

—Sí, eres una pieza de arte —dijo Midyet, agitando el aire frente a su cara.

—No, tú eres una pieza de arte —y en cuestión de segundos, el cerdazo se convirtió en Ric Ocasek.

—¡Gracias! —dijo la hermosa, con una sonrisa charming—. Eso fue lindo.

Cuki y Midyet, como todos sabemos, terminarían juntos. Y luego separados. Pero lo importante es que Cuki y Ric Ocasek comparten un récord: son los cabrones más feos del mundo, y ambos lograron enamorar a las mujeres más hermosas del mundo.

—¿Has oído hablar del Atari 7800? —preguntó Cuki, hecho un sabihondo.

—No.

—La 7800 es la consola más avanzada del mundo. Está en la etapa final de producción. Antes de que termine el año vamos a lanzarla. Y eso, mi recién inaugurada amiga, va a ser un madrazo.

—¿Qué no se supone que Atari está perdiendo dinero?

Doble ajá: Atari estaba perdiendo dinero. Y no sólo ellos, toda la industria del videojuego estaba en números rojos. El horizonte se veía negro. La Abundancia se aproximaba a su fin.

—Patrañas, patrañas. Atari está en su mejor momento. Boink.

—No te creo.

—¿Por qué no? Yo soy el que sabe.

—¿Cómo sabes?

—Yo soy el que trabaja para Atari, ¿no lo sabías?

Midyet rió. Los perfectos dientes aperlados carcomían el cerebro de Cuki.

—Estás chistoso —dijo.

—¿Nada más chistoso? —Cuki se pegó a ella.

—Sí, nada más —Midyet se hizo ligeramente a un lado.

—¿Por qué no me acompañas afuera?

—¿Afuera?

—Sí, afuera —le guiñó un ojo—. Boink.

—¿Para qué?

—Para… ¡tú acompáñame!

—Okey.

—Boink —me vio y me hizo una seña—. Nos vemos al rato.

—¿Y quién eres tú? —me preguntó Midyet.

Le dije quién era y ella se conformó con la respuesta.

Así es que Cuki tomó a Midyet de la mano y la llevó por entre las mesas y los invitados y los elefantes y las piscinas y los beodos y las tetonas vendedoras de cancros. Dieron vuelta donde una puerta trasera, hasta la cocina y más allá. Salieron a un patiecillo que daba a un estacionamiento desolado. Y oscuro.

—¿Qué hacemos aquí? —preguntó Midyet, cubriéndose los brazos, desnuditos gracias a su horripilante vestido rojo de Anne Klein.

Cuki sacó una cucharita de oro del interior de su saco, y una bolsilla de plástico engrapada. Tomó la coca con la cuchara y esnifó.

—Para esto —echó la cabeza para atrás, sorbiendo con un poco de problemas—. ¿No era obvio?

—¿Para ti era obvio?

—Boink —le ofreció la cuchara—. ¿Tú dónde trabajas?

—En una consultoría de información —Midyet tomó la cuchara.

—Ah —Cuki ofreció el polvo—. ¿Lista?

—Yep.

Midyet esnifó. Echó la cabeza para atrás y trastabilló un poco.

—Épale.

—Está cool —se estrujó la nariz, entrecerrando los ojos—. De dónde es, tú.

—De la oficina.

—Ah.

—Hay como cinco dilers. Es más fácil conseguir coca que café.

—Ja.

—Eres preciosa, caraxo —exclamó Cuki—. Lo mejor de esta fiesta, ¡boink!

—¡Gracias!

—Tienes una belleza clásica. ¿Te lo habían dicho?

—Me han dicho cosas peores.

—Deveras me gustaría salir contigo —volvió a esnifar y en ese momento encontró a Midyet de nuevo frotándose los brazos—. Perdón, ¿quieres mi saco?

—Sí, gracias.

Cuki guardó sus ondas pericosas en su perfecto saco de Armani y después lo puso alrededor de Midyet. Se quedó con camisa de mancuernillas y tirantes.

—Hace frío. Para ser Monterrey. Y en verano.

—Ajá —dijo Midyet, poco interesada en el clima—. ¿Decías?

—¿Qué?

—¿Qué decías antes?

—Ah. Que deveras me gustaría salir contigo.

—¿Y por qué?

—¿Además de tu belleza clásica?

—Además de eso.

—Porque creo que este asunto va a acabar bien.

—¿Tienes cancros?

—Sí —Cuki le pasó uno y lo encendió. También uno para él.

—Tienes bastante confianza en ti mismo.

—¡Boink! —Cuki fumó—. René Casados dice que siempre sonrías y la fuerza estará contigo, pero yo tengo una mejor.

—A ver, deslúmbrame.

—"La segunda mejor función de los labios es sonreír."

—¿De dónde salió eso?

—Es una frase prefabricada. Las compro en Home Depot. A tres noventa y nueve la caja con cinco.

A Cuki realmente le encantaban esas mamadas.

—¿Se supone que fue un chiste?

—Sí. Boink.

Riendo, Midyet se acercó a Cuki y le regaló un abrazo. A lo lejos sonaba una música cadenciosa. Se quedaron unos cuantos segundos así, abrazados. Calientitos.

—¿De dónde salió eso? —preguntó Cuki cuando se soltaron.

—¿Qué, el abrazo?

—Sí.

—Se me antojó.

—Si llego a ser vicepresidente antes de los treinta, voy a instituir quince minutos diarios de abrazos en la oficina.

—¿Y vas a ser vicepresidente antes de los treinta?

—Seguro.

—Entonces suena como una buena idea.

—Y tú vas a tener que ir a darme uno o dos. Como el de ahorita —Cuki tragó saliva—. Caraxo, eres preciosa, ¡boink!

Midyet le echó ojos querendones. Y le sonrió de nuevo.

Un parroquiano se asomó por la puerta.

—¿Maese Pirulazao?

—¿Sí?

—Tiene llamada.

Cuki vio extrañado a Midyet. Así pasó unos segundos.

—¿No vas a responder?

—Sí, voy —regresó del letargo—. No me tardo.

Entró a la cocina y contestó. Al "bueno" siguió un "ajá" y otro "ajá" y un "okey" y finalmente "ahorita los veo".

—¿Tienes que irte?

—Es que están aquí unos japoneses o chinos, whatever, y llevan semanas chingando con que nos quieren ver.

—Suena importante.

—¿Importante? ¿Qué saben los japoneses de videojuegos? —Cuki rió vulgarmente y luego se puso seriecito—. Oye, la próxima semana estrenan *El regreso del Jedi*. ¿Te gustaría acompañarme? ¿Sábado?

Pero Midyet tenía otros planes en mente.

—¿No eres un poco mayor para esas cosas?

—Hey, Harrison Ford es mayor que yo y aparece en las tres pelis. Y en un papel protagónico.

—Es que tengo un compromiso.

—¿Qué compromiso?

—Comida familiar.

—Qué hueva.

—¿No te gustaría acompañarme?

Su amable narrador comprendió más tarde por qué Midyet había sido tan facilona esa noche.

—¡Claro! Me encantan las comidas familiares. Boink.

—Está bien, entonces ya quedamos.

Ejecutando una caravana, Cuki se dirigió a la puerta de entrada a la cocina. Antes de pasar, Midyet le gritó:

—¡Tu saco!

Cuki volteó momentáneamente:

—¡Quédatelo! ¡Tengo muchos!

Llegó sin saco a su reunión con los japoneses o chinos, en uno de los lounges privados. Ahí estaba también un alto ejecutivo de Atari, Inc.

Los japoneses les ofrecían la licencia para distribuir una nueva consola patentada por ellos. Ya lo habían platicado con la casa matriz en la California, y ahora andaban de tour por las oficinas locales.

El sistema, decían, iba a marcar una nueva era en la industria.

"Ajá, y yo soy el sobrino de Raúl Vale", me dijo Cuki en el highway, de regreso a Saltillo.

El problema era que Atari, Inc. estaba desarrollando el 7800.

Y Atari, Inc. estaba en la cima.

O al menos eso pensábamos todos.

Cuki le enviaría un memo, dos días más tarde, a sus clientes de Atari, Inc., con copia a los HQ en la California, en el que les aconsejaba dejar "por la paz este negocio. No nos conviene ni es redituable. Es una pérdida de tiempo".

La consola se llamaba Famicom. Pero unos años más tarde sería rebautizada como Nintendo.

✳ ✳ ✳

ESA MISMA NOCHE, en el valet parking, volvimos a coincidir con Midyet. Ella lucía espectacularmente el saco de Cuki, con las mangas largas y la espalda abombada. Cuki, hecho un caballero, pidió que reestacionaran su Shelby Cobra descapotable hasta que el vehículo de la damita llegara. Charlaron del reciente discurso de Ronald en el que avisó que iba a poner bombas atómicas en el espacio, la hizo reír con otra frase prefabricada, le presumió su sueldo y sacó a colación (ante el evidente aburrimiento de ella) que Danny White era la respuesta de los Vaqueros de Dallas tras el retiro de Roger Staubach. Finalmente, cuando el auto de Midyet arribó, Cuki descubrió dos o tres datos relevantes: a] Ella también vivía en Saltillo, y no en Monterrey, como podría esperarse, b] su teléfono era el (…) y c] si Cuki le juraba que la acompañaba a la comida familiar, con gusto aceptaría pagar el favor metiéndose al cine para ver *El regreso del Jedi*.

CORTE A: Cuki y Midyet, anteojos oscuros y música pop en el radio.

—¿Por qué la necedad de llevar chaperón a la comida? —preguntó Cuki mientras conducía el Shelby Cobra con la capota abajo por las curvas del fraccionamiento Bosque Encantado, rumbo a la sierra de Arteaga.

Los árboles de coníferas inclinados.

El cableado subterráneo.

El sol veraniego pegando fuerte. En el radio, *Just Like Honey*.

—Mi familia es especial —advirtió Midyet—. No les parece que ande por mi cuenta, mucho menos que venga sola a este tipo de eventos.

—Boink y doble boink —graznó Cuki, encendiendo un cancro—. Oye, ¿me puedes hacer un favor?

—Claro, lo que quieras.

Cuki alcanzó la guantera y sacó de ésta una mascada blanca. De seda. Se la pasó a Midyet.

—¿Y esto?

—Póntela.

—¿Para qué?

—Te vas a ver bien. Muy Hollywood.

—¿Es una perversión o algo?

—Tú… ¡tú póntela!

Entre risas, Midyet obedeció. El cálido aire veraniego agitaba, pues, su mascada, y ella parecía Audrey Hepburn, Ingrid Bergman, Greta Garbo, Tippi Hedren. Cuki se las arregló para tomarle una Polaroid con una, uh, Polaroid que traía en el asiento trasero.

"¿Qué mamada es esa?", le pregunté aquella misma noche, cuando me enseñó la foto.

"¿Está mal?"

"¿Para qué lo hiciste?"

"¿Cómo que para qué? ¿Tengo que hacerlo por algo?"

"No entiendo."

"Soy un espontáneo. Qué quieres."

De vuelta en el Shelby Cobra:

—Caraxo, eres hermosa. Boink.

—¡Gracias!

—¿Sabías que *Bothrops asper* es el nombre en latín para la nauyaca real?

—No, pero gracias por decírmelo.

—¿Sabías que algunas clases de bambúes se estiran hasta treinta centímetros por la noche?

—¿Sabías que guardas una gran cantidad de datos inútiles?

CORTE A: Cuki y Midyet parados frente al senador Halliburton.

—¡Allá estás, hijomío!

Abrazo pringoso. Panza de burócrata pegándose al virginal cuerpecito báber de Cuki, quien sólo atinó a regresar el abrazo con una cara que mezclaba el asco y la falsa complacencia.

—¡Hola, tío! —Midyet relevó a Cuki, pero el senador parecía más interesado en el chaperón.

—¿Cómo estás, hijomío?

—¿Cómo me llamó?

Eso lo preguntó Cuki.

—¿Perdón?

—Que cómo me llamó.

El senador Halliburton se encogió de hombros. Cuki aprovechó:

—Con todo respeto, maese, usted no sabe si yo traigo una nueve milímetros en el costado y mis intenciones son clavarle una bala desde la parte baja de la barbilla hasta que le salga por la silla turca. Usted no sabe si yo soy un loco hijo de perra de esos que han visto demasiados episodios de *Robotech* y que se van al parlour de comida rápida del mol a darle de escopetazos a las carreolas de los parroquianos que han llevado a sus bebés a tomarse fotos con el oportunista disfrazado de botarga de E.T. que se para afuera de la heladería Danesa 33.

Pueden imaginarse, igual que como yo me lo imaginé cuando me lo platicó, la cara del idiota senador. Tragando saliva. Mordiendo calzón.

"¿Qué hizo?", le pregunté.

"Nada, le ofrecí la mano. Le dije 'Cuki Pirulazao, para servir-le'. Boink."

Ajajá, ese era miermano Cuki. El único y auténtico Cuki.

"¿Era el papá?"

"No, el tío. Pero es igual."

"¿Cómo se llama?"

—Yo soy el senador Halliburton —respondió parcamente el senador.

El trío pasó a una carpa árabe en donde estaba la mesa y el resto de los comensales.

—Es un amigo del trabajo —añadió Midyet.

—¿Y a qué se dedica, joven Pirulazao?

—Trabajo en la industria de los videojuegos. ¿Le gustan los videojuegos, maese senador?

—Mi tío cree que los videojuegos corrompen a la juventud, ¿verdad?

—¿Whisky? ¿Vodka? ¿Tequila? ¿Vino tinto? —ofreció un mesero.

—El tinto está bien —dijo Cuki—. Pero también tráeme un caballito de tequila —y antes de que se fuera el mesero—, ¡que sean dos!

"Eso fue como de sitcom de Cablevisión", comenté. "¿Qué te dijo de los juegos?"

"Nada. Pero yo le dije que lo que necesitaba era jugar *Custer's Revenge*."

"No mames", espeté.

"Sí mamo."

"¿Cómo le dijiste?"

—¿Usted ha jugado *Custer's Revenge*?

—No, realmente no.

Midyet se alejó momentáneamente.

—Es una maravilla. Yo lo tengo gratis por Atari, ¿sabe? En el juego, usted es Custer. ¿Sabe quién fue Custer?

—¿Aquel de/

—Ese güey. Bueh, la cosa se trata de matar indios, ya sabe, sioux y comanches, y después buscar a esta india buenísima...

—No me digas.

—Digo, son pixeles. Pero uno puede imaginar que está buenísima —llegaron los tequilas, y Cuki se empinó a toda velocidad el primero—. En fin, la india buenísima está amarrada a un poste. Y luego uno la tiene que violar. Entre más rápido se la coja más puntos le dan. ¡Boink!

—¡Miren, miren!

Esa era Midyet, cargando una charola de madera costarricense retacada de Sabritones de Jalisco.

—Ah, un buen Sabritón no le cae mal a nadie —dijo Cuki y masticó crac crac crac—. ¿Quién es ese?

Un sujetillo perfectamente bronceado, ataviado con khakis, camisa de lino y peinado de Don Johnson, se acercó al grupo.

—Mira, Cuki —Midyet jaloneó al bronceado y lo puso frente a él—, él es ~~censurado~~, mi primo.

—¡Mucho gusto!

Ya saben, Primo Perfecto. The good ol' Perfect Cousin.

—El gusto es mío —Cuki siguió con los Sabritones—. ¿No te conozco de algún lado?

—A mí también me pareces conocido —graznó Primo Perfecto—. ¿No estuviste en el Tecnológico?

—Sí. Campus Naucalpan.

¿Sorprendidos?

Ajá, Cuki estudió en el Tecnológico.

"Otro maricón del Tec", ladré.

—Campus Monterrey —Primo Perfecto le dio la mano de nuevo—. ¿Qué estudiaste?

Cuki, para variar, no le hizo caso a la pregunta que le formulaban.

—Ajá, estuve un semestre de intercambio en Monterrey. Ya me acuerdo de ti. Eras el capitán de equipo de lacrosse. ¿No te andabas cogiendo a las purrrrristas del equipo?

Midyet hizo una mueca. Primo Perfecto se jaló el cuello de la camisa, incómodo.

—Perdón —dijo Cuki, jorobándose un poco—. ¿Fui muy rudo?

—¡Cuki!

—Okey, okey. No lo voy a balconear —se volteó un segundo y luego reviró—. ¡Pero te la pasabas de huevón y no entrabas a clases con el pretexto de que eras becario deportivo!

—Ya estuvo bueno, ven y siéntate aquí —Midyet lo jaloneó.

—Vale, me callo —Cuki se sentó en la mesa. Ya había alguien más ahí, junto a él. Un lonjudo que apestaba a cancro. Cuki lo señaló con el dedo—. ¿Y este quién es?

—Él es Martincillo —lo presentó Midyet, sentándose junto a Cuki.

"¿Quién?"

"Martincillo. El esposo de la hermana de ~~censurado~~. Yerno del senador, claro."

"Qué complicado", añadí con hueva.

"Si algún día escribo un libro, el senador va a ser un personaje", avisó Cuki. "Pero le voy a poner el cenador. Por cerdo y hediondo."

—Hola Martincilloooooooo —Cuki hizo una vocecita tipluda—. ¿Puedo suponer que, por eliminación, eres cuñado de ~~censurado~~?

—¡Le atinaste! —rió Martincillo.

—Él es Cuki. Un amigo…

—¡De la oficina! —completó Cuki, vistiendo una sonrisa mongólica—. ¿Y la esposa, Martincillo?

—No pudo venir. Está trabajando.

—¿Trabajando? ¿En sábado?

—¡Alguien tiene que pagar por todo esto!

Cuki frunció el ceño y le dedicó una miradita tierna a Midyet, quien se encogió de hombros.

—Está enferma, allá arriba, en la casa —intervino el senador, un poco serio—. Si puede, baja un rato.

Cuki regresó a Martincillo. Le dijo, muy serio:

—¿Eres el chistoso de la familia?

"¿Así le dijiste?"

"Ajá."

—¿Cómo?

"¿Y no te partieron la madre?"

"Todavía no."

—Ya, hombre. No tienes que responder nada si no quieres.

Cuki se cruzó de brazos, atufado.

—Venga —Martincillo rompió el silencio—. ¿A qué te dedicas, Cuki?

—Trabajo.

—¿En qué?

—En un trabajo.

—Sí, ¿pero en qué?

—En la industria de los videojuegos.

—¡No me digas! Qué interesante.

—Ajá.

—¿Y en qué compañía?

—En una.

—Ah, ya veo. Y… ¿cuánto ganas, si no es mucha indiscreción?

—Sí es mucha indiscreción. Y gano ciento sesenta mil dólares al año menos impuestos más bonos de productividad más caja de ahorro menos ajuste vacacional más fomento al ahorro más aguinaldo más reparto de utilidades.

"¿Eso ganas?"

"Bueh, exageré un poco."

—Bien —dijo Martincillo, incómodo—. ¿Dónde vives?

—¿Por?

—Digo, nomás.

—En Melrose. ¿Conoces?

—Sí.

—Pago dos mil quinientos dólares de renta al mes. ¿Satisfecho?

Cuki tenía la idea de que lo único que le interesaba a la gente era el dinero. El tema por excelencia de nuestros vulgares tiempos. La razón de nuestra existencia. Dios Dólar, principal protagonista de La Abundancia y, por ausencia, de La Depresión.

—Vaya… gracias.

—¿Gracias de qué?

—Gracias por ser tan honesto —dijo Martincillo, visiblemente enojado.

—¿Quieres que sea honesto? —Cuki tomó una garrafa con vino que estaba en la mesa y se sirvió en un vaso—. Dime si me equivoco: tú eres de esos que para todo tienen una anécdota, un detalle cagado. Eres de esos clasemedieros que se endrogan con la tarjeta de crédito por hacerle una fiesta de quince años a tu hija. Eres de esos que se embarcan en un autofinanciamiento a sesenta mensualidades con una tasa del veinte por ciento anual.

—¿Ya acabaste?

—No: eres de esos que compran películas porno en formato Beta.

"Yo compro porno en formato Beta."

Martincillo guardó silencio. Tomó de su vaso.

—¿Cierto?

Martincillo no dijo nada.

—¿Ahora te haces el callado? No confío en los callados, ¿sabes? Jimmy, el líder de los suicidas de Guyana, era muy callado, y ya ves lo que pasó. Los tipos callados después resultan ser unos maniáticos que un día descargan una escopeta en Taco Bell. Y en día de quincena.

Cuki todavía no bebía de su vaso.

Primo Perfecto soltó una risita.

—¿Tú de qué te ríes? —increpó Cuki—. Pareces maricón. Seguramente no le tocaste un pelo a las porristas de tu equipito. Me das asco. Booooooooooink.

—Al fin congeniamos en algo —exclamó el senador Halliburton, que había estado muy ocupado dándole órdenes a los meseros—. Los homosexuales son asquerosos. Son unos depravados y unos podridos.

—El ano se hizo para expulsar las heces, maese senador.

—¡Definitivamente!

—¿Puedo decirle "suegro"?

—¡Cuki!

Midyet hizo otra mueca.

—¡Pero por supuesto!

—¡Muchas gracias, suegro!

—¡Y brindo por eso! —el senador elevó su copa.

Los dos bebieron.

Lo adivinaron: Padre Kino.

Cuki soltó su vaso. Al piso. Se rompió en mil pedazos.

—¿Qué chingados fue eso? —interrogó el senador, bien cabreado.

—¿Qué fue eso? ¿Qué fue eso? —gritoneó Cuki, poniéndose de pie—. ¡Su vino es una mierda! ¿Cómo se atreve a darnos Padre Kino? ¡Salvaje, hombre de las cavernas, pervertido!

Los invitados se congelaron. Literalmente, se congelaron. Miren, podían soportar los insultos de Cuki, pero no que se pasara de la raya con el senador Halliburton.

La integridad física de Cuki en un hilo.

Y entonces:

—Tienes razón —suspiró el senador, derrotado—. Este vino es muy malo. No es justo lo que hice —dio un golpe en el brazo de la silla—. ¡Esta es una ocasión memorable y yo la echo a perder con un vino de quinta!

Cuki volvió a su silla. Martincillo, con una servilleta en la mano, le dio una palmada en el hombro.

—Eres buena onda, nuevo.

—No me estés chingando —fue la respuesta de Cuki—. Boink.

—Por favor, acepta mis disculpas —y el senador carraspeó antes de seguir—. Mi sobrina y su novio no merecen esto.

Midyet hizo una mueca.

—Lo entiendo, maese. Pero mi novia, su sobrina, y yo, estamos con todos ustedes, y eso es lo que cuenta.

Súbitamente, Midyet se levantó de la mesa.

—¿Qué les pasa? —gritó—. ¡Yo no soy novia de nadie! ¡Yo no quiero estar con nadie! ¿Por qué no me dejan en paz?

Dando un puntapié a su silla, se alejó corriendo. Cuki la siguió hasta el interior de la casa.

Ahí, con una horrorosa figurilla de Yadró de testigo, Midyet increpó a Cuki:

—¿Sabes? No te traje para que me humillaras frente a todos.

—¿Pero qué hice? Sólo le seguí el juego a tu tío.

—Sí, exactamente. ¿Qué idiotez fue esa de —engrosó la voz—, "lo que usted diga, suegro" y "mi novia, su sobrina"?

Cuki se rascó la cabeza.

—Pensé que estaba haciendo lo correcto.

—¡Pues no! ¡Eres un idiota!

Midyet corrió hacia las escaleras. A la mitad, se detuvo y le gritó:

—¡Gracias por nada!

Portazo.

Cuki volvió a la mesa, tristísimo. El senador murmuró:

—Déjala ir, muchacho.

una patética velada, esperando el BMW en el valet parking, Cuki le dijo

"eres más aburrida que la mierda que cago a diario"

y luego

"eres la perra más superficial, fea y pendeja que he conocido en mi vida"

y luego

"prefiero leer la Sección Amarilla que estar contigo"

y finalmente

"¡Boink!"

Mierda, nada de eso funcionaba. Volvimos a las madrugadas de rondín, a pasearnos en el BMW por las de Abasolo y Pérez-Treviño. Algunas prostitutas corriendo apanicadas, otras llamando desesperadamente a sus chulos.

"It's too bad she won't live", recitaba Cuki a solas, tomando de un cartón de Miller High Life que yo sostenía en el asiento del copiloto, una vez que acababa otra noche bleidroneresca. *"But then again, who does?"* Cuki estaba aburrido. Triste y solo.

Lo único que Cuki quería era volver a ver a Midyet. Compartir las cosas de la vida, las dulces y las agrias, con esa flaca semigüera y de ojos verdes. A pesar de la gonorrea y el perico, Cuki era un romántico. No le costaba ningún trabajo hacerse escenas irreales en las que aparecía junto a Midyet compartiendo el altar, la cama, el escusado, la nevera. Con dos lepes en una vanette, llevándolos a Six Flags Over Texas y comprando víveres en el grocery.

Ya ven, Cuki es como esos tipos que exageran todo.

Según sé, las cosas cambiaron un martes.

Junta con los simios de márketing. De esas reuniones a las que lo arrastraban sin pedirle opinión. De esas juntas eternas en las que hasta el más macho palidece. O al menos eso dicen. En realidad nunca he estado en una.

—¿Tienes los datos que te pedí, Cuki?

Ese era Vómito de Cerdo, su jefe. Un cabrón y un hijoputa. Organizaba reuniones "relámpago" que duraban cuatro horas. Le exigía a sus lacayos que fueran a verlo a su oficina justo cuando estos recogían sus pilchas para irse a casa. Se armaba cenas de socialité en su casa, a las que asistían sus más aviesos ejecutivos y tenían que soportar a una especie de esposa farmacodependiente que se la pa-

Cuki tragó saliva. Se sirvió un poco más de Padre Kino.

—Esta chica tiene… sus estados de ánimo —comenzó el senador—. A veces está muy bien. Y a veces muy mal. Y lo peor de todo es que nunca parece estar satisfecha. ¿Tú te sientes satisfecho, Cuki?

—Jamás —respondió lapidariamente—. Los egresados del Tecnológico no conocemos la palabra "conformismo" —volteó a dirigirse a Primo Perfecto—. ¿Verdad, marica?

Primo Perfecto asintió.

—Eres de los míos entonces —dijo el senador.

Cuki se levantó de la mesa. Arrojó la servilleta de tela.

—Fue un placer —dijo y abandonó la escena. Y así acabó la comida familiar en el fraccionamiento Bosque Encantado.

"¿Y qué vas a hacer?", pregunté una vez que terminó su relato.

"¿Cómo que qué? Hablarle."

"Pero la perra está loca, man."

"No está loca. Todos tenemos nuestros días."

"Con todo respeto, Romeo, lo que me cuentas suena como un día normal para ella."

"¿Y eso qué?"

"¿Y eso qué? Una cosa es encontrarte a una loca y mandarla por penepas, y otra lidiar con eso regularmente."

"Creo que no me molestaría tener que lidiar con ella regularmente."

"Diviértete si quieres. Pero no lo tomes en serio."

"Hey", Cuki me aguijoneó el pecho con su dedo índice. "Soy yo."

☆ ☆ ☆

DURANTE LAS SIGUIENTES semanas, Cuki bombardeó a Midyet con llamadas, flores, regalos sorpresa (una suscripción a la revista de videojuegos *Button Smashers!*, el tipo de regalo inesperado que vuelve loca a una mujer) y visitas relámpago a su oficina.

CORTE A: un perfectamente trajeado Cuki parado en el lobby del edificio en el que trabajaba y sigue trabajando Midyet, sosteniendo dos tiquetes del cine.

—Boletos para una función de *El regreso del Jedi* esta noche —se echó la corbata de Pierre Cardin en la espalda y le guiñó un ojo—. Y después, cena para dos: hamburguesas en Love & Rockets.

Midyet pasó rápidamente junto a él, sin mirarlo.

—¿No te gustan las hamburguesas?

Midyet desapareció en el elevador.

—Uff.

En aquellos años, Cuki y yo vivíamos juntos en Saltillo por una situación que no me molestaré en describir. Cuki rentaba para ambos un amplio departamento en Melrose, junto a San Lorenzo, que no me molestaré en describir. Nuestros vecinos eran de una peculiar fauna que tampoco me molestaré en describir. Sí, éramos rumeits. Mi rol estaba bastante definido. Yo era un paiki, y como tal, hacía cosas de paiki: dormía hasta tarde, vivía en pants, me embrutecía con cerveza y jugaba los prototipos que le daban a Cuki en Atari. Luego, asistía a las pedas que organizaba su cliente y me ponía bien pendejo y bien mariguano. A él parecía no molestarle. Para nada.

Yo siempre he sido un paiki. Él también. Aunque en ese tiempo no lo sabía.

Deprimido por el poco éxito alcanzado con la mujercilla, Cuki decidió hacer una semana de fiesta. Redobló la cantidad de alcohol y pizza para las noches entre semana, e invitaba a un grupo de perfectos desconocidos a jugar *Dungeons & Dragons* y drogarse en el comedor. El sábado organizó un maratón de Atari en la piscina comunal, con fidos atachados por extensiones desde el departamento, carne asada y ríos de cerveza. Por todos lados aparecían babers y toneladas de zorras buenísimas para tanearse bajo el desértico sol saltillense. Esnifaban perico (yo nunca, los paikis sólo fumamos canutos) en el baño, conversaban absolutamente de nada, ponían por enésima vez la cinta de Beta de *The Warriors* y reían desaforados, mientras follaban bajo la escalera y en el estacionamiento de visitas y sobre el desayunador empotrado a la cocina integral.

Cinco de la mañana. En la planta baja quedaban en pie dos tipos, completamente perdidos. Quizá un beodo en la piscina, arriesgándose a morir ahogado. Cuki y yo, sentados en el futón tailandés o japonés que se compró para sentirse una mejor persona. Tramposamente, me tiré un pedo. Cuki lo olió en silencio. Antes eso lo hacía reír. Mierda.

Nada parecía funcionar. Miermano se sentía solo, internamente melancólico y aburrido.

—Vale verga —dijo Cuki.

—Déjala ir, muchacho —le dije.

Aquello era difícil para mí, saben. Y es que Cuki no era mamón que lloraba escuchando rolas de Lou Reed en *Pixie en suburbios*. Para nada. Cuki era un cerdazo. Cuki pingaba con quien se dejara, contrataba golfas y golfos para masajes conchavados, tiraba la casa por la ventana con tal de tener a doscientos pelmazos llenando su estancia. Droga y alcohol. Diversión sana. Rocanrol.

Su decadencia empezó, yo lo sé, cuando conoció a la mujercilla. Un día amaneció sin cabeza. Y eso no es bueno, nada bueno. Pues una cosa es que se te meta una fulana en la cabeza, y otra que pierdas la cabeza por una fulana. Cuki empezó por lo segundo. Y terminó mal.

Pero me estoy adelantando.

Herido de amor, cabizbajo y taciturno, miermano buscaba nuevas maneras de entretenerse. Primero, cambió su Shelby Cobra por un patético BMW báber. Luego, se compró una réplica de la *Steyr/Mannlicher* austriaca que había llevado Harrison Ford en *Blade Runner*. Por las madrugadas salíamos a las calles de Abasolo y Pérez-Treviño y lo acompañaba a asustar a las prostitutas con la pistolita de juguete. Cualquiera podría pensar que la gracia consistía en imitar a un asesino en serie, pero no, no Cuki. Él fingía ser Deckard retirando portapieles.

Luego empezó con su mamada de "un clavo saca a otro clavo", y yo gasté bastante saliva diciéndole que Midyet no era un clavo, caraxo, ni a tachuela había llegado. Pero a Cuki no le importaba. Él quería conocer mujeres. Y no en plan de te pago y vienes a mi casa a chupármela (pues de ese modo hasta yo saldría bien librado, y vaya que soy un paiki feo). No, Cuki quería conocerlas por los canales adecuados, por el camino de la rectitud. Así es que conoció a muchas. Salió con varias, de hecho. Puras chicas de zoociedad pero con ideas liberales. Una estaba insatisfecha con su empleo y quería irse a Europa a perseguir un máster o un doctorado. Otra le advirtió que estaba casada con su trabajo. Otra era una ejecutiva que se la pasaba viajando y tomando café. La última con la que deiteó pretendía ser periodista. Después de

saba haciendo bromas idiotas sobre la farándula y presumiendo las compras que había hecho en Miami la semana pasada.

CORTE A: Vómito de Cerdo radiante y encantadoramente feliz.

—Ea, Cuki. Me encantó tu reporte. Es de lo mejor que he visto. Felicidades.

CORTE A: Vómito de Cerdo pateando todo lo que encuentra en su camino.

—¿Qué clase de reporte fue ese? ¡Es la peor mierda que he visto en mi vida!

Ahora les dicen bipolares, pero en aquellos años la palabreja no existía. A esos güeyes les decíamos, simplemente, hijosputa. Vómito de Cerdo se daba cuenta de todo: revisaba cada cuenta de gastos, cada lápiz gastado, cada post-it mal usada.

CORTE A: Vómito de Cerdo asomándose a la oficina de Cuki, taza en mano, con la leyenda *Bosses are forever. I'm so glad you are mine* inscrita con letrotas rojas. Dice:

—Y… Cuki.

—¿Sí?

—Sólo quería recordarte, tú sabes, que continúes ayudándome a racionar la cantidad de clips que se usan en la oficina… te lo digo a ti porque sé que eres… un tipo razonable. Es decir, razonas.

Uff.

CORTE A: de vuelta a la reunión con los simios de márketing. Vómito de Cerdo hablaba y hablaba. Y no dejaba de hablar.

Cuki no soporta más.

Salir de ahí.

—Ustedes disculparán.

Fumar un cancro en el área designada para los adictos a la nicotina.

Una vez ahí, parado junto al cenicero, darse cuenta de que olvidó los cancros.

Mierda, el vaclayo de Putrefoy acercándose.

Robarle un cancro.

Mierda, escuchar al vaclayo de Putrefoy quejarse de la empresa.

Salir de ahí.

Tomar un un taxi. Al mol. Rápido.

Un letrero en la entrada del estacionamiento techado:

Entrar, correr al cine. Refugiarse ahí. Los últimos días de *El regreso del Jedi*. Ahora o nunca.

Comprar un boleto.

Dirigirse a la sala.

—¡Boink!

Bendito destino, bendito karma, benditas moiras.

Ahí estaba Midyet, perfectamente ataviada con un trajecillo gris, los pelos semigüeros retacados de spray, charlando con el encargado de la sala. Midyet, muy derechita, con sus redondos ojos verdes, con su nariz respingada, con su cuello de ganso.

—Que disfrute la función —le dijo Midyet a un cliente.

Cuki era el siguiente en la fila.

Entregó su boleto.

Intercambio de miradas.

—Hola —saludó Cuki.

Ya saben, el viejo y estarrio frik. Mariposas en el estómago.

—Hola —saludó Midyet.

—¿Trabajas aquí?

—No.

—¿Qué haces entonces?

—Trabajando.

—¿No que no trabajas aquí?

—Esta cadena es una de mis cuentas —dijo Midyet con hartazgo.

Se empezaba a formar una fila. Morros escapándose de la escuela y sexagenarios con todo el tiempo del mundo.

—Oye...

—¿Puedes dar tu boleto? Estás retrasando la entrada.

Gruñendo "mnkksjdgrjfgr", Cuki pasó a la sala. Tomó asiento. Sólo un minuto. Decidido, salió a encarar a Midyet.

—¿Y ahora? —preguntó Midyet, cruzándose de brazos.

—Tengo un problema.

—¿Qué problema?

—No está el carrito de la dulcería.

—¿Ah, no?

—¿Lo puedes llamar? Es urgente.

—La dulcería está aquí al lado.

Las rosetas de maíz hicieron pop pop pop.

—Si no me traes el carrito pronto —dijo Cuki, hecho un manojo de nervios—, voy a perder mi asiento.

El cine entero apestaba a mantequilla.

—¿En serio?

—Te lo juro.

Midyet lo tomó del brazo y juntos entraron al cine.

—¿Te van a robar tu lugar?

En la sala, cuatro pubertos y seis carcamales. Otros doscientos y tantos asientos vacíos.

—De todos modos es una emergencia —insistió Cuki.

—De ninguna manera voy a pedir que traigan el carrito de la dulcería —explicó Midyet.

—¿Qué no tienen la política de "al cliente lo que pida"?

Midyet se acercó coquetamente a Cuki. Le echó una sonrisa charming.

—Dime, corazón. ¿Qué edad tienes?

—Veinticinco —respondió Cuki sin dilación.

—¡Ca! Eso lo explica todo.

—¿Por qué? —interrogó Cuki con horror.

—No es una buena edad. Tanto emocional como creativamente hablando —le arregló la ligeramente movida corbata—. Los veintisiete, esa es la edad perfecta. Realmente Jesucristo inició su vida pública a los veintisiete. Steven Spielberg filmó *Jaws* a los veintisiete años.

—Boink —farfulló Cuki.

Y yo dije: "Guau".

—Ya va a comenzar la función —agregó Midyet cuando comenzaron a bajar las luces—. Apúrate: no te vayan a ganar el lugar.

Midyet se daba media vuelta cuando Cuki la tomó del brazo.

—¿Quieres salir conmigo?

—¿Ahora? Tengo que trabajar.

—Otro día. Por favor.

Midyet suspiró.

—¿Cuántos años tienes? —preguntó Cuki, desesperado.

—Veintidós.

—Boink —se limpió la saliva—. Ahí lo tienes. Tres años de

diferencia. Es perfecto. Aunque ambos estemos todavía lejos de la edad perfecta, tanto emocional como creativamente hablando —comenzaba a sonar la fanfarria de Fox—. ¿Qué dices? ¿Sábado? ¿Tú y yo?

Midyet, extrañamente, dijo que sí.

☆ ☆ ☆

ESE SÁBADO, ACOMPAÑÉ a Cuki a cortarse el pelo con Naomi. Ya saben, el muy pendejo quería verse lindo y chulo para su cita. La loca le había hecho jurar que el asunto sería en plan de amigos. Y miermano dijo que sí, claro. Nada de pasarse de listo. Somos amigos. Y los amigos, por supuesto, se van a cortar el pelo con Naomi para verse lindos y chulos cada vez que se topan. El local de Naomi estaba en el mol. Era un lugar muy new wave, muy crayons y muy luces neón. Naomi era travesti. Uno noventa y seis, tetas postizas, nalgas paradas de silicona, mata rubia a la Bo Derek.

—Naomi me perturba —le dije a Cuki mientras nos dirigíamos al mol. Él manejaba, yo jugaba con mi máquina portátil de futbol americano de Coleco.

—¿Por qué?

—Man, yo soy heterosexual, ¿cierto?

—Hasta donde yo sé.

—Y para un heterosexual es perturbador ver un rostro tan atractivo.

—¿En serio te parece atractivo?

—Bueno, sí.

—¿Por qué?

—No porque sea masculino, sino porque es muy femenino.

—¿Y eso lo hace agradable?

—Yep.

Continué clavado en el Coleco. Luego, lancé otra pregunta:

—Tich, ¿Naomi tiene pene?

—Sin duda —respondió Cuki.

—¿Es grande?

—Boink. ¿Qué clase de pregunta es esa?

—No sé, el tipo de pregunta que haces cuando vas en un elevador.

—Supongo que sí.

—¿En dónde lo esconde?

—Lo debe de torcer hacia su ano, y fijarlo o amarrarlo o asegurarlo con calzones apretados.

—¡Y de ahí no te mueves cabroncito! —añadí.

Ya en el antro de Naomi, dejé el Coleco a un lado y tomé una revista *Button Smashers!* Número atrasado. Leí un artículo sobre los quince millones de cartuchos del juego de E.T. que enterró Atari en algún lugar de Nevada. Naomi, con su cara de top model y su cuerpo de Kareem Abdul-Jabar, tomó un casete y lo puso en su grabadora.

Clic.

—Sabes, tich —dijo Cuki, sentado en la silla giratoria y con su capa de plástico—, la mejor cualidad de Naomi es que escucha. Es callada, pero sabe escuchar, ¿verdad, Naomi?

Naomi asintió con la cabeza.

Yo continué con mi lectura de *Button Smashers!*

—Naomi es una persona respetable —siguió relatando Cuki—. No como yo. Yo apesto, eso todos lo saben. Mi trabajo es una mierda. Autorizo cientos de miles de dólares al año pero ni un quinto de ese dinero es mío. De los dieciocho a los veintitrés estudié una carrera universitaria de la que salí titulado con especialización-máster, tomé trece cursos de intercambio en Estados Unidos, asistí a docenas de conferencias y seminarios. ¿Y a qué me dedico? A cuidarle el dinero a otros. Triple boink por eso.

—Deja de trabajar entonces —respondí con claridad, los ojos enterrados en la revista.

Naomi arqueó las cejas de puto.

—No, man, ese no es el punto.

—¿Cuál es el punto? —pregunté desinteresadamente.

—Que soy un lacayo corporativo.

—Qué novedad.

—Por eso amo a Midyet. Ella es diferente.

Naomi dejó de tijeretear.

Yo dejé de leer.

—¿Qué?

Ese fui yo, preguntando con asco.

—¿De qué hablas, pendejo? —insistí.

—Midyet es la única persona que vale la pena de nuestra generación. Boink.

—¡Pero la has visto tres veces! En la primera esnifaron perico. En la segunda cambió de humor de una manera arrebatada y te retiró el habla. En la tercera tuvieron una conversación profunda y trascendente afuera de un cine. ¿Te suena como algo que tiene futuro? —volteé a ver a Naomi—. ¿A ti te parece que tengan futuro?

Naomi movió la cabeza negativamente.

Molesto, Cuki me aguijoneó con la mirada:

—So what?

—So what? Deja que esa maniacodepresiva te empiece a armar un pedo mundial tras otro y te vas a acordar de mí.

—Me vale verga. Y boink.

Cuki me botó en el subterráneo y se lanzó por Midyet. Ella vivía sola en un departamento de la de Victoria. La zona era equivalente al Deep Ellum de Naucalpan, o sea, una zona llena de gente "progresista" y "con ideas". Lo cual no le quitaba lo mantenida. La de Victoria no era ni la mitad de aburguesada que Melrose, pero sí más cara. Suena estúpido y contradictorio pero así era. Midyet había estudiado parte de la carrera en el Tecnológico y parte en Brown. Parece que la loca engañó a toda su familia con el viejo cliché de la mujer liberal que desea entregarse al conocimiento y no ser una sinseso. El senador Halliburton pagó con la falsa promesa de que, una vez que la nena saciara su hambre de conocimiento, se amancebaría con un hombrecillo de zoociedad. Los planes de Midyet, claro, eran diferentes.

Imaginen a Midyet con jeans, huaraches y playera pegadita de Banana Republic.

Un look pedero.

"Vamos."

Sábado en el zoo. Aprendieron nombres de animales en latín y compartieron un sundae en McDonald's. También bailaron al ritmo de un grupillo funk que se armaba tremendo toquín con trombones y bajos y guitarras y percusiones y teclados. El baterista, según me cuentan, era igualito a Emilio Estévez.

Sábado en el tren. Este es otro sábado, no se confundan. Cuki invitó a Midyet a Monclova. Y no, no fue en domingo como dice en *Pixie en los suburbios*. Lo sé porque estaba viendo episodios atrasados de *Star Trek* en el fido cuando Cuki se paró frente a mí con un espantoso saco arremangado y copete a la Joe Strummer y preguntó:

—¿Cómo me veo?

—De la verga.

—Tu mamá.

Mismo sábado, pero ya en Monclova. Población: 13,450. Una alegre caminata por los terregales. Una visita al antiguo parque de beisbol.

—¿Cómo te fue?

Eso le pregunté a Cuki, quien se veía exhausto al llegar por la noche. Yo me había conseguido un Intellivision y jugaba *Shark Attack!* en esos momentos.

—Midyet es poderosa… boink —dijo Cuki al echarse en el futón japonés o tailandés—. Cómo no pensar en esos muslos, cómo no pensar en esas tetas de campeonato.

—Suena a que estuvo bien.

—Cuando entramos al estadio…

—¿Cuál estadio?

—Al estadio de beisbol abandonado.

—¿Fueron a un estadio de beisbol abandonado?

Dejé *Shark Attack!* por un segundo.

—Sí.

—¿Tu cita de amor fue en un estadio de beisbol abandonado?

—Ajá.

—Eres una persona muy enferma.

—Cuando entramos al estadio —retomó Cuki—, me regaló una sonrisa que no era una sonrisa.

—¿De qué estás hablando?

Me levanté por un V8. Y me tiré un pedo en el camino.

—Era su forma de manifestar *imprinting*. ¡Boink!

—¿Qué? —grité desde la cocina.

—¡Boink!

—¡No, lo otro!

—Imprinting. Así se le llama al instinto que poseen todas las especies naturales de reconocer al primer ser que ven al nacer.

—Man —bebí y un poco de jugo de verdura se me quedó en los bigotes de cuatro días—, ¿te habían dicho que guardas en la cabeza una gran cantidad de información inútil?

—Midyet me tomó de la mano pero no me tomó de la mano. En realidad me marcó. Como a una vaca.

—¿Eso te sientes, una vaca?

—Si llego a ser vicepresidente antes de los treinta, voy a prohibir las prácticas desleales como el imprinting.

No sé ustedes qué piensen, pero yo aluciné varias cosas. Casi todas malas. Cuki estaba empezando a perder la cabeza por esa mujer.

—¿O sea que no te la cogiste?

Ese fui yo. Como siempre, sacando conclusiones precipitadas.

—No.

O no tan precipitadas.

—boinK.

Ese fue Cuki. Y no es un dedazo. Más o menos así dijo su "boink".

Sábado en la tarde, Midyet de visita en Melrose. Yo estaba tirado en el futón, mirando el canal de videos musicales. Cuki y Midyet rentaron una cinta de Beta. *Tootsie*.

—¿Es la del güey que se divorcia y tiene que cuidar al morro y luego el morro se parte la crisma en el parque? —pregunté.

—No, esa es *Kramer vs. Kramer* —instruyó Midyet.

—¿No es esa la del güey que se viste de mujer y sale en el fido y arma un escándalo de las mil canicas y después confiesa toda la verdad?

—No, esa es *Tootsie* —remató Midyet—. Pero si quieren vemos qué hay en el fido.

Alcancé el *Tele Guía*. Leí:

—*Bodas de odio* a las seis, *Chispita* a las seis y media, *XE-TU* a las siete, *Hogar Dulce Hogar* a las siete y media, *No empujen* a las ocho, *El maleficio* a las ocho y media.

—¿Y en el cinco?

—Whatever —dije, poniéndome una sudadera y mis Converse Chuck Taylor—. Me voy a lo de Jumpman & Jumpman.

Viernes en la noche, velada porno. Tenía listas las cintas de Beta y los klínex. En eso, llegaron Cuki y Midyet. Acababan de ver *Kumán*, que se presentaba por esas fechas en Ramos Arizpe, así es que venían de un humor realmente glam. Ñaca.

—¡Hola! —me saludó la mujercilla de beso y yo sólo puse el cachete. No se me fuera a pegar algo de Cristal y Acero.

Iban a seguir la fiesta pero decidieron que mejor se quedaban en Melrose a hacer pasta. Ya que me habían arruinado la velada porno (renta: *The Cock Always Ring Twice)*, decidí que era un momento oportuno para visitar a Hister, nuestro vecino nurembergiano que se escondía en la privada en la que vivíamos.

Antes de salir, Cuki me detuvo. Traía consigo una *Sports Illustrated*. Me mostró un anuncio de cerveza Superior.

—¿No te parece que Midyet es idéntica a la rubia Superior?

Dios, este pendejo realmente está perdiendo la cabeza, pensé.

Domingo por la tarde: llegué al Melrose después de ir a fumar mota con unos paikis en los vestidores del Macy's del Twin Pines. Me topo con la sorpresa de que la mancornadora de Midyet está en el futón, muy sentada, con mi control *paddle* del 2600, jugando *Circus Atari* con Cuki.

—Hola —saludé con desgano a la ojiverde—. ¿Como que ya estás viniendo demasiado por acá, no?

Cuki me volteó a ver encabronado.

—Me gusta, qué quieres —fue la respuesta de Midyet, ida, frente al fido.

—Yo pensé que las chicas inteligentes de la de Victoria no se paseaban en Melrose.

Ira, odio. Desprecio total.

—Pues estabas muy equivocado.

—¿Puedo retar? —dije con una sonrisa falsa.

Lunes. Año nuevo. Cuki y Midyet me habían invitado a pasarlo con ellos en un restaurante nuevo que se llamaba Las Playas. Muy exclusivo. Carísimo. Me hicieron ponerme corbata.

—¿Les parece bien si pedimos vino?

Cuki era insoportablemente báber. Midyet, insoportablemente hermosa.

—Yo me quedo con mi chela —dije.

—Anda, no seas mamón. No te pasa nada si chupas decentemente una vez en tu vida. Boink.

—Así estoy bien.

—¿Seguro?

—¡Que sí, con un caraxo!

En algún momento, la conversación giró en torno al pasado personal. Ya saben, el tipo de temas escabrosos que uno debería evitar a toda costa. Claro que a veces no se puede. ¿No fue Paul Thomas Anderson quien escribió: "You may be through with the past, but the past ain't through with you"?

La cosa se puso peluda cuando Midyet mencionó a un misterioso ex novio con el que casi contrajo matrimonio:

—Yo traté de comportarme a la altura, aun cuando me sentía como Carrie bañada en sangre de cerdo.

Me gustan las mujeres que usan metáforas cinematográficas.

—Cuando me dio el anillo, le pregunté: "¿Por qué gastaste en esto?"

—¡No!

—¿Y saben qué me respondió?

—¿Qué?

—"Hago lo que quiero con mi dinero."

—Anal —exclamó Cuki.

—Me di media vuelta y me fui. Le aventé el anillo de compromiso, cosa que me llena de orgullo, considerando que él lo compró con su dinero.

—Bien hecho —aplaudió Cuki—. Qué idiota. Boink.

—¿Cuándo anduviste con él?

—En la uni. Pero casi no nos veíamos. Yo estaba en Brown.

—Ah —bebí—. ¿Cuánto llevas sin novio entonces? —pregunté con malicia.

Nótese, en este punto de la historia, que Cuki y Midyet seguían siendo amiguitos. Todavía no pasaba absolutamente nada entre ellos. Lo cual era creepy, por supuesto.

—Dos años —respondió ella.

Muy creepy.

—¿Dos años tranquilos?

—Muy tranquilos —tomó una aceituna negra y la echó en su boca—. Volver a mi feliz vida de soltera es lo mejor que me podía pasar, por si te interesa saberlo.

—En efecto, me moría de las ganas de saberlo.

—Pues ahí lo tienes.

—¿Y a tu tío no le importa que no tengas pretendiente?

—Claro que le preocupa. Pero a mí no. Sólo tengo veintitrés años.

—Recién cumplidos —agregó Cuki.

—¿Y no te presiona con que le lleves a alguien o algo?

—¿A qué viene la pregunta? —Cuki tosió y me echó, one more time, ojos de pistola.

—Estoy tratando de entender las cosas, man.

—Sí, me presiona bastante. Pero yo no me dejo.

—¿No te amenaza con retirarte el apoyo económico?

—Justo por eso trabajo.

—Ah, claro. Una working girl. ¿Y si te quita el depa?

—Está a mi nombre.

—Suena a que tienes todo bajo control —la señalé incriminatoriamente con el dedo índice.

—No hay nada más importante que mi independencia —filosofó Midyet—. Y eso se refleja en permanecer soltera.

—¿En serio crees eso? —xodí.

—¿Qué te pasa, güey? —preguntó Cuki y volteó a ver a Midyet—. Discúlpalo, así se pone cuando se pone pedo.

—¡Yo no estoy pedo!

—No, déjalo —pidió Midyet—. ¿Qué quieres saber?

—Nada. Sólo explícame en qué consiste esa vaclayez que acabas de decir.

—¿La de vivir mi feliz vida de soltera?

—Sí.

—En que hago lo que quiero y con quien quiero.

—¡Pero te la pasas con Cuki!

Lo sé, su amable y fiel narrador tiene puntería para poner sal en la herida.

—Sí, vamos juntos al cine, nos pitorreamos de los parroquianos, fumamos, comemos y bebemos lo que queremos —Midyet le guiñó un ojo a Cuki—. Pero eso es lo que quiero.

—Guau. Qué envidia —exclamé.

—Tú no podrías hacerlo —intervino Cuki—. No tienes trabajo, *ergo*, no tienes dinero.

—¿Me estás juzgando?

—Diviértete: permanece soltera —dijo Midyet, extendiendo los brazos, como callándonos—. Ese es mi eslogan.

—¿Y no necesitas a nadie? —volví a xoder.

—A nadie.

—¿Me vas a decir que en ningún momento de esta mierda absorbente, ensimismada y egocéntrica que llamas vida, te parece que necesitas a alguien?

—No.

—¿No extrañas el sexo?

—¿Quieren que me vaya y los deje solos para que discutan sus intimidades? —Cuki se estaba poniendo ligeramente fúrico—. Discúlpalo, así ha sido siempre.

Midyet ignoró a Cuki y me miró con ojos sanguinolentos.

—Misma respuesta: nop. No lo necesito.

—Me pregunto qué tan sincera es esa respuesta.

—Muy sincera.

—¿Qué tal era tu ex novio?

—¿Qué tal era para el sexo?

—¿En serio tenemos que hablar de esto? —manoteó Cuki.

—¿Te esperas? —le dije—. Estoy a la mitad de algo.

—Era muy bueno, gracias por preguntar.

—¿Qué tan bueno?

—*Muy* bueno. Y no necesito dar más explicaciones —Midyet se levantó, y Cuki, caballerosamente, hizo lo mismo. Yo me quedé sentadote—. Con su permiso, voy al pipisroom.

La semigüera se alejó, dando brinquitos.

—¡De todos modos respondiste lo que quería saber! —exclamé mientras se iba.

Otra vez solos.

Inclinándose hacia mí, Cuki comenzó a atacarme:

—¿Qué pedo contigo, cabrón?

—Tich, ¿de qué te molestas? Ustedes no son nada. ¿Me oyes? Nada.

—Chinga tu madre.

—¡Esta vieja sólo te va a traer problemas!

—¡Boink! —Cuki regresó al respaldo de su silla.

—Al menos creo que probé mi punto.

—¿Cuál punto?

—¡Que está loca! ¿Qué es eso de que no necesita sexo? ¡Y al mismo tiempo dice que su ex novio se la cogía delicioso!

—¡Nunca dijo que su novio se la cogía delicioso!

—Para mí está implícito.

—Tich, sabes bien que eso es pura mierda. Está tratando de sonar interesante.

—Tich —ahora yo me acerqué—, llevan meses saliendo y nada de nada. ¿Qué te dice eso?

—Me dice que estoy haciendo todo a mi tiempo. Boink.

—¡Pero antes cogías con quien querías y cuando querías! ¿Por qué el cambio?

—A lo mejor estoy madurando.

—A mí me parece que te estás haciendo pendejo.

—Jódete.

—Estábamos muy bien sin ella. Mira —tomé un bollo de la canasta de pan—. ¿Sabes qué es esto?

—¿Un pan?

—Es una bola de cristal. Y la estoy conjurando en estos momentos. ¿Sabes qué veo?

Cuki suspiró, agobiado.

—¿Qué ves?

—Tu futuro, pendejo.

Se acercaban las doce de la noche. La corbata realmente empezaba a estorbarme.

—¿Y cuál es mi futuro?

—¡Que esta loca en cualquier momento se va a deschavetar y te va a xoder la vida!

Cuki se mordió un dedo. Acto seguido, me arrancó el bollo.

—Ahora yo voy a ver la bola de cristal. Boink boink.

—¿Y qué vas a ver? ¿Mi futuro?

—El tuyo es bastante predecible —Cuki sobó el bollo—. Prefiero el mío.

—¿Y qué ves?

—Veo una boda. Midyet y yo —dijo con un orgullo estúpido y adolescente—. Nos vamos a casar.

—¿Por qué dices tanta mierda? —pregunté lo último con asco.

—¡Porque estoy enamorado de ella, pendejo!

(...)

"Boink", remató levemente.

Me hundí en la silla. No dije nada más.

—¡Hola! —exclamó Midyet al regresar del baño, regalándonos una sonrisa angelical—. ¿Por qué las caras largas?

Bueh, los dos teníamos razón. Cuki terminó casándose con Midyet.

Y sí, también le xodió la vida.

"10... 9... 8... 7... 6... 5... 4... 3... 2... 1... ¡feliz año nuevo!"

✯ ✯ ✯

EN FEBRERO, MIDYET se esfumó. De repente, y sin avisar, desapareció misteriosamente. Bujujú. Un misterio. Ahora me ves. Ahora no me ves. Bujujú. Midyet no necesitaba razones para llevar a cabo pendejadas calibre cuarenta y cinco como esa. Midyet simplemente hacía las cosas. Para bien o para mal.

CORTE A: Germán Gedovius, periodista de cotilleo, grabado en videotape para *Qué verde era mi hongo*, chow de debate y polémica que levanta ámpula:

"Periódicamente, o al menos eso dicen las historias, Midyet Halliburton se alejaba del mundo. No sabemos si para entregarse a la meditación morosa de sus culpas o huir de situaciones determinadas, pero lo cierto es que nadie, ni siquiera las dos o tres personas que le eran allegadas, tenían la menor idea de dónde se metía. Yo he oído que en realidad nunca salía de su casa. Cuenta la leyenda urbana que Midyet tenía una especie de pasaje subterráneo al que se dirigía para escapar del mundo. Cuando finalmente la encontraban o ella se dejaba encontrar, sus reacciones podían ser diversas: con agresión, con dudas, con sopor. Completamente impredecible. La única certeza, según cuentan aquellos que presenciaron sus retornos, es que una vez que el shock del reencuentro pasaba, Midyet parecía perdida. Una niñita perdida."

¿Bizarro? Sin duda. ¿Macabro? Por supuesto.

En febrero, Midyet desapareció por primera vez. Ignoro si fue la primera de primeras, pero al menos sí fue la primera vez que nos tocó a miermano y a un servidor. Nadie sabía nada de ella. Gone. Kaput. Cuki la buscó por mar y tierra, debajo de las piedras y en el barrio chino. Pagó un anuncio en el aviso de ocasión y revisó todas las alcantarillas y hoyos fonquis en los que podría encontrarla. El senador Halliburton tampoco sabía nada. Nada. Deprimido, miermano probó un poco de la paikedad que lo caracterizaría años después. Se paró en la oficina de chancletas y bermudas, pelos desaliñados (más shaggys de lo normal) y una cara de los mil caraxos. Vómito de Cerdo lo llamó.

Con la dura mirada del déspota ilustrado:

—¿Cabrón, qué chingados es esto? ¡Pareces un descamisado!

Con el triste semblante de aquel que sufre por amor:

—Yo tenía un sueño… y ahora mi sueño se ha ido.

Vómito de Cerdo lo mandó de regreso a su casa. ¡Y descuéntenle el día de paso! ,

CORTE A: Cuki sentado en el futón tailandés o japonés, junto a su apasionado y vehemente narrador, tarareando *Purple Rain*.

El fido apagado.

Sin energía eléctrica. Cero.

Los recipientes cartonosos de comida china vacíos, tirados en el piso.

Botellas secas.

Recogí una caja de pizza. Estaba a la mitad. Y retacada de hongos.

Cuki vio aquello. Susurró:

—¿Te había dicho que a Maese Iwatani se le ocurrió *Pac-Man* tras ver una pizza a la que le había arrancado ya un triangulillo?

Plas. Dejé caer la caja.

—¿No quieres ir a lo de Jumpman? —propuse—. Para que se te olvide.

Cuki negó con la cabeza. Seguimos viendo el fido.

Muerto.

Pueden imaginar que no hay nada peor para un paiki que se haya ido la luz.

Sonó el teléfono.

Los de la compañía telefónica siempre se pitorrean de los de la compañía eléctrica. Aunque no haya luz, ellos sí funcionan.

—¿Bueno?

Horrorizado, le pasé el auricular a Cuki.

—Es para ti.

—¿Sí?

Una pausa.

—¡Voy para allá!

En efecto, Midyet había vuelto. Del mismo modo burdo y drástico con el que se esfumaba, volvía a aparecer.

Perra loca.

Miércoles en la noche. Imaginen a Cuki, jeans Jordache pegaditos-pegaditos, top siders, playera con el logo de Atari y chamarreta cuelloparado. Cuki corriendo como desaforado por el mol de Twin Pines. Con excepción del multiplex, todas las tiendas habían cerrado. Decidí acompañarlo. Una extraña compasión se apoderaba de mí. No quería que miermano hiciera otra pendejada. Y es que en este punto del relato el lector sabe que Midyet y Cuki padecían dos o tres enfermedades de la cabeza. Estaban más locos que una cabra con hormonas hiperactivas.

No podía dejarlo solo, qué quieren.

—La perra está loca —le dije—. Sólo le salen serpientes de la boca.

—Me gustan las locas —dijo Cuki, caminando a toda velocidad, rumbo al cine, y yo como idiota persiguiéndolo—. Dieciocho años viviendo con Madre me abrieron el apetito. Boink.

Midyet le dijo, aparentemente, "nos vemos en la taquilla".

—Pero la perra está xodida de la cabeza —insistí—. Espero que lleves suficiente Thorazine, Clozaril y Fluanxol.

—Seré como una montaña de ladrillos —después de subir las escaleras eléctricas, nos detuvimos frente a la taquilla. Eran como las once de la noche. Hacía frío. Cuki volteó hacia mí—. ¿Sabes, man? La amo diez veces más que cuando llamó.

—Es una serpiente.

—Nada que digas me hará cambiar de opinión.

—Tich —me sobé los brazos—, ¿cómo sabes que no viene a mandarte por el culo?

—En cuanto llegue, le hablaré como es debido —respondió como si yo no estuviera ahí—. Que empieza a dar de gritos, le diré que su voz es como la del ruiseñor. Que frunce el ceño, le diré que su cara es tan tersa como los parquímetros empapados del rocío de la mañana. Que se empeña en permanecer muda, alabaré su incomparable elocuencia. Que me pide que me largue de su vida, le agradeceré por quererme tener a su lado día y noche. Que se niega a casarse conmigo, le preguntaré qué día hay que presentarse con el superieure e imprimir las invitaciones.

No se preocupen. Yo tampoco entendí un caracho.

Midyet apareció por las escaleras eléctricas. Vestía de rosa. Cinturón podenco. Aretes grandilocuentes.

Cuki abrió sus brazos de par en par.

Midyet se siguió de largo.

—¿Qué quieres, con una chingada?

Bueh, yo tenía razón.

Midyet se detuvo a un par de metros de nosotros.

—¿Qué quieres, dime? —gritó—. Tienes dos semanas buscándome, ¿no? Pues aquí me tienes.

Okey, eso no iba a ser una velada romántica. Opción desechada.

Cuki dudó un segundo.

Entonces, lo dijo. El muy vaclayo lo dijo:

—Buenas noches, Pixie. Así te llamas, ¿no?

—¿Qué?

Esa fue la respuesta de Midyet.

—Pixie. ¿Así te llamas, no? —Cuki se acercó ligeramente.

—¿Estás en drogas? —interrogó Midyet en un estado confuso.

¿No fue Bryan Ferry quien dijo "love is the drug for me"?

—Yo sé quién eres —el tono de Cuki era freaky—. Eres Pixie, ni más ni menos; me embrujas y me pierdes, y me dejas a la deriva. Y me vuelves loco. Eres Pixie, la buena Pixie, la encantadora Pixie, la fascinante Pixie y, a ratos, Pixie la maldita. Por todos lados he escuchado alabar tu hermosura, celebrar tus virtudes y proclamar tu dulzura. Boink.

—Por no decir su locura —carraspeé.

Midyet me lanzó un aguijón envenenado con esos ojos de campeonato. Después, volvió a su estado de confusión.

—Por eso —Cuki tosió—, si te he buscado es porque quiero decirte una o dos cosas. Cosas importantes. Quiero decirte que mi vida es complicada y definitivamente se ha complicado más contigo a bordo. Yo estaba seco y perdido hasta que te encontré. Y si te digo esto es porque ya no puedo más. Si no lo saco me va a explotar el corazón —se hincó, el muy mamón—. Te amo, eso es. Tu mezcla de defectos y cualidades es lo que necesito, reúnes todo, absolutamente todo lo que he buscado en otro ser humano. Y aunque sé que estás sola y así estás bien y no necesitas a nadie, de todos modos tenía que decírtelo, pues estoy dispuesto a tomar el riesgo.

(…)

Okey, aquello definitivamente era una velada romántica.

—Estoy hablando de compartir contigo lo dulce. Y lo amargo —finalizó Cuki—. ¿Qué piensas?

Midyet se estrujó la cara. Y el pelo. Y los ojos verdes.

Encaró a Cuki:

—¿Te parece justo?

—¿Me parece justo qué?

—¿Te parece justo que vengas a decirme estas cosas, que vengas a decirme que yo soy lo que tú necesitas, que yo soy lo que has estado buscando, como si eso fuera a halagarme o a hacerme sentir bien? ¿Como si ser la persona que otra persona ha buscado durante toda su vida fuera mi único objetivo? ¿Crees que por haber tenido una calentura y alucinar que soy ese "otro especial" o haberte gustado o atraído físicamente tienes derecho de venir a decirme estas pendejadas?

(…)

—Esto no es una calentura —croó Cuki, muy serio.

—Estás loco.

—¿Sólo él? —añadí.

—No tienes idea de lo que es cargar conmigo.

—Si de esa forma llamas a mis intenciones, sí, cargaría contigo.

—¡Para eso están los burros! —rió Midyet.

—Y también las mujeres —Cuki hizo un ademán refiriéndose al embarazo, se sobó la panza y dio dos vueltas—. ¿Lo disfrutarías, sabiendo que es mi hijo?

—¡Un hijo tuyo! ¡Qué asco!

Comparto la idea: tener un hijo con Cuki debe de ser una experiencia desagradable.

—Ah, dulce Pixie, hablas sin pensar. Tú también quieres estar conmigo. Eso es obvio.

—¡Ni aunque me obligaran!

—¿Por qué el desplante? —preguntó Cuki, hecho un enamoradizo, y la abrazó—. ¿Por qué el veneno? —Midyet trató de zafarse.

—Cuidado con el aguijón —intervine.

—El remedio es fácil —Cuki continuaba forcejeando—: se lo arranca y ya estuvo. Boink. Boink.

—¡Eres tan pelma que no podrías encontrármelo! —Midyet logró salirse del abrazo cukiesco.

—¿Quién no sabe en dónde está? —Cuki le acomodó una nalgada—. ¡En la cola!

—¡Cerdo!

Lo último fue acompañado por un soplamocos.

Cuki se sobó la nariz.

—Cabrona —vio su propia sangre—, vuelve a hacerlo y te tiro los dientes.

—¿Dónde quedó el caballero? —Midyet retó a Cuki, pero éste parecía volver a sus cabales.

—Tu amor —carraspeó— puede regresarlo.

—Mi amor no está disponible para ti ni para nadie.

—Pero tú eres mi princesa, mi reina, mi emperatriz.

—¿De un rey idiota?

—Vamos, amor mío, ¿a qué viene tanto vinagre?

—No lo puedo evitar cuando estoy con un lerdo.

Aquello se estaba poniendo bueno.

—Aquí no hay ninguno; ergo, no hay necesidad del vinagre.

—¡Que sí!

—¡Que no!

—¡Ash! —Midyet emprendió su camino de regreso por las escaleras—. ¡Adiós!

Y sí, Cuki corrió detrás de ella.

—No no no, de esta no te escapas, boink —la jaló del brazo. Yo, francamente entretenido, prendí un cancro.

—¿Por qué la insistencia? —Midyet se detuvo—. ¿Qué no te das cuenta de que no te convengo a ti ni a nadie?

—Me habían dicho que eras como una bestia, pero yo te encuentro amable, deliciosa, alegre. Tu lengua es tan dulce cual flor primaveral. ¡Eres incapaz de hablar mal de nadie o de arrancarte con berrinches! —me señaló con el dedo—. ¿Y alguien por allá dijo que eres una serpiente?

Creo que ese fui yo. Me encogí de hombros.

—De tu boca sólo emergen palabras de amor —Cuki volvió a abrazarla, y Midyet se resistía—. Anda, corazón de melocotón, sorpréndeme, shoquéame, hazme sentir que este día ha valido la pena, que vivir vale la pena ahora que te conocí.

—¡Eres un idiota!

—¡Qué forma de adornar las ondas hertzianas con semejante hablar! ¡Qué elocuencia! ¡Qué ternura!

—Dios —Midyet respiraba pesadamente—, ¿pero qué caraxos fumaste hoy? —me volteó a ver, amarrada por el abrazo pincesco de Cuki—. ¿Qué le diste?

—Yo también quiero saber qué se metió hoy —arqueé las cejas.

—Las palabras acuden a mí espontáneamente, desde el calor de mi corazón —Cuki pegó sus labios a los de ella, y le plantó tremendo beso—. ¡Y más caliente estarás en mi cama! —siguió besándola—. ¡Allí, allí es donde quiero calentarme!

—¡Loco! —se despegó ella—. ¿Qué quieres?

—Ah, negocios —Cuki se puso de rodillas—. No siento otra cosa más que amor, amor idiota y sincero desde el primer momento en que mis ojos se posaron en ti.

(…)

—Pero ya te dije que no le convengo a nadie. Soy dañina. Estoy mal de la cabeza.

—En eso no te voy a contradecir… —intervine.

—¡Cállate, cabrón! —me gritó Cuki, y casi de inmediato volvió a su estado de serenidad—. Escucha: somos dos los que estamos mal de la cabeza. Pero sé, aquí adentro, que siempre nos cuidaríamos. Todos necesitamos que alguien nos cuide. Yo nunca te dejaría sola. Hemos estado solos mucho tiempo. Ya no tenemos que estarlo. ¿Qué dices?

(…)

—¿Qué dices?

Midyet se ablandaba.

Suspiré. Fumé. Necesito un canuto, pensé.

Midyet parecía una niña perdida. Necesitada de amor.

Bostecé. Pensándolo bien: necesitaba electricidad.

Midyet lo abrazó.

Se besaron. Su segundo beso.

Boink.

CORTE A: Cuki arreglándose frente al espejo, varios meses después. Chaqué y zapatos de charol. Flamante corte de pelo. Tuvimos un breve diálogo antes del "enlace":

—¿Cómo me veo?

—De la verga.

—Tu mamá.

Una ceremonia privada. Amigos y familiares. Un convite sofisticado y de buen gusto, como Midyet. El senador Halliburton no cabía del gozo. Madre criticó todo y a todos. Después de la mierda católica, el brindis y el primer baile, me quité el saco y me recliné contra la silla. Observé las nalgas de una invitada. Reparé en Cuki y Midyet.

En verdad parecían enamorados.

Todos fingimos ser felices por lo menos un día.

¿No fue Bowie quien dijo "I don't believe in modern love"?

✮ ✮ ✮

VERANO.

Cuki y Midyet me fueron a visitar a Flynn's.

Después del desafortunado evento nupcial, le dije "adiós" a mi vida de paiki saltillense y le dije "hola" a mi vida de paiki naucalpense. El hecho concreto es lo de menos, pero fue un poco como lo siguiente: yo tirado en el futón japonés o tailandés con el control del 2600 en la mano, Cuki ridículamente bronceado tras su luna de miel playera, dijo:

—Bueno, tich, y… ¿has pensado qué vas a hacer?

—Voy a jugar un rato y luego me meto a dormir —respondí sin quitar los ojos del fido—. Estoy cansado.

—No, me refiero a qué *vas* a hacer.

—¿Cómo que qué voy a hacer?

—Sí, ¿qué vas a hacer?

—¿Con qué?

—Con tu vida.

—Bueno, nada.

—¿Cómo que nada?

—Soy un paiki, dud. Los paikis no hacemos nada con nuestra vida.

—Güey —Cuki se sentó junto a mí y, delicadamente, me quitó el joystick de las manos, y me refiero al de plástico—. Sabes que no puedes seguir viviendo aquí.

—¿Por qué no?

—Porque ya estoy casado. Y los recién casados deben vivir por su cuenta. Solos.

—¿Según quién?

—Man…

—Qué pedo contigo. ¿De dónde sacaste estas ideas? ¿De esa tipa?

—¡Esa tipa es mi esposa!

—¡Y es una arribista! —apenas y podía contener la ira—. ¡Mira lo que nos hizo!

—¿Qué nos hizo?

—¡Estábamos muy bien sin ella! ¡Nuestra vida estaba bajo control!

—Ja. Boink.

—¿Por qué lo haces?

—Man, tú sabes que…

—Ya. Esta es la típica parte en la que dices "sólo sigo órdenes". Y bla bla bla. Algo así fue.

Un año después, Cuki y Midyet me fueron a buscar a Flynn's. Verán, había decidido regresar a Naucalpan, a nuestro jomtáun, al lugar de origen de todos los paikis del Valle. Para mí, la aventura cukiesca había terminado. Con dolor, tuve que admitir que Cuki y yo nunca habíamos sido Frodo y Sam. Cierta Gollum, cierta Esmigol se nos había metido en medio. Así es que pedí asilo en el único lugar en el que pueden refugiarse los paikis. Como ustedes saben, entre la primera vez que Los Dos Amantes Dementes esnifaron coca y hasta nuestro reencuentro en el antro de Arcade, la industria de los videojuegos había tenido un ligero y casi catastrófico crack. Había terminado La Abundancia y comenzado La Depresión. Flynn's era, pues, el refugio de los pocos que aún creían en el entretenimiento electrónico.

Cuki y Midyet me encontraron paseando entre las máquinas de Midway. Escuchaba algo de Smiths en mi walkman.

—¡Oye!

Me quité los audífonos. Nos volteamos a ver.

Él seguía siendo el mismo imbécil.

Ella seguía siendo hermosa.

—Hey, qué bueno es verlos —dije, los audífonos descansando en mi cuello—. Nada es mejor para la reputación de este antro que lo visite una joven y sana pareja.

—¿Cómo estás?

Esa era Midyet. Se había cortado el pelo. Pero no me importaba.

—Bien, ¿y tú?

—Tenemos que hablar —dijo Cuki, parco.

—¿Tenemos?

No nos escuchábamos ni nosotros mismos, así es que los llevé al leonero que me prestaban y siguen prestando en el segundo piso. En aquellos años (y vaya que eran buenos) lo tenía retacado con pósters de *Rambo* y Kathie Lee-Crosby en pelotas.

—Ahora veo por qué tus amigos tienen catorce años —xodió Cuki.

—¡Cuki! —lo empujó Midyet.

—¿Vienes a chingarme, man?

Mi playera decía "Flynn's".

—No —Midyet me tomó de la mano—. Venimos a invitarte a un viaje.

Volteé a ver a Cuki. Me hizo una xeta de los mil caraxos.

—A mí ni me la hagas de pedo. Si no fuera por ella no estaría aquí. Boink.

CORTE A: Vegas. El pretexto: asistir a la expo de computadoras y videojuegos más grande del continente. Y no critiquen. Yo sólo era un paiki aprovechándose de la situación.

Caminábamos por el lobby del Dune, bajo los reflectores, los tres malditos, como en los viejos tiempos. Cuki iba disfrazado como un gángster de esos de *Scarface*. Yo, en outfit paiki. Midyet, tan hermosa y cautivadora como siempre.

—¿Vamos al estand? —preguntó Cuki, y yo simplemente asentí con la cabeza. Digo, ya que había dado las nalgas, lo más decente era obedecer las órdenes de mi renovado mecenas.

—Pus vamos.

Una semana antes, en Flynn's, mi primera respuesta había sido no. Un rotundo y cacarizo "no".

—Tienen que estar enfermos si creen que voy a creer que esta burla tiene algún fundamento.

—Es en serio, queremos invitarte —Midyet continuaba tomándome de la mano—. Simplemente es algo que… queríamos hacer desde hace tiempo.

No me tragué el asunto del "seamos amigos de nuevo". Tampoco, y llámenme intrigoso si quieren, lo de la culpa y el "reparemos el daño". Aquello sonaba apestoso.

Yo sé qué es lo que estaba pasando. Pero no se los voy a decir ahora.

—Okey, vamos.

Dije las palabras "okey, vamos" luego de que Cuki mencionó que les sobraba un boleto para la pelea de campeonato de los pesos pesados del Consejo Mundial de Boxeo entre Larry Holmes y Leon Spinks en el Riviera Hotel. El boleto de marras (y la habitación, y el tiquete aéreo) pertenecían a un tal Mod, quien era un compañero de trabajo de Midyet. Y no me pregunten qué clase de xodido trabajo hacía Midyet que tenía que asistir a una expo que se armaba dos veces al año en Vegas.

—Okey, vamos. Sí… ya qué. Vamos.

Tampoco era buena voluntad que hayan ido a Naucalpan sólo a buscarme. En realidad, dos días antes del reencuentro en Flynn's había nacido Cole, el primer hijo de Marpis. Con diez dedos y dos ojos, no se preocupen. Cargaba los defectos, como todos los Pirulazao, en su cerebro nuevecito. El tal Mod, por lo que entiendo, canceló el viaje y bueh, una semana después yo estaba caminando en el lobby del Dune con el hijo putativo de Tony Montana. *Modda fucka!*

Mi gafete de entrada a la expo parecía un gran letrero que gritaba

VILLAMELÓN

Los estands de Sony, RCA y Zénith eran enormes. Atari había instalado un estand grande, sí, pero no tanto como los que ponía en La Abundancia. Me valió madres. El ambiente era carnavalesco, con edecanes entregando folletines, parroquianos jugando demos y autos para exhibir lo último en sonido móvil.

—No te despegues —ordenó Cuki.

—Sí papá —respondí.

—Y no me digas papá.

—Sí papá. Digo, no papá.

Una extraña comezón nos llamaba. Pasamos el estand de Panasonic y el de Telefunken. Dimos dos vueltas a la izquierda. La comezón se incrementaba. Cuando caí en cuenta, estábamos ya en el estand de Nintendo de América.

—¿Qué te parece?

—¿Qué, papá?

—¡Que no me digas papá!

—Perdón papá.

Frente a nosotros había un robot de juguete, un estúpido robot chiquitín, grisáceo, con una mica oscura en lo que debe ser la aplastada y chata cabeza. Una viejita japonesa se acercó a nosotros. Era tan chaparra como el robot.

—¡Buenas taldes! —saludó, y yo voy a exagerar la sustitución de la "erre" por la "ele"—. ¡Ya conocen a LOB?

—¿A quién?

—¡A LOB!

Nos entregó un folleto. Midyet quelía pitolealse de la japonesita, pero se contuvo. Leí el pasquín: "ROB: Robot Operating System".

—¿Y qué hace LOB? —preguntó Cuki, hecho un mamón.

—¡Es el nuevo integlante de la familia Nintendo! —respondió la jap.

Seguí leyendo: "The World's First Video Robot!"

—¿Sí, pero qué hace?

—¡Es el nuevo integlante de la familia Nintendo!

En el estand estaba, también, la nueva consola de Nintendo. Se llamaba Nintendo Entertainment System, pero después todos le llamábamos Nintendo a secas.

—¡Ese es LOB!

—Sí. Ya veo.

El estand estaba un poco vacío. Sentados en el fondo, había otros dos japoneses, con los semblantes tristes. Muy tlistes.

—Boink, estos chinos deben estar desesperados —comentó Cuki, apachurrando el folleto en la cara de la japonesita—. No van a vender ni madres.

—¿Nos podemos ir? —pidió Midyet.

Seguimos nuestro camino. La japonesita nos vio alejarnos con una expresión de derrota. Volteé cuando estábamos, creo, lo suficientemente lejos. Seguía parada ahí. Parecía decir "sayonara".

★ ★ ★

CUKI Y YO tomamos un taxi de regreso al hotel. Con ese look de narco cocainómano temía que lo confundieran con un millón de dólares. Y recién lavados. Me preguntaba si Sam *Ace* Rothstein se sentiría amenazado.

Llegamos al hotel. A empacar. Ajá, los paikis también hacemos maleta. Mínima, pero la hacemos. Mi avión salía al otro día. Junto con Midyet. No estaba en ningún plan que los empleados de (...) se quedaran a presenciar el chow completo.

Cuki Montana y yo nos despedimos en el lobby.

—¿Te veo mañana?

—Claro.

—Si quieres desayunamos.

—Si quieres.

—¿No quieres?

—Yo sí. Pero tú manejas el dinero, papá.

Cuki me dio un puñetazo amistoso en la panza.

—Mamón.

Y se fue.

Me dirigí a mi cuarto, con el aire un poco fuera de su lugar.

Okey: pilchas acomodadas, dientes lavados, piyama enfundada, flic porno listo. *Chicks With Dicks*, si mal no recuerdo. Me preparaba para jalarle el cuello al ganso. Entonces, toc toc. Ajá, toc toc.

Apesadumbrado, corrí a asomarme por el hoyín.

Ahí estaba, parado en el pasillo alfombrado. El muy idiota.

—¿Qué pedo?

Abrí la puerta, Cuki se metió de golpe.

—No hagas preguntas —y se sentó rápidamente en la cama. Aventó los zapatos, comenzó a quitarse la playera y se desabrochó el cinturón.

—Wo wo wo —dije con las manos extendidas—. ¿De qué se trata esto?

—¿Qué parece? Aquí voy a dormir. Boink boink.

—¿Pero por qué?

—Güey —se bajó los pantalones, y definitivamente NO es lo que acaban de pensar—, en serio no me hagas preguntas.

Cuki suspiró. Me miró con seriedad.

—¿Compartimos la cama? —preguntó, y de nuevo, NO es lo que acaban de pensar.

—¿Qué pasa? —insistí—. ¿Te corrieron o qué?

Se sentó.

Volvió a suspirar.

CORTE A: Dominic Astor, connotado periodista de espectáculos, en entrevista otorgada a *El mundo de Cotín*, afamado chow de cotilleo y malalengua:

"Midyet tenía, como todos sabemos, cambios súbitos de humor. Un día podía ser 'amorosa esposa' y al otro 'bastarda sin calzones'. Aquel episodio del libro en el que Cuki arroja el anillo de casado al escusado en Orlando, Florida, después de que Pixie no le permitiera avanzar en sus coqueteos amorosos, en realidad se llevó a cabo en Las Vegas, Nevada, y por una trifulca de índole doméstica. Cuki y Midyet discutieron amargamente y, en un arranque, él se lanzó al baño y aventó el anillo por el dobleucé. Midyet, evidentemente molesta por el detalle, lo corrió del cuarto y él tuvo que dormir en otro lado."

CORTE A: Ramoncito Corruptelas, psicoanalista frustrado y editor de *Fido y Cotilleo*, publicación dedicada en su totalidad a explotar la supuesta vida "privada" de las personalidades "públicas", durante la mesa redonda *Por qué nos encanta chingarnos al prójimo* del chow cómico-morboso de Nino Canún:

"Cuki es un gay enclosetadísimo. Es obvio que la escena en la que arroja el 'anillo' (actúa las comillas) al 'escusado' (vuelve a actuar las comillas) es una representación gráfica de su infierno personal, de su falta de aceptación, del poco valor que tenía y sin duda tiene para admitir su condición homosexual."

"¿Esto que me dice aparece en su revista?", pregunta Nino con voz nasal.

"Para nada."

"¿Por qué?"

"Técnicamente, Cuki es un escritor. Y los escritores no venden revistas."

En ese caso, podemos omitir toda la última opinión.

CORTE A: Cuki y yo, sentados en la cama del cuarto del Dune:

—Tich, yo sólo quería, para mi última noche con ella en Vegas, despertar en Venecia, despertar en París.

—¿Y qué te dijo?

—Me llamó porfiriano y rompecatres y me corrió.

—¿Te corrió?

—Sí, me corrió.

—¿A patadas?

—A empujones.

—Te lo dije —me puse filosófico y tomé una cerveza del minibar—. ¿Quieres, man?

—No. ¿Qué?

—¿Que de qué?

—Que qué me dijiste.

—Que las cosas iban a salir mal.

—Estás exagerando. Boink.

—¿Esto te parece sólo "una cosa que salió mal"? —actué las comillas a lo Ramoncito Corruptelas—. Ni madres, esto es el símbolo de algo más profundo y revelador.

—¿De qué hablas?

—Man, es un error que te hayas casado. Eso todos lo sabemos. Ni hablar, uno la caga todo el tiempo. Y ahora vas a pagar.

—No voy a pagar nada.

—Me encanta que seas tan ingenuo, deveras. Escucha —me senté junto a él—: un esposo quiere pingar. Y lo menos que debe hacer la marida, le duela o no la pendeja cabeza, es abrirse de patas y aceptar. ¿Cierto?

—Boink, sí.

—¿Y qué te dice esa zorra infame, esa perra desgraciada?

—¡Más respeto, cabrón! —me empujó violentamente—. ¡Estás hablando de mi esposa!

—Te dice "hoy no pingas tú, hoy no pingo yo" —proseguí sin hacer caso de la advertencia—. "En suma, hoy no se pinga."

Realmente encabronado, Cuki se levantó y corrió al baño. Divertido, lo seguí hasta allá y observé cómo se quitaba el anillo del dedo y lo echaba al escusado.

—¿Cómo se llamaba? —pregunté.

—¿Quién? —gritó Cuki, hecho un cavernícola.

—¿David Keith?

—¿Quién?

—¿O era Keith David?

—¿De qué hablas?

—Del güey de *An Officer and a Gentleman*. El que se traga el anillo de compromiso de un trago.

—¿Ehh… David Keith?

—Eso es lo que debiste haber hecho.

—¿Hacer qué?

—¡Empinar el codo con tequila y tragarte el anillo!

Cuki miró el escusado.

Melancólico.

—Si llego a ser vicepresidente antes de los treinta, voy a proponer que no se permita la contratación de hombres y mujeres casados, ya sea por bienes separados o mancomunados.

Aquella fue la primera vez que dijo eso.

CORTE A: Midyet y yo, muy sentados, en la terminal A del aeropuerto McCarran de Las Vegas, esperando nuestro vuelo. Yo pienso que Midyet es una macarra porque no me ha dado de comer. Y que la situación es peligrosamente ideal para enterarme de cosas de las que no necesito ni quiero enterarme. O algo peor.

No hablábamos de nada. Simplemente veíamos al frente. Idos. En la mano tenía mi portátil de Coleco. Muerto. Sin pilas.

—¿Te puedo preguntar algo? —arrancó Midyet.

—¿Para qué?

—Necesito saber una cosa.

—Sólo si a la mitad de la charla no vas a agarrar tu machete de Jason y vas a empezar a hablar en arameo o alguna lengua muerta.

—Prometido.

—Y llévame a comer algo —me puse de pie—. Me cago de hambre.

—Vamos.

Sentados en un antro de bagels, pretzels y cerveza Budweiser, Midyet me observaba con interés. Ella tenía un vaso de agua. Yo un plato con mucha comida gringa.

—¿Extrañas a Cuki? —disparó Midyet.

Mastiqué. Aquel bagel estaba bueno.

—Extraño el fridge.

—En serio. ¿Lo extrañas a él?

—Un poco —me sinceré, el muy pelmazo—. Sí.

—¿Crees que cometimos un error al casarnos?

Dejé a un lado el plato.

—Hey, no me gusta hacerle al bate y pelota. Anoche él me dijo algunas cosas y ahora tú otras. ¿Qué creen que soy? ¿Un puto consejero matrimonial?

—¿Qué te dijo?

—No te voy a decir nada. No insistas.

—Ándale, ¿qué te dijo?

—Que no quisiste darle arrumacos.

Soy un facilón.

—¿Nada más?

—Básicamente, sí.

—¿Crees que estoy loca?

—¿Por no querer sexo?

—En general, digo.

—Pregúntame algo más difícil.

—Dime, ¿te parezco loca?

—Claro que sí —volví a mi plato—. Qué obvia puedes llegar a ser.

Midyet guardó un silencio sagrado durante unos segundos, y luego empezó:

—Es que a veces todo parece estar muy bien. La vida es simple y yo me siento contenta. No podría decir que feliz, pero sí contenta. Conforme. Y Cuki es maravilloso y encantador. Y me trata muy bien. Y es muy fuerte, ¿sabes? La debilidad me da repele —Midyet bebió de su vaso de agua—. Cuando las cosas se complican, y me siento infeliz, no me puedo contener y digo lo que pienso. A lo mejor eso es lo que le molesta a él. Y tampoco me encanta estar con gente. Digo, no todo el tiempo. Aunque a veces sí. A veces no me gusta estar sola. Me siento sola muchas veces. Pero a ratos nada es mejor que estar sola. Sola y metida en lo mío. Cuando estoy feliz me gusta estar con Cuki. Cuando estoy infeliz, la verdad… no. No me gusta estar con nadie. Tengo muchas cosas dándome vueltas en la cabeza. Tengo trabajo, lo sé, me encanta lo que hago, lo sé, mi familia se preocupa por mí, lo sé, mi Cuki se preocupa por mí… también lo sé. Pero a veces nada es suficiente. Y siento que eso lo vuelve loco. Que yo esté loca. Sólo porque se preocupa. Porque cuando no te preocupas por alguien ni siquiera te enteras. Pero él se entera. Porque se preocupa. No es como mi familia. Ellos sólo querían verme casada. No se preocupan. Ni se enteran.

La volteé a ver con medio bagel en el hocico.

—Estás bien pinche loca, me cae.

—¿Te puedo enseñar la lengua?

—¿Para qué?

—Tú vela.

Obedecí.

—¿Pasa algo?

—¿No viste algo raro?

—No.

—¿Una bolita o algo? —Midyet empezó a hacer muecas y luego se quedó viendo hacia al horizonte, los enormes y pestañudos ojos como tristes—. No sé, un tumor o algo…

—No tienes nada.

—Se me antojó un cancro —Midyet agudizó las muecas—. Tengo que dejar de fumar.

—Ajá.

—Debería comprar un perro.

—¿Para qué?

—Para la casa, menso. Para que nos acompañe.

—No veo el caso.

—Ni yo. No me gustan los perros. Son sucios.

—Si lo que quieres es una mascota, mejor tengan un hijo.

—¡Un hijo! Esa es una pésima idea.

—¿No quieres tener hijos?

—Ni que estuviera loca.

—¿Tú, loca?

—Y luego Cuki me dice que trabajo mucho. Pero esa es una contradicción, porque él también trabaja mucho.

—No los envidio, créeme.

—Trabajo en la oficina. Y luego en la casa. Huy, si vieras cómo tengo el comedor. Lleno de papeles y porquería y media.

—Me lo puedo imaginar perfectamente.

—¿Crees que salgan tumores por trabajar mucho?

—Definitivamente.

Luego fuimos a la sala de viajeros frecuentes y pasó algo que no debió haber pasado.

✷ ✷ ✷

DE VUELTA EN Flynn's. Rascándome los yarboclos en mi especie de cama de mi especie de cuarto. No hacía nada. Absolutamente nada. Sólo pensar. Pensar en el departamento en Melrose. Midyet en el comedor, frente a la computadora. La impresora de matriz de punto haciendo su ruido incesante. Un montón de papeles a un lado, y otro montón al otro. Restos de cartoncillos de comida china y latas de refresco.

Alguien se asomó y rompió mi ensoñación. Era Cindy, la gorda de la caja.

—Te llaman —dijo con voz gutural.

—¿A mí?

—No, a mí. Apúrate, huevón —la acompañé abajo, y cuando tomé el auricular, remató—: Y no te tardes.

—Bueno —respondí parcamente. Había mucho ruido en el piso de las máquinas tragamonedas.

—*Hey. Soy yo.*

—¿Quién es yo?

—*Midyet.*

—Midyet Halliburton de Pirulazao —me rasqué la cabeza, extrañado—. ¿A qué debo el horror?

—*Ya ves, tenía ganas de hablarte. ¿Cómo estás?*

—Bien. ¿Y tú? ¿Tuviste un buen vuelo?

—*Más o menos. Oye, tuve un problema.*

—¿Qué pasó?

—*Compré el perro. ¿Te acuerdas? Te dije que iba a comprar un perro.*

—No: me dijiste que deberías comprar un perro pero que no te gustan los perros porque son sucios.

—*Cuando llegué a Saltillo fue lo primero que hice. Compré un perro.*

—Bien por ti. ¿Para eso me hablaste?

—*No. Es que Cuki llegó anoche. Y tuvimos un problema.*

—¿Qué problema?

—*No tenía anillo. Dice que lo perdió en Vegas.*

—No me digas.

—*Sí. Y me suena raro. ¿A ti te dijo algo?*

—Nop.

—*Llegó sin anillo. Y no me dijo nada. Evadió y se fue.*

—¿Y qué te dijo del perro?

—*Nada. Sólo xodió con que quién lo iba a cuidar y bla bla bla. Pero sé que le cagó la idea.*

—Probablemente.

—*¿Crees que salgan tumores por tener perros en la casa?*

—A lo mejor.

—*Dios, todo está tan complicado. Pero tú sabes escuchar. Me di cuenta esa vez.*

—¿Qué vez? —pregunté con horror.

—*En año nuevo. ¿Te puedo hablar otra vez si me siento mal o algo?*

—¿Ahorita te sientes mal?

—*Cuki está muy raro. No me dice nada. Y cada vez que le hablo de algo me contesta con su xeta de pendejo y su voz incriminadora como si no escuchara, "¿queeeeeeé?"*

—Sí, conozco ese tono.

—*¿No le has dicho nada?*

—¿De qué?

—*De lo que pasó.*

—No.

—*¿Seguro?*

—Seguro.

—*¿Entonces te puedo hablar otra vez si me siento mal o algo?*

—Hey, no te pasé mi teléfono, digo, el de Flynn's, para nada.

—*Okey. Gracias. Eres lindo.*

Clic. Cindy me miraba con odio.

—¿Quién era? —preguntó hecha una furia.

—¿Y a ti qué chingados te importa?

No bien volvía a la cama, me avisaban que tenía otra llamada. Era Midyet de nuevo.

Regresé al teléfono. Cindy casi me lo aventó en la cara.

—Bueno.

—*Hey.*

—Qué pasó.

—¿Te gusta "Pifas"?

—¿De qué hablas?

—Pifas. Así le puse al perro.

Respiré hondo.

—Claro. Pifas. Suena muy bien. Deveras.

✦ ✦ ✦

NO VOLVÍ A hablar con Cuki en un buen tiempo. Él no me buscó. Y yo no lo busqué. Midyet solía llamarme a Flynn's para contarme sus ondas. Me platicaba de las visitas intermitentes de Marpis y los desayunos con Vómito de Cerdo y Gertrude. Me hablaba de su soledad, su trabajo y lo mal que iban las cosas en Atari, Inc. Sobre los momentos agrios, como cuando un extraño se metió a dormir al departamento de Melrose (sin permiso de los dueños, claro está), y también los dulces, como cuando iban al grocery por la madrugada o su viaje a Orlando. Me hablaba tanto que el dueño del antro, Kevin, fue tan amable como para amenazarme de muerte si seguía ocupando la línea. Un día, sin embargo, Midyet dejó de llamar. No supe nada más.

Navidad.

A los paikis nos gusta ir a perder el tiempo a los mols. Ni siquiera es un asunto de "window shóping" o la mierda. Sólo es ver gente. El asunto se pone un poco más interesante en Navidad. Ya saben, los árboles y los colores. Y Santa Clos dándole audiencia a morros de todas las edades. Un poco barroco. Y de hueva. Así es que estaba en el Galleria, sentado en el parlour de cómida rápida, pensando en lo horroríficamente complicada que es la Navidad, cuando lo vi venir. Vestido con un abrigo de lana y zapatos nais. Pero no se confundan: Cuki se veía xodido. Ya saben, el viejo y estarrio frik de que algo no marcha bien.

Lo siniestro es que parecía que habíamos quedado de encontrarnos. Simplemente lo localicé a la distancia, y luego vi cómo se aproximaba.

—Man —me saludó.

—Ea —regresé el saludo, justo en el momento en el que prendía un cancro—. ¿Qué haces aquí? ¿Cómo va?

—No va —se sentó.

—¿Visitando a tus pas? ¿De vacaciones?

—Vacaciones permanentes.

Les digo: el viejo y estarrio frik.

—¿Permanentes como en permanentes?

—Y de vuelta en Naucalpan.

—¿Qué pasó con Atari?

—Recorte de presupuesto.

—¿Te corrieron?

—No. Me recortaron.

—¿No es lo mismo?

—Correr suena muy trágico. Déjalo en que me recortaron. Y boink.

CORTE A: Germán Gedovius, periodista de cotilleo, grabado en videotape para *Qué verde era mi hongo*:

"Resulta interesante el episodio de *Pixie en los suburbios* en el que Cuki describe con morbo de detalle cómo llega su hermano a casa luego de ser despedido. Es curioso porque, a la fecha, Clavius no ha perdido su trabajo. Y porque todas las evidencias indican que Cuki hizo una representación trágica de su propio despido pero personificado en el hermano. Es lo que en el medio llamamos 'un sofoclazo'."

CORTE A: Dominic Astor, connotado periodista de espectáculos, en entrevista otorgada a *El mundo de Cotín*, afamado chow de cotilleo:

"Lo increíble es que Clavius sí fue despedido, justamente el mismo día en que Cuki y Midyet tuvieran ese memorable reencuentro en el programa de Robin Simon y se armara la pachanga que todos conocemos. Es increíble pues; según me han contado fuentes cercanas a la familia Pirulazao, el asunto del despido de Clavius alcanzó, al menos para la edípica mamá, proporciones griegas. ¡Y no tenemos noticia de que el despido de Cuki haya sido violento o agreste! Pareciera que Cuki presintiera el negro futuro de su hermano. Por supuesto, no deja de ser irónico que ambos hayan perdido su empleo después de años de éxito profesional."

CORTE A: después del tema "me corrieron", como es de esperarse, pasamos al tema "Midyet". Al respecto, Cuki prefirió el tema "te vale verga".

—¿Y Midyet?

—¿Qué?

—¿Dónde está?

—¿Para qué quieres saber?

Me encogí de hombros.

—Pura curiosidad.

—Pues qué curioso eres. Pendejo.

Se levantó y se fue. Miermano Cuki. Impredecible e idiota.

¿No fue Paul Hewson quien dijo "you're an accident waiting to happen"?

Ajá, los paikis también nos enfermamos cuando hace frío. Ya saben, esos bichos aéreos que pululan por todos lados. El remedio: sopita de pollo. Y qué mejor lugar para disfrutar de la sopita de pollo que en la casa de San Diego de los Padres. No crean que lo hice para ver a Cuki, por mí podía arrancársela. Lo cierto es que, desde que regresé a Naucalpan, frecuentaba la casa de San Diego de los Padres para asaltar el fridge. Madre siempre fue amable conmigo.

Así es que ahí estaba, en el desayunador de la amplia cocina, tragándome mi sopita de pollo. Tenía la apariencia de un jomles, con dos toneladas de trapos encima. Madre me observaba con interés. Tétricamente, me recordaba la manera en que Midyet me miraba en el McCarran un año y medio atrás.

—¿Y qué te dijo?

—No me dijo nada. Sólo se fue.

—Es un inútil, te digo. Un buenoparanada.

Madre tiene una mala opinión de sus hijos. Y a veces no. Es una mujer compleja.

—Lo corrieron del trabajo y al otro día lo corrieron de su casa.

—¿Habló usted con Midyet?

—Sí, hablé con ella —la doña se sentó junto a mí—. ¿Y sabes qué me dijo?

—¿Qué?

—Que Cuki enloqueció.

—Noooooo.

Slurp. Slurp.

—Neurótico y corrupto.

—¿Corrupto?

—Seguro lo corrieron por transa.

—Ah, ya veo.

Silencio. Sólo éramos Madre, yo y mi slurp slurp.

—¿Te contó del accidente?

—No. ¿Cuál accidente?

CORTE A: close up de la Nena Rowland, dos días después de la sopita de pollo, en el Hotel Flanagan, durante nuestra reunión de ex alumnos de la universidad.

—¿No supiste del accidenteeeeeeeeeeeeeeeee?

(Antes de que empiecen a chingar, sí: estudié una carrera universitaria. Y después me entregué a la paikedad. Y sí: fui compañero de Cuki en el Tecnológico.)

—¿Cuál accidenteeeeeeeeeeeeee? —la arremedé.

—Cuki y su esposa chocaron. Allá donde viven. En Sonoma. En Sinaloa. En Saltillo.

El salón estaba retacado de gente que se quedó atrapada en el disco, los pantalones acampaguados y Cheap Trick. Todos con vasito de poliestireno y nametag. El mío decía "H".

—¿No me digaaaaaaaaaaaaaas?

—Sí, parece que estuvo durísimo —y cuando dijo eso, yo pensé en las otrora durísimas tetas de la Nena Rowland, rubia de tres suelas con chiches de calcetín con canica y más corrida que la ramera de Kim Basinger.

"Nada que ver con Midyet", me dije a mí mismo.

Se acercó Pantoliano. Saco de lana a cuadros. Lentes de armazón grueso. Otro pelma de la uni.

—¿Qué pasa?

—¿No supiste del accidenteeeeeeeeeeeeeeeee?

Suspiré.

—¿El de Cuki?

Ea, un cabrón informado.

—Sí, cómo no. Parece que iban saliendo de una fiesta o algo así, y era un lugar con muchas curvas. Supe que se voltearon.

CORTE A: Madre en el desayunador.

—Se voltearon y quedaron bocabajo.

—No me diga. Y qué bueno es este caldo, caraxo.

CORTE A: Pantoliano en el Hotel Flanagan.

—Fue algo terrible. De ambulancias y todo.

Ping!

Ya saben, ese viejo y estarrio frik de que te falta preguntar algo.

CORTE A: yo, todo asustado, en el desayunador.

—¿Qué le pasó a Midyet? ¿Ella está bien?

(…)

—Sí, chico, no les pasó nada. Sólo se murió el perro. Iba en el asiento trasero. Quedó todo apachurrado. El viejo voló a Saltillo, para verificar que todo estuviera bien.

(Nota personal: "El viejo" no es otro que Padre. Así le dice Madre.)

—Fiu.

CORTE A: la Nena Rowland en el Hotel Flanagan.

—Supe que iban con un amigo o algo. Y que se mató. Horrible.

—¿No se llevaron de corbata a un ciclista que andaba por ahí, y él fue el que murió? —comentó Pantoliano, oportunísimo.

Así se hacen los chismes, ¿saben?

Se asomó Dusty, nerd infumable de la generación:

—Yo oí que chocaron contra una vanette llena de boy scouts. Y que casi todos murieron.

Cuki, con trago en mano, llegó baileando hasta nosotros, imitando al imbécil de Tom Cruise en *Risky Business*. Me gruñó y se detuvo frente al grupo. De paso, le guiñó un ojo a la Nena Rowland.

—Holaola —saludó. Estaba bien pedo.

—¿Cómo van las cosas? —interrogó Pantoliano.

—No van —respondió Cuki.

—¿No van?

Chuik. Ese era el sonido de un hueso de aceituna disparado desde la boca de Cuki y que cayó, redondito, en los pies de Pantoliano.

—¿Y tu esposa, Cuki? ¿Cómo está ella? —insistió el muy pendejo de Pantoliano.

—Boink.

—¿Perdón?

—Bien, gracias.

—¿Todo bien?

—Bien. Bien.

—¿Han pensado en tener familia ya? —interrogó la Nena Rowland.

Ah, me di cuenta. No sabían nada del pleito, de la separación, del divorcio en ciernes.

—Ya hemos hablado de ello. Pero no sé si estemos listos.

—¿No tendrás ideas negativas al respecto? —rió estúpidamente la Nena Rowland.

—¿Sobre qué?

—Sobre la paternidad, claro.

—Yo no. Ella sí.

Un silencio incómodo.

—Yo pensaba que no valía la pena traer más niños a este mundo —comenzó Pantoliano—. A sufrir, digo. Con lo de Afganistán y Ronald poniendo bombas en el espacio, digo, ¡qué horror!

Sí sí, qué horror, todos movimos negativamente la cabeza. Todos menos Cuki.

—¿Está tu esposa aquí?

—¿Mi esposa? —Cuki tenía los ojos de conejo.

—Sí, tu esposa.

—Anda por ahí.

Mentiroso.

—Bueno, esperemos a que aparezca.

—No no, dime.

—Es que tengo que darles un consejo.

—Dímelo. Yo se lo paso al costo.

—Sí vale la pena tener hijos —Pantoliano se llenó de un orgullo falso e hipócrita, y la Nena Rowland lo celebró con un "ah-hhhh". Incluso el nerdo de Dusty parecía estar a favor—. Cuando los tienes en tus brazos, sabes que tomaste la decisión correcta.

Cuki se echó para atrás. Sólo un paso. Empezaba a rugir, y yo me cubrí la cabeza:

—¿Sabes qué? Tú me cagas. Siempre me has cagado. Eres un perdedor de mierda. Me caga encontrarme contigo en la calle. Me hace vomitar.

Y a la Nena Rowland:

—Tú eres una puta rastrera que tiene la vagina en la cara y la cara en la vagina. ¿Te acuerdas de esa vez que pingamos en el auto y que te dije que había sido la mejor cogida de mi vida? Bueno, mentí. Boink.

Y a Dusty:

—Tú tienes cara de que te comes la mierda de tu jefe. Y de que mamas verga por un aumento del seis por ciento.

Y a mí:

—Y tú… traidor. Eres un reverendo hijo de la chingada. Me orino en ti, puto.

Cuki se fue. Lentamente, y en silencio, el grupo se desintegró.

Después del encuentro en el Hotel Flanagan, supe que Cuki anduvo saliendo un tiempo con un par de hermanas locas, Mildred y Evelyn. Parece que fue una cosa de locos y después de un tiempo dejaron de frecuentarse. Para entonces, se publicó el libro (yo lo leí tirado en el salón del fido que puso Padre en la casa de San Diego de los Padres. Me sorprendió y me dio risa. Hasta ahí) y pronto se convirtió en noticia. La existencia de una misteriosa Pixie era tema no sólo de la Nena Rowland, sino de los medios locales de cotilleo. Pixie, ahh. Una hermana en discordia. Presencié, con esa paciencia paiki que heredé, probablemente de *Burger Time*, cómo el rumor de la mentada Pixie crecía y crecía, y cómo el bizarro accidente de Cuki y Midyet en el que había muerto Pifas se convertía en el trágico accidente de Cuki y Pixie, en el que la última supuestamente perdió la vida.

Me regreso en el tiempo.

CORTE A: su amable y educado narrador, caminando por las calles del dauntaun de Naucalpan en Navidad.

Fuimos a cenar en Flynn's. Digo "fuimos" porque éramos varios paikis. Kevin invitó. Podrían ser tiempos difíciles, podría haberse terminado para siempre La Abundancia, pero Kevin siempre tenía algo para los paikis. Caía de noche. Me tocaba ir por el chupe. Caminaba por la esquina donde recientemente mataron a Manuel B., y casi de inmediato noté este yoint, Fat Cat, que vendía cosas que nos llaman la atención a nosotros los paikis. La tienda estaba cerrada, claro, pero a través de la vitrina se veía el regalo más codiciado de aquellos tiempos (y vaya que eran buenos): Nintendo. Con sus dos pistolas de luz, el combo *Mario Bros.* / *Duck Hunt* de regalo y nuestro querido zoquete de hojalata, el bueno para nada de ROB.

Recordé, automáticamente, a la japonesa diciendo "LOB". Pensé en Midyet iluminando el Dune con su vestido de pendejuelas. Pensé en ella, pasando una blanca Navidad saltillense, rodeada

156

de gente pero sola. Pensé en sus ojos verdes, en las arruguillas que se le hacían junto a la boca, en los lacios pelos semigüeros, en las manos huesudas, en los arranques de histeria, en su inteligencia. Pensé en el McCarran. Me pregunté, ahí parado, bajo la nieve, si la volvería a ver.

Claro que la volví a ver. Probablemente no lo hayan averiguado ya, o quizás sí, pero yo aparecía también en el libro de Cuki. Tenía un rol prominente, de hecho.

Yo soy Hank.

Y fui el segundo invitado sorpresa en el chow de Robin Simon.

Tarde

LAS

rejas se abren y la limusina que ha venido siguiendo al Grand Marquís desde Golightly's se para en seco. El chofer baja la ventanilla. Los policías lo observan a él y a sus acompañantes y toman notas en sus blocs. Una vez que les dan tagnames autoadhesivos a todos, vuelven a rodar. Estacionamiento de visitas. Bajan de la limusina. En una pared se lee, con grandes letras rojas, FORO Q. Midyet se baja y se estira. El chofer le lanza una última sonrisa empática.

—Buena suerte, missy —dice el chofer.

—Gracias —responde Midyet.

Robin Simon abandona el Grand Marquís y se apresura a alcanzarla. Con una sonrisa, le pasa el brazo por la espalda. Acompáñame, parece decir.

—Este es nuestro foro más grande, querida —Primo Perfecto se apresura a pegarse al par—, este es el lugar donde edificamos y luego derrumbamos. Poco importa lo que hayas dicho o hecho hasta que sales en el fido. ¿Eres feo? Ven y haz una carrera en el fido, ahora serás hermoso. ¿Nadie te escucha? Ven y haz una carrera en el fido, ahora todos te prestarán atención. ¿Tienes una mentira apasionante? Ven y cuéntanosla. Aquí se fabrica la verdad. Dime, querida, ¿a quién crees que le interesa la verdad?

Midyet se encoge de hombros y dice:

—No sé. ¿A nadie?

—Correcto mondo —dice Robin con un dejo de sofisticación—. Cuando te ven veinte millones de personas, poco importa si

161

lo que dices es remotamente parecido a la verdad —entran y caminan por un larguísimo y angosto pasillo blanco—. Este es el verdadero tótem, el único tótem que necesitas, el único y verdadero signo de nuestros tiempos. El secreto —le guiña un ojo y le da un pequeño y amistoso codazo—, ea, el secreto es sobreinformar. ¿Calidad? Por favor, lo único que le interesa a la audiencia es que le des mucho. La audiencia se muere de hambre pero quiere saber. ¿Qué quiere saber? Mucho. ¿Qué es mucho? Mucho es TODO. La audiencia quiere saber TODO. En verdad, escúchame: nadie quiere dominar al mundo. Olvídate de los soviéticos. En unos años serán un recuerdo. Olvídate de las bombas de Ronald en el espacio. Ya viene el Nuevo Orden Mundial. En el Nuevo Orden Mundial nadie quiere dominar al mundo. En el Nuevo Orden Mundial lo único que importa es que todos quieren enterarse de TODO.

Las brujas infernales se detienen frente a un fido empotrado en la pared. En éste aparece Ronald. Ladra, en su perfecto inglés de Beverly Hills:

"What if free people could live secure in the knowledge that their security did not rest upon the threat of instant U.S. retaliation to deter a Soviet attack, that we could intercept and destroy strategic ballistic missiles before they reached our own soil or that of our allies?"

—Me lo puedo imaginar —dice Midyet, un poco harta.

—Para lo que me importa —se paran frente a una puerta y tocan toc toc. Les abren. Dos corifeos orientales los saludan, y de inmediato hacen sendas caravanas. Ante ellas se muestra, ahora, un enorme estudio con grúas y cuatro o cinco cámaras y luces y mamparas y gente, ríos de gente circulando por doquier. Comienzan a bajar por unas escaleras de metal—. El cotilleo es la verdadera democracia. La audiencia alrededor del tótem enterándose de TODO lo que hace el famoso. Qué come, con quién se acuesta, en qué sueña, en qué piensa (cuando por alguna extraña razón piensa). Te voy a decir mi sueño —una flaca con diadema se acerca a Robin, pero ésta la para en seco, y la flaca con diadema sólo atina a congelarse como estatua de marfil—. Mi sueño es un mundo en el que la información sea libre. Y para que sea libre, tiene que fluir de ambos lados —ejecuta unos estereotipados movimientos con manos y brazos—. De allá para acá —inhala—, y de acá para allá —la abraza de nuevo y traza con la mano un horizonte imaginario—. Imagina que los fidos de todos estén interconectados y nos podamos comunicar a través de ellos, y podamos ver no sólo lo que hacen los famosos sino nuestros vecinos y también gente que no conocemos y a lo mejor nunca veremos frente a frente. Todos alrededor del tótem viendo TODO lo que hace un grupo de perfectos desconocidos sólo por el placer de enterarnos de TODO. ¿Tú te imaginabas hace unos meses que serías tan famosa?

—No soy tan famosa.

—Pero te hemos hecho famosa. En el Nuevo Orden Mundial todos seremos famosos, felices y sin censura. A los únicos que respetaremos será a los patrocinadores. El tótem sólo le rinde culto al patrocinador, el patrocinador es el que permite que TODO sea visto y TODO sea informado. Y tiene sentido, ¿sabes? Consumir es nuestra verdadera vocación —carraspea—. ¿Qué te parece?

—Interesante. Supongo.

—El programa soporta dos intervenciones de gente común que se ven en situaciones extremas. Luego viene el bloque de los famosos…

—Y te digo que yo no soy tan famosa.

—¡Cuá! Pero qué chistosa eres, querida.

—No lo creo.

—Aderezamos todo con un poco de consejos, tips para mejorar tu vida. ¿Sabes? La idea es hacerle creer al fidovidente que, en medio de lo que le interesa, que es enterarse de TODO, ha encontrado información realmente útil, lo cual es una patraña, por supuesto.

—Labor social…

—Oh sí —deja de abrazarla y se recarga contra un barandal, con el estudio de fondo y como dejándose arrullar por el ronroneo de los tubos catódicos de los monitores—. Algún día la gente mirará atrás y dirá que yo di a luz al siglo veintiuno.

La flaca de la diadema mira a Robin con impaciencia. Ésta le dice, en un tono déspota:

—¿Qué haces ahí parada?

—Tengo que llevar a su invitada a lo que es el maquillaje, Robin —cacarea la flaca de la diadema, friqueadísima.

Robin voltea a ver a Midyet y le regala otra sonrisa maternal.

—¡Al fin vas a perder la virginidad! ¿No es emocionante?

—Emocionantísimo.

—Todo va a salir bien. Te veo al rato —regresa, fúrica, con la flaca de la diadema—. ¿Qué esperas?

La flaca de la diadema coge del brazo a Midyet. Ambas salen del estudio, caminando apresuradamente, y Primo Perfecto también se apura.

★ ★ ★

CASI TROTANDO, Debbie Jay lidera el grupo. De hecho, va unos diez metros adelante de los demás.

Marpis, Anyi Vlap-Vlap, Danilo, Obe San Román y el morro Cole, muy campirano y alegrote, dando vueltas de carro y ensuciándose con todo lo que encuentra a su paso, intentan mantenerle el paso a la loca.

—¡Cole, te digo que no! —Marpis lo persigue y trata de pillarlo del brazo—. ¡Ven acá!

—¿Qué le pasa? —le pregunta una cansada Anyi Vlap-Vlap a Obe San Román.

—¿A quién?

—¡A Debbie! Va muy rápido.

—Yo qué sé.

Caminan por una pendiente, y Debbie Jay parece acelerar. El césped es absurdamente verde y pulcro. Aquello es un campo de golf, y a los lados sólo se ven árboles y se respira una atmósfera realmente campestre. La pendiente se convierte en una loma, y pasando esa loma habrá, seguramente, un césped aun más verde y pulcro, con un agujero en medio y allí una banderola.

—¿No es peligroso? —pregunta Danilo, nervioso.

—¿Qué?

—Atravesarnos así.

—Na. Siempre que vamos con los Randyson nos atravesamos. Nunca pasa nada.

Debbie Jay camina como Oprah en *El color púrpura*. Los brazos agitándose rítmicamente para adelante y para atrás. Las enormes chichis rebotando boing boing. Debbie Jay siempre ha estado buena.

—Tú sigue a tu cuñada.

Debbie Jay termina de cruzar el fairway y se mete en una arboleda. Marpis suspira. Anyi Vlap-Vlap vuelve a xoder a Obe San Román:

—Ya en serio, ¿qué le pasa?

—¿Qué le pasa de qué?

—¿Por qué va tan rápido? ¿Por qué se enojó?

—¿Por qué debería saberlo yo?

—¿No sabes por qué deberías saberlo?

—No, no lo sé.

—Seguro, no lo sabes. Y yo me chupo el dedo.

—Chúpate lo que quieras. Además, si lo supiera, no te lo diría.

—Qué raro —escupe Danilo, y se une a los demás, que ya están en la arboleda también.

—Ustedes dos traen algo —Anyi Vlap-Vlap da un aplauso falso—. Lo sabía.

—Ea, no me xodas —dice Obe San Román—. El día no va tan mal. No lo arruines. Vamos a ver a Cuki en el fido y ya, eso es todo.

Saliendo de la arboleda, hay un pequeño lago artificial y, a un lado, una estación octogonal de ladrillo con techos de teja color terracota. Sentados en una suerte de barra de piedra, cuatro vejetes con gorras y playeras Polo y spikes y pantalones Sansabelt y guantes en las manos izquierdas disfrutan de bebidas frías.

Hace calor.

Un quinto vejete, un curioso sujeto de saco morado y sombrero de paja, discute con Debbie Jay.

—¡Usted no tiene por qué invadir el campo!

—¡Y usted no tiene por qué subirme el tono!

—¡Deme su nombre! —saca una libretita del saco morado—. Le voy a levantar un reporte.

—¡Usted no me va a levantar nada! —Debbie Jay gritonea y los vejetes parecen divertidos con el brincadero de chichis.

El fulano es el superintendente del campo. Y está enojado. Oh sí.

—Un segundo —duda el ruco—, ¿es usted socia del club?

—¡Eso es algo que a usted no le incumbe!

Los demás pasan a hurtadillas rodeando el lago. El superintendente del saco morado los ve.

—¡Y además traen un niño!

Aceleran el paso.

—¡Le exijo que me dé su nombre!

—¡No me esté xodiendo!

Ah, Debbie. Finísima persona.

—¡Que me lo dé!

—¡Puede besar mi culo!

Uno de los rucos parece levantar la mano, como diciendo "yo le ayudo".

—¡Venga para acá!

Debbie Jay se arranca. Ahora ella va detrás. Los demás, ya pasado el lago, se paran frente a una reja y una portezuela. Afanoso, Danilo golpea la malla con las llaves de su coche.

—¡Buenas tardes!

La malla es alta, y en la parte superior apenas alcanza a verse una podenca piscina. Alrededor, gente bebiendo cocteles y disfrutando del triste sol nublado de Naucalpan. Parado allá arriba, con un margarita en las manos, está Maese Randyson, un personaje de khakis y camisa a la *Magnum P.I.* Es el dueño de la sonrisa más pendeja que pudieran imaginar. Vuelve a saludar:

—¡Buenas tardes!

—¡Maese Randyson! —gritonea Anyi Vlap-Vlap, la cabeza inclinada hacia arriba—. ¡Venimos con Susanne!

Debbie Jay se acerca peligrosamente. A lo lejos, el superintendente del saco morado ladra esquizofrénicamente.

—¡Buenas tardes! —repite Maese Randyson—. ¿Todo bien?

☆ ☆ ☆

—¿CÓMO VAS? ¿Todo bien?

Cuki está hundido en un sillón. Las paredes son blancas. Hay fotos enmarcadas de Mario Pintor, Emmanuel y Dulce. Vidrio antirreflejante. Srita. Topisto se para junto al retrato de Dulce. Junto a Srita. Topisto, hasta Dulce se ve bien.

—Hey… te estoy hablando.

—Y yo te estoy oyendo.

—¿Qué te pasa?

—¿Por qué haces preguntas pendejas?

Cuki juega con las agujetas de sus perfectos Vans.

—Tenía que traerte, Cuki. Sabes bien que no podía hacerme tonta.

—Ahora me vas a salir con el gag de que sólo sigues órdenes.

—Pues sí —la mancornadora se cruza de brazos—, yo sólo trato de hacer mi trabajo.

—Mira, huevos.

—¿Qué dijiste?

—Nada.

Cuki se desamarra los Vans. Los deja en el piso alfombrado. Se sube al sillón y adopta una posición fetal. Desde ahí, mira el minúsculo cuartucho. Ajá, Srita. Topisto no está sola.

—Bah.

En la puerta, también con los brazos cruzados, está un sujeto gordo, de saco y corbata azul marino y pantalones grises y aspecto coreano. Enorme. Es idéntico a Oddjob. Cuki piensa que sería difícil escapar con Oddjob bloqueando la única salida. Piensa que Oddjob es como aquel ángel de la venganza con el que luchó en su libro. Sí. Un ángel de la venganza. Eso suena bien.

★ ★ ★

UN ROSTRO DE ángel lo observa. Raro es cuando el asco y la belleza se combinan. Un poco de vómito seco se pega a su chamarra de mezclilla, pero ese rostro que lo mira es el rostro de un ángel. Desde su posición horizontal, el foco de carnitas azuloso que cuelga del techo se coloca justo detrás de la nuca de Rostro de Ángel. Un halo púrpura baña tenuemente sus mejillas y su pelo. Como un aura. En algún lugar leyó lo que significan los diferentes colores del aura. Ya lo ha olvidado. La habitación es amplia. En la pared hay repisas, y en ellas está todo: los adornos, los recuerdos, la ropa, los retratos, los objetos de uso diario. La cama está como a medio metro del suelo. Alo se revuelca con las manos apretando las almohadas. Despierta. Siente los pantalones desabrochados y la saliva pringosa en los cachetes. Abre los ojos.

Rostro de Ángel lo mira con cariño.

Alo se sienta. Había estado en una cama. Así es que se sienta en la cama. La cabeza le estalla y apenas siente las piernas. Hace calor. Siente calor. Luego, huele el vómito en su chamarra.

—¿Qué pedo?

—Vomitaste.

—Ya veo.

—¿Te quieres quitar la chamarra? —Rostro de Ángel trata de acercarse, cautelosa.

—¿Quién eres? —Alo se echa para atrás.

—Belynch —responde Rostro de Ángel.

El color de las paredes cambia a un tono pastel. Es por el foco de carnitas, claro. Son varios focos de carnitas. Alo escucha: hay ruido afuera. Afuera de dónde. Afuera de ese cuarto. Afuera de eseloquesea.

—¿Dónde estoy?

—Estás aquí —responde Belynch, santurrona, y de un brinco se sienta junto a él, en la cama. Comienza a sobarle el brazo, y Alo se friquea; luego, se deja querer.

—¿Y mi bolsa? —Alo se pone nervioso— ¿Dónde está mi bolsa?

—Aquí la tengo —Belynch le muestra la arrugada y maltrecha bolsa de cartón de Aurrerá—. Tú relájate. Descansa. Estás aquí.

Las caricias brotan una erección en Alo. Belynch se da cuenta. Ríe. Su risa es como la de una niñita.

—Estoy aquí —Alo medita, con la boca abierta.

—Sí, estás aquí.

Hay una inscripción en la pared. Alo enfoca. Lee:

And you may find yourself living in a shotgun shack
And you may find yourself in another part of the world
And you may find yourself behind the wheel of a large automobile
And you may find yourself in a beautiful house, with a beautiful wife
And you may ask yourself —Well… how did I get here?

El recuerdo de la Sunrise lo toma por entero. La erección no cesa.

—Llegué con ella tal como soy —dice, y Belynch lo escucha atentamente, acariciando ahora su pelo—, le dije mentiras, pero así soy yo. Quiero estar con ella. Eso es todo.

El ruido de afuera se incrementa; adentro, su pecho escupe sudor salitroso. Súbitamente, siente que quiere ir a casa, que quiere ir al campus, que quiere irse a la mierda. Se pone de pie con violencia.

—¿A dónde vas? —pregunta Belynch, inocente.

—Tengo que salir de aquí.

La erección baja de tono. Se da cuenta de que no trae zapatos. Sus tenis. En dónde están, se pregunta. El piso es frío. Se arrodilla y comienza a gatear, como buscando.

—¿Qué haces, loco? —pregunta Belynch, jocosa.

—Golpeé a una mujer y ahora quiero ir a casa. Golpeé a mi hermana y ahora quiero ir a casa. Ver a mi hermano en el fido. Quedarme en casa y pudrirme ahí.

—Estás en casa —dice Belynch, fría, y pone en su mano una pastillita rosa.

★ ★ ★

—¡ÉSTA ES TU casa! —exclama Maese Randyson y abraza a Debbie Jay, mientras suben del campo de golf a la casa—. ¿Y tu suegra?

—Ya debe venir para acá.

—¿Cómo está Maese Clavius?

—Bien.

—¿Nos va a alcanzar?

—Seguro.

Madre aparece por una puerta. Parece un gran merengue, gordo y bonachón. La acompaña Mamá Randyson, completamente dopada. Viste una sonrisa mongólica.

—¡Pero mira quién viene por ahí! —exclama Maese Randyson—. No sabía que ya había llegado.

—Hola, sátrapas —ladra.

Debbie Jay, Anyi Vlap-Vlap y Marpis se cuadran para saludar militarmente a Madre. Sin pensarlo mucho, transfieren los besos y los abrazos a Mamá Randyson.

—¿Cómo está, Mamá Randyson? —saluda Marpis.

—Todos somos unos tristes tomates —dice ella con un tono tétrico y un clavel en la oreja.

—Estoy de acuerdo.

—¡Pero les digo que no me había dado cuenta de que ya había llegado! —repite Maese Randyson, tratando de hacerse el chistoso.

—Sí sí —dice Madre muy despreocupada, taza de cerámica en mano—. Hola, Obe. ¿No me vas a saludar?

—Hola, Sra. Pirulazao —Obe pone el cachete y recibe un beso mermeladoso.

Danilo trata de conseguir el suyo, pero Madre se quita.

—Vengan —ordena Madre—. Ya va a empezar el programa.

Siguen a la doña hasta una terraza con una carpa. Ahí hay un fido monstruoso. El cinescopio debe pesar dos toneladas. Mientras ocupan sus lugares en la larga mesa, los meseros se alistan para tomar pedidos. Cole desaparece corriendo.

"Tequila."

"Agua. Dos botellas."

"¿Tiene aspirina?"

"Bloody Mary. Sin piquete."

"Tequila. Y limón."

—Yo nada.

—¿Nada? —interroga Madre.

—No, nada —Debbie Jay bufa—. Me va a caer mal.

—¿Hiciste coraje?

—Sí.

—Ya entiendo —Madre llama al mesero—. Tráigale un whisky.

—Señora…

—Nada de señora. Hoy es un día especial, un día de brindis. Y es de mala suerte brindar sin vino.

—¿Usted qué toma, Sra. Pirulazao? —pregunta Obe.

La taza de Madre tiene la inscripción *Mothers are forever. I'm so glad you are mine*. Una taza con florecitas amarillas, anaranjadas y violetas. Una taza con mariposas de panzas bicolor y antenas y ojitos.

—Tequila, claro.

—Ay de ustedes —balbucea Mamá Randyson, ida—, no son más que unos tristes tomates.

—¡Qué buen comentario! —sonsaca Obe San Román—. Es usted una sabia.

—Lambiscón —farfulla Madre—. ¿Listos para ver a mi Cuki en el fido?

—No podría estar más listo —dice Obe San Román.

—Lambiscón —repite Madre—. No puedo terminar de expresar el orgullo que siento por mi Cuki. Aunque me dejó plantada, había quedado de ir a la casa antes de las dos…

—¿Y luego? —interroga Anyi Vlap-Vlap.

—Me telefoneó una chica muy amable del canal. Ya está allá con ellos. Y me dejó su número por si necesito cual-quier-co-sa —se balancea—. ¡Qué orgullo!

—Si sigues bebiendo de esa manera se te va a olvidar el programa —Marpis trata de quitarle su taza a la ruca.

—¡Quita las manos de eso! —le da un golpe—. Aunque este inútil te mantenga sigo siendo tu madre. Tu madre —remata.

—Qué raro.

—Pero eso todos lo sabemos —comenta Obe San Román—. Hay de madres a madres, pero usted es una madre en serio.

—¿Lo dices de corazón, Obecillo?

—Exageradamente en serio, doña.

—Bueh, así somos las mamás Cáncer, sabes.

—¡Pero qué lindo vestido trae usted hoy, señora! —suelta una remilgosa Anyi Vlap-Vlap—. ¡Qué bien se ve!

—Parece que hoy salieron de sus casas todos los lambiscones y lambisconas del mundo —Madre bebe de su taza.

—Eso no fue muy cordial —interviene Marpis.

—Tú no tienes que decirme qué decir y qué pensar —Madre sorbe de nuevo—. Ni mi yerna se pone esos moños.

—Nuera —corrige Obe San Román.

—Esa mierdolaga.

—Dios —suspira Marpis.

—Y dígame —comienza Anyi Vlap-Vlap, esbozando su mejor sonrisa—, ¿ya está lista para el programa?

—¿No es obvio? —señala las cosas en la terraza—. Fido, botana, lona por si llueve…

—Los Randyson fueron muy amables al prestar su casa.

—Todo mundo es un gorrón —Madre bebe—. Nosotros no. Cuki es su ahijado. Es lo menos que pueden hacer por él —le da un codazo a Mamá Randyson.

—Tener a un hijo en el fido no es algo que deba tomarse a la ligera, ¿cierto?

—Usted siempre tan corrosiva —la abraza hipócritamente Obe San Román, mostrando la mazorca al sonreír.

—¿Tú también vas a hacer una pregunta idiota?

—Sería incapaz.

—¿Y usted sabe algo de su ex yerna? —interroga Anyi Vlap-Vlap.

—Nuera —corrige Obe San Román.

—No necesito. Ya dañó bastante a mi Cuki. Esa zorra.

—No sigas, mamá.

—¡Marpis, te he dicho mil veces que no me interrumpas!

—O sea que le guarda rencor…

—Por las enaguas de San Tilingo Lingo —Madre ríe—. ¿No han leído el libro?

Silencio.

Obe San Román dice:

—Creo que eso es un "no".

—Qué raro.

—Me importa un pepino su opinión, de todos modos —parla Madre en medio de un escandaloso carraspeo—. ¿Dónde está ese lepillo lindillo de Joselillo?

—Trabajando. Pero al rato viene, Sra. Pirulazao —cacarea Anyi Vlap-Vlap.

—Más le vale —cacarea a su vez Madre—. Ese chico siempre ha sido muy atento conmigo.

Se acerca al grupo un mascatuercas muy Pet Shop Boys: es Óstin Randyson, el hijo menor de los Randyson y paiki de tiempo completo. Saluda a Obe San Román y éste le guiña un ojo a Danilo. Ambos se levantan.

—Bueno, nosotros nos vamos.

—¿A dónde? —pregunta Marpis, horrorizada.

El Óstin no se llama Óstin. Le dicen así porque tiene un ojo que se le va de lado, y todos dicen que es su ojo biónico, como Steve Austin, el de *El hombre nuclear*. Nadie se acuerda del verdadero nombre del Óstin. No es relevante.

—A ver unas ondas —dice Obe San Román—. Las dejamos para que chismeen a gusto.

— A ver unas ondas —repite Danilo.

—Unos tristes tomates —croa Mamá Randyson.

—¿Con quién van?

—Sí, ¿a dónde, con quién?

El Óstin guía a Obe San Román y Danilo hacia la alberca, sigilosos.

★ ★ ★

PRECAVIDO, CLAVIUS sale de su oficina. No hay nadie. El pasillo vacío. Los cubiles vacíos. La melancolía de la hoja de post-it agitándose arriba y abajo por el aire acondicionado. El blues que te dan los screensavers de los monitores de las computadoras que esperan pacientemente a sus usuarios. Las contestadoras automáticas respondiendo las llamadas de aquellos trasnochados que telefonean en horas de comida. Clavius siente un estremecimiento. El viejo y estarrio frik. No hay nadie en el piso. Había revisado su agenda. No tenía una comida de negocios, un lunch amigable, nada. Nada. Sólo un recado de Joselín. Un "háblame". Y nada más. Nada más. Nadie por ahí de dos a cuatro. Y de cuatro a seis, el programa de Cuki. Y si no lo ve, el abismo. La hora marcada. Como saber el momento exacto en el que te ejecutarán. Como cuando sientes que el mundo se aparta, se hace a un lado para dejarte solo en el escenario. Se esconde para verte cagarla con los reflectores encima. ¿Cómo te vas a mover, qué vas a hacer, de qué manera harás el ridículo? Mientras se dirige al comedor y atraviesa el piso y presiona el botón del elevador, Clavius observa su traje príncipe de Gales. Se siente bufonesco. No hay otro traje que el de payaso, piensa.

★ ★ ★

—ESTO ES UN circo, corazón —recita el maquillista gay, copete a la Simon Le Bon y camisa rosa de puños de leopardo—. No te me vayas a friquear.

—Me recuerdas a mi peluquera —dice Cuki.

Srita. Topisto está junto a Oddjob. Hojea una revista. A un lado, la flaca de la diadema. Muy nerviosa. El maquillista gay detiene sus afanes:

—¿Es eso bueno o malo?

—Estaba buenísima.

—¡Ay qué lindo! —prosigue—. ¿Y tú qué hiciste de especial?

—Escribí un libro.

—¡Un libro! Qué monada. Pero eso ya lo sé, corazonsote...

La flaca de la diadema le dedica una mirada purulenta al maquillista gay.

—Perdón, perdón…

—¿Por qué?

—No es correcto que el maquillista maricón hable con los invitados, corazonsote —aclara la flaca de la diadema.

—Ah.

—Cuki es lo que es la celebridad —informa la flaca de la diadema.

—¡No me digas! ¿Tú eres la celebridad? —pregunta el maquillista gay.

—Si eso dicen.

—Es que en cada programa siempre salen dos invitados normales y uno famoso —explica el maquillista gay—. ¿Tú por qué eres famoso?

—Porque escribí un libro.

—Ah sí, claro. El libro. ¿Y es bueno?

—¿Qué?

—El libro.

—No —dice Cuki, y Srita. Topisto mueve reprobatoriamente la cabeza.

—¿Jelou? ¿Jelooooou?

Esa es la flaca de la diadema, en el ácido.

—Genteeeeeeee… necesito ayudaaaaaaa —la flaca de la diadema da vueltas como trompo chillador.

El maquillista aprovecha el descuido de la flaca de la diadema y le pregunta, en voz baja:

—Ya en serio: ¿qué hiciste de especial para estar aquí?

—Te digo que escribí un libro.

—¿Y se supone que eso te hace la celebridad de hoy?

—Buena pregunta —Cuki carraspea.

—¿Tienes algo para mí, Pol? —interroga la flaca de la diadema, realmente estresada.

—¿Pol? ¿Como en Paul? —pregunta Cuki.

—Pol como en Pol —el maquillista gay aplica y sacude una escobetilla—. Le dicen Pólvora desde que era niño. Por prieto.

—Ah.

—No me estás ayudando, Pol…

—Alguien aquí se está desesperando.

—Te digo que esto es un circo —el maquillista gay termina de sacudir la escobetilla—. Pero no te preocupes.

—No me preocupo.

—Dime, chico, ¿sabes quién es Jennifer Connelly?

Cuki traga saliva.

—¿Por qué?

—Salió en *Laberinto* —aclara la gorda asistente del maquillista gay, quien había estado muy callada y muy sentada en una silla de teflón—. Y ahora la vi en una de…

—¡De Patrick Dempsey! Sale de loca. En Canadá o algo.

—¿De loca como en "me gusta la pinga"?

—Noooooo, de loca como en "regrésenla a *Atrapados sin salida*".

La gorda y el maquillista gay ríen.

—¿Por qué? —Cuki insiste.

Srita. Topisto encara al maquillista gay. Le hace muecas a espaldas de Cuki. Le hace "corte, corte" pasándose la mano por la garganta.

—Y… por nada.

—¡Pol! ¿Dónde demonios está lo que es mi entrevistado?

Cuki se pone de pie bruscamente.

—¿Tienen algo que decirme?

Oddjob le pone su mano de gorila en el hombro.

Se abre la puerta del cuartito.

—¡Ahh!

Es un tipo darkie. Labios, uñas y ojos pintados de negro. La flaca de la diadema respira hondo.

—Gracias, Pol, ya llegó —se dirige al maquillista gay—. ¿Te falta mucho? Necesito que vayas *prontou* con el invitado de lo que es el cheerio.

—¿Y él? —señala al darkie.

—Él ya viene maquillado —le da un empujón—. Ándale, síguete a lo que es el cuarto B.

—Seguro, darling —contesta mariconsísimo el maquillista gay.

Cuki suspira resignado y vuelve a sentarse. Srita. Topisto suspira aliviada. Oddjob regresa a su puesto de combate sin suspirar. La flaca de la diadema saluda efusivamente al recién llegado y suspira al pensar en su patético trabajo. Le pregunta:

—¿Tú eres el joven darkie cuya novia fue abducida por lo que es un extraterrestre?

★ ★ ★

EL DUEÑO DE la playera de *Encuentros cercanos del tercer tipo* se llama Marvik y es un paiki. Maneja con maestría un vaso jaibolero detrás de una cantina que está al borde de la piscina. El sol pega duro. El agua de la alberca se refleja en el mármol veneciano. El Óstin se para en medio de Marvik y Obe San Román. Hace una caravana:

—Marvik, te presento a Obe. Obe, te presento a Marvik.

—Tanto gusto. Chida la playera.

Marvik aprieta la mano de Obe San Román, quien se sienta en una incómoda silla de la cantina.

—Gracias.

—Él es Danilo —aprovecha Obe San Román—. Es esposo de la hermana de Cuki.

—¿El que sale en el fido?

—Exacto.

El Óstin se quita playera, pantalones y zapatos y se mete al agua. Muy sonriente, y muy mojado, recarga los brazos contra el filo de la alberca, y el agua le cubre hasta la mitad del pecho. Danilo imita a Obe San Román y se sienta en otra incómoda silla.

Marvik no mira nada.

Danilo mira al piso.

El Óstin mira a Marvik.

Obe San Román mira las botellas.

—Escucha, tich —dice el Óstin—, ¿por qué no les preparas algo especial?

—Seguro —Marvik toma sus cosas—. ¿Margarita?

—Está bien.

—¿Y tú? —Marvik señala a Danilo con el mentón.

—¡Igual!

La licuadora ya tiene algo adentro. Marvik sólo le añade tequila. Prrrrrrrrr.

—¿Vas a Flynn's? —le pregunta Obe San Román a Marvik.

176

—No, ya no le hago.

—Ah.

Prrrrrrrr. La licuadora termina. Marvik sirve los margaritas.

—¿Tú no? —interroga Obe San Román.

—No, gracias.

—¿Por?

—Ya no tomo. Estoy limpio, man.

—Ah.

✷ ✷ ✷

POLVEAN LA PERFECTA nariz respingona de Midyet. Primo Perfecto, somnoliento, observa la operación.

—Pero qué cara tan linda tienes —exclama la gorda.

—Sí. Te pareces a la Jennifer Connelly —dice el maquillista gay—. La de…

—*Laberinto* —completa Midyet.

Primo Perfecto arquea las cejas.

—¿Es en la que sale…?

Primo Perfecto se hurga las narices.

—David Bowie —vuelve a completar la frase Midyet.

—Esa mera —remata el maquillista gay—. Idéntica.

Entra la flaca de la diadema. Les pregunta cómo van. El maquillista gay dice que bien y que ya casi terminan. La flaca de la diadema les dice que cuando acaben con Midyet tienen que ir a maquillar al otro invitado de ese segmento, que se llama Cuki. Sale del cuarto. El maquillista gay y la gorda le preguntan a Midyet si ella es el cheerio del segmento de mi novia se convirtió en un cheerio y Midyet les dice que no, que ella es la del segmento del escritor que escribió un libro autobiográfico que resultó escandaloso y que ella es la ex de ese escritor. El maquillista gay le dice que es muy linda pero que tiene ojos y mirada triste y que para ser tan linda le da la impresión de ser también una persona muy oscura.

✷ ✷ ✷

UN PASILLO NEGRO. Belynch toma a Alo de la mano. Después de meterse la pastillita rosa, accedió fácilmente a dejar atrás la chamarra vomitada y la bolsa de Aurrerá con el saco vomitado. "Luego regresamos por tus cosas", le había dicho Belynch. "Tú relájate y disfruta."

Una luz al final del túnel. El ruido y la música crecen. Un barbón custodia otra puerta. Él decide quién pasa y quién no. Belynch simplemente le hace una seña y entran.

La puerta se abre.

El lugar es enorme y está formado por cuatro anillos concéntricos. Están en un tercer nivel o, más bien, en un primero: lo que ven debajo de ellos son dos niveles subterráneos y, en medio y hasta abajo (en el hoyo de la dona), un anfiteatro bizarro donde cientos de parroquianos danzan al ritmo de remix largos y aburridos de Jacko y un escenario en el que un montón de lonas amarillas cubren instrumentos musicales.

Tomados de la mano, Alo y Belynch caminan por el primer nivel donesco. Los focos de color le dan un raro matiz al ambiente. Las paredes están tatuadas con jeroglíficos y alebrijes. Logran bajar al primer nivel subterráneo y llegan hasta una barra formada por vitroblocs azul turquesa. Alo quiere pedir algo, pero Belynch lo jala. Siguen bajando y no se detienen sino hasta que alcanzan el segundo nivel subterráneo. El sótano.

Ahí no hay mesas; todo el círculo es una barra con sillas formadas. Detrás, un ejército de cantineros ataca ferozmente las botellas y los vasos. Cada cuatro o cinco segundos cambia el color de la barra. El piso es de hule. Los parroquianos bailan. Belynch se detiene a charlar. Alo escucha palabras como "gas", "pshh" y "uhh". También "atmósfera", "acá", "agarralónda", "kich" y "güórale". Alo piensa, muy adentro, en los terrenos de su intuición, que está rodeado por artistas y escritores. Siente asco. Se disculpa y huye de ahí, rumbo a la donesca barra.

Se sienta. Ah. Relax. Enfrente de él, un fido. Y un barman limpiavasos. Cómo olvidarlo, piensa. Ojalá y el barman no le cambie. Están pasando *El show de Robin Simon*.

★ ★ ★

ROBIN SIMON CAMINA aceleradamente con su libreto en la mano por un túnel blancuzco. La flaca de la diadema la persigue frenéticamente. Los corifeos orientales, cargando maletitas de cosméticos y tabletas y libretas, van detrás de ella. Y atrás de estos, un enano con una cajetilla de cancros.

Robin se detiene. Todos los que la siguen chocan en carambola. Robin pide un cancro. El enano se apresura a pasárselo. Camel Lights. Me gustan por su sabor, piensa.

Enciende.

Fuma.

Apaga.

Continúa caminando. Sale del túnel, rebasa gente, pasa junto a las cámaras, brinca cables y le truena los dedos a alguien. Frente al escenario hay unas improvisadas gradas de madera, retacadas de parroquianos. Emocionados, señalan a Robin, quien anda más xetona de lo normal. Ignorándolos, la caclecacle se sube a la tarima, le da la vuelta a los sillones rojos en donde se sientan los invitados, pasa a su escritorio y se sienta en su silla ortopédica y con el respaldo de bolitas bien comodísimo y pegado con velcro. Uno de los corifeos orientales saca una toallita similar a una hostia y le limpia el sudor de la frente, y el otro le quita el brillo de la frente y la nariz con un poco de polvo. En la mesa hay unos cartoncillos con preguntas escritas a mano.

El fidoprompter, que es una película transparente e invisible desde la perspectiva del público, baja automáticamente del techo y en este se lee:

BUENAS TARDES QUERIDOS FIDOVIDENTES, SOY ROBIN SIMON Y HOY LES TENEMOS PREPARADO UN PROGRAMA ESPECTACULAR.

En las gradas de madera hay un tipo de jeans negros y botas vaqueras y chamarra plateada explicándole al respetable las reglas del programa, cuándo hay que aplaudir y cuándo hay que exclamar "ahhhhhh" y cuándo hay que reír y cuándo hay que exclamar "uhhhhhh". Y luego les dice que para el artista el aplauso es como su alimento. Un fanboy baja por las gradas de madera tambaleándose y trae una libreta y dice que quiere pedirle un autógrafo a Robin pero lo detiene el guardia de seguridad y cortésmente le pide que regrese a su lugar y el fanboy obedece maldiciendo entre dientes.

Robin se acomoda. Le colocan el lavalier en la solapa del

saco. La flaca de la diadema observa la operación con cuidado. Pregunta:

—¿Todo listo?

—Sí.

—¿Necesitas algo más?

—Café.

—Okey —la flaca de la diadema vuela a la mesa de los esnács y las bebidas que está tras bambalinas y regresa con el café de Robin en una taza con el logo del programa y la leyenda *TV hosts are forever. I'm so glad you are mine.*

—¿Todo listo?

Ese es el floor manager. Trae pantalones entubados.

—¿Todos tienen que hacer la misma pregunta? —pregunta Robin, ligeramente asqueada.

Elevando los ojos al cielo, el floor manager se aleja.

Robin bebe de su café. Suspira. Me gustan por su sabor, piensa. Da dos chasquidos y los enanos corren a encenderle otro cancro. Se lo detienen en la boca arrugada. Fuma. Una vez. Dos veces.

Un fulano con diadema muestra los dedos.

—Cinco, cuatro, tres... — y el dos y el uno son mudos.

Empieza el video institucional con una música festiva de fondo; trompetas, platillos y clarinetes. El de la chamarra plateada arenga al respetable. Aplausos. El decorado de rascacielos detrás del escritorio de Robin se prende y se apaga. Luces magentas y amarillas.

El tipo de la diadema le da la señal.

—¡Buenas tardes queridos fidovidentes, soy Robin Simon y hoy les tengo preparado un programa es-pec-ta-cu-lar!

☆ ☆ ☆

—¡BUENAS TARDES a todas! ¿Me estaban esperando?

Esa es Mariquita Pratt. Mierda.

El grupo de féminas ejecuta un "ishhhhhhh!"

Mariquita Pratt, que se había acercado jocosamente a la mesa, vestida toda de amarillo mostaza (de los zapatos a la pinza del pelo), se cruza de brazos.

—¡Hey! ¡Les digo que ya llegué!

—¡Cállate que está empezando! —grita Debbie Jay.

—¿Está empezando qué?

—¡Shhh!

Robin Simon aparece en el fido. Muy sentada en su escritorio. Taza de café y tarjetas en mano.

—¿Quién es esa? —pregunta Mariquita Pratt.

★ ★ ★

—¿QUIÉN ES ESA? —pregunta Danilo, sentado en la silla incómoda de la cantina.

—¿Cómo que quién? Es la jost.

—¿Qué es una jost?

—Es la que conduce el programa. Robin Simon.

Música festiva. El logotipo se coloca en la esquina inferior izquierda de la pantalla. EL SHOW DE ROBIN SIMON. Comerciales.

—Qué raro.

—Cuki va a salir ahí —comenta oportuno Obe San Román, lamiendo el borde de su Margarita—. Miermano Cuki.

★ ★ ★

CUKI ESTÁ TIRADO en el sillón. Ve el fido empotrado en la pared. Srita. Topisto se tuerce el cuello para ver hasta arriba.

—Qué emoción —exclama.

—Puta, sí.

—¿Podemos ser un poco más optimistas, Cuki?

—Las entrevistas me dan hueva.

—Pues lo siento mucho. Estamos aquí para vender libros. De eso se trata todo este asunto de "la promoción", ¿sabes?

—Editoriales de mierda. Lo único que realmente les para los pezones es vender fascículos coleccionables en puestos de revistas. Todos hablan de mi libro pero nadie lo lee. Y nadie lo compra, claro.

—Gruñón.

—Zorra.

Oddjob es el único que no ve el fido. Cuki lo envidia por eso. Arranca la música festiva.

"¡BUENAS TARDES queridos fidovidentes, soy Robin Simon y hoy les tenemos preparado un programa es-pec-ta-cu-lar!"

Clavius está parado en la cafetería norte, su charola estacionada en las barras de acero inoxidable del bufete. Observa el fido. Piensa en Cuki.

Comerciales. En el fido aparece el modelo mamadísimo y guapísimo con atuendo a la James Bond, sosteniendo un cancro en la mano y diciendo con voz grave: "Me gustan por su sabor".

Alguien tose detrás de él. Se da cuenta de que ha estado deteniendo el tráfico en el bufete. Avanza. No ve la comida, sino lo que está más allá de los ventanales: un parquecito underground con corredores y bancas de piedra y madera y empleados platicando y fumando junto a los ceniceros. Se le antoja estar afuera. Con alguien. Decide que no tiene hambre. Suelta la charola y abandona la fila. Decide cambiar de opinión. Estar solo. Decide ir a la cancha de basquetbol.

✦ ✦ ✦

UNO DE LOS comerciales anuncia el partido de la noche. Lakers contra Celtics. Magic contra Bird. Alo se siente relajadísimo. Pide una cerveza. Una más.

—Tres con cincuenta —dice el barman.

Extiende un billete de cinco dólares. No verifica su cambio. Ni siquiera sabe si se lo dan. Bebe y olvida que ahí está el fido. Repara en las columnas que sostienen el sótano. Una serpiente multicolor se enrosca alrededor de una de ellas. Las escamas son agradables.

Alo mira con atención la serpiente multicolor. Le encuentra patas… debe ser una salamandra. Y esas patas tienen garras. Guau. La columna cambia de magenta a naranja y de cian a mostaza.

Entonces mira la cabeza de la salamandra: horrible. Colmillos. Ojos de fuego. Narices que emanan humo. Una expresión de tortura. Piensa que aquella columna es algo bello y terrible a la vez.

Algo más le llama la atención. Es el rostro beatífico de una mujer hermosa que lo ve fijamente.

✷ ✷ ✷

MIDYET, SENTADA en el cuarto alfombrado al que la llevaron, mira fijamente el fido. La flaca de la diadema, en estado neurótico, habla y habla:

—Este camerino está conectado directamente con lo que es el escenario. Yo voy a estar aquí contigo, y si no estoy yo va a estar Pol. Y no te preocupes: Pol es completamente *easy going*. Cuando te toque lo que es tu participación, que va a ser la *big surprise* de la tarde, yo voy a venir por ti o Pol, si es el caso. Y te vamos a llevar por lo que es esa puertecita y cuando salgas todos te van a ver y vas a tener la cámara encima pero tú cool y sólo camina en línea recta hasta lo que es el sillón que no está ocupado, ¿oki? Repito: el que no está ocupado. ¿Oki?

Midyet escucha en silencio, asintiendo y de repente lanzando una mirada un poco más interesada de lo normal. Primo Perfecto la acompaña, como siempre, en silencio.

—¿Oki?

Cuando la flaca de la diadema parece haber acabado, Midyet pregunta:

—¿Cómo está Cuki?

La flaca de la diadema tuerce el cuello, gira la punta de su zapato izquierdo y la coloca levemente en el piso. Responde:

—¿Quién?

✷ ✷ ✷

—CUKI, CON CE.

—¿Cookie? ¿Como galleta, con doble o?

Ese es Pol, que se parece al vocalista de A-ha, pero en prieto.

—No, Cuki —aclara de nuevo Srita. Topisto—. Con ka, *i* latina. C-u-k-i.

—Okey, C-o-o-k-i-e.

Cuki voltea la cara. Se recarga contra el sillón rojo.

—Es para Robin —dice Pol al tiempo que comienza a guardar las tarjetas en un cuaderno Scribe—. Le gusta saber perfectamente bien cómo se escriben los nombres de sus invitados. ¿Cachan?

—Cacho —responde Srita. Topisto.

Cuki no responde. Hundido en el sillón, observa la participación del compadre cuya novia fue abducida por un extraterrestre.

★ ★ ★

MARPIS SE HUNDE en la silla.

—Miren quién llega —dice Anyi Vlap-Vlap, señalando el pasillo.

—¿No es Juliancito Harris?

—Sí, el muy lóser. ¿Qué hace aquí?

—Seguro anda despechado.

—¿Cuál era la novia?

—La Cristi.

—¿Cristi Woodward?

—Esa.

—Una nueva rica.

—Hueva.

—¿Y esa?

—Es Cintia Hurt, la amiga de/

—De Simone. Ya me acordé —Debbie Jay estira el cuello un poco más de lo normal—. Oye pero qué goooooooorda.

—Pues acaba de tener un hijo, mensa.

—Guac.

—Y murió hace poco.

—¿El bebé?

—Sí. Muerte de cuna.

—Auch.

—De meses. Amaneció muerto.

—Ay qué mala suerte.

—Cuál mala suerte —Mariquita Pratt enciende un cancro—. Si es bien perica.

—Shhhhh.

Marpis se hunde más en la silla.

—Y hablando de adictas, miren quién llegó.

—¿Quién?

—Lupe Barnes.

—¿Cuál es Lupe Barnes?

—La cuñada de Carmela Fry.

—¿Y quién diablos es Carmela Fry?

—Ay, mensa, la que se andaba tirando al Dr. Herman.

—¿El esposo de Rosario?

—Esa.

—Ah. Ya sé quién es Carmela Fry.

—Yo sigo sin saber quién es Lupe Barnes.

—Pues la que está ahí.

—¿Pero quién es? ¿Qué hace?

—Le mete duro al nembutal.

—¿Qué tan duro?

—Mírala. Es una pro.

Lupe Barnes arrastra los pies como un perro atropellado. Las aletas de la nariz son tan rojas como sus zapatos.

—Ah. Ya veo.

—Se divorció.

—¿Lupe?

—Sí. No la culpo. Casada con un pobresor. Y le puso el cuerno el maldito…

—Qué horror. Mi Joselín no me haría eso.

—Tu Joselín no es gay, querida —exclama Mariquita Pratt, triunfante.

—Noooooooooooo.

—Noooooooooooo.

—Shhhhh.

Marpis sigue hundiéndose en la silla.

—Se los juro.

—¿Maese Barnes es gay?

—Te lo dije. Viejo cabrón. Lo sabía.

—¿Y cómo fue?

—Pues lo agarró en pleno clinch. Con un alumno o algo. Y en su cama.

—¡En su propia cama!

—Qué asco.

Marpis se levanta y, dando tumbos, huye.

✶ ✶ ✶

TROPEZÁNDOSE, DA media vuelta. Pisa a un parroquiano, y le pide disculpas, pensando en la mujer que lo veía fijamente a los ojos. Es Karen, piensa, temblorino. Caraxo, cómo llegó aquí, de qué se trata esto, puta madre. Qué hacer. Qué hacer. Se recupera, pide disculpas de nuevo y atina a tomar su cerveza y huir. Toma de un solo trago lo que queda de la botella. Ahhh. Una vuelta a la izquierda. Llega a un lounge. Una visión apocalíptica: pastillas multicolor en las mesitas ovoidales, fulanos esnifando perico e inyectándose speed en el cuello, qué delicia. Aquello le cae pesado al estómago. Siente repulsión de sí mismo y quiere salir, y también quiere quedarse y que le regalen un poco, pero recuerda que afuera está ella.

Cierra los ojos.

Los abre.

El Paiki Que Vive Adentro De La Cabeza De Alo está frente a él:

—No me digas que no quieres más, no me digas que no se te antoja.

Alo traga saliva. No puede estar ahí. El antojo. Pero afuera está ella. Ella.

Y El Paiki:

—¡Puto de mierda! ¡Enfrenta tu mierda! ¡Enfrenta tu mierda!

—¿Qué haces aquí?

—Recordándote lo puto y lo MIERDA que eres.

En el lounge, el aire se siente enrarecido. Extrañado, decide salir. Se arrima a la barra. Trata de cubrirse. Se esconde en un rincón.

—¿Algo más? —dice el barman con tono tipludo. Alo ejecuta una mueca de repulsión. El Paiki arquea las cejas.

—No gracias, ya tengo —responde cortésmente y se voltea.

Lo jalan de la playera.

—¿Qué?

Es el barman, de nuevo.

—¿Entonces qué haces aquí?

—¿Cómo que qué hago aquí?

—¿Sí, qué haces aquí si no vas a pedir nada de chupar?

—Y… no sé. No sé qué hago aquí.

—¡Entonces vete!

—Bueno, dame otra.

—¿Seguro?

—Seguro.

El barman obedece. Alo bebe. Su visión se nubla, ah pinche pastillita, qué pedo. Errático, tira su cerveza sobre la barra. Parece semen embarrado. El barman se estira, luego de suspirar, y limpia el tiradero con un voluminoso trapo. Alo agradece. Siente un dolor de cabeza. Su pene se pone erecto.

El barman descubre el bulto creciente. El Paiki le dice:

—¿Qué, eres puto?

El barman le cobra:

—Son tres cincuenta.

Alo paga con un billete de cincuenta dólares.

—¿No tienes cambio?

El barman regresa el billete de cincuenta dólares.

—Perdón, es todo lo que tengo.

—Pero no tengo cambio.

—¿Eres puto? —insiste El Paiki—. ¿Eres puto?

—¡No! —grita Alo, y el barman lo ve con desconfianza.

—Okey, no tienes por qué gritarme.

—Mejor no la quiero —dice Alo.

—Pero la acabas de tirar.

Alo se limpia el sudor de la frente. El barman le guiña un ojo, desaparece un segundo y vuelve con una cerveza nuevecita. Parpadea y la pone frente a Alo.

—No importa, te regalo otra.

—No, gracias.

—¿Por qué?

—Porque no.

—Pero es un regalo.

—Me gusta pagar por lo que consumo. Mejor ve y busca el cambio, ¿okey?

—No hay cambio, te digo —el barman se moja los labios—. Pero quédatela.

—Entonces cóbrate esta y la que tiré.

—Igual no tengo cambio.

—Caraxo.

Alo respira hondo y bebe.

—Okey. Gracias.

—¿Eres puto? —interroga El Paiki.

Alo se atraganta levemente.

El barman le pregunta, sin decir más:

—¿Quieres que te mame la verga?

Alo se atraganta masivamente.

—¿Qué? —pone el casco en la barra, que eyacula copiosamente espuma.

—Si me dejas mamarte la verga te doy chela toda la noche. Es más, hasta te dejo que me lamas la cola.

—¿Qué chingados te pasa?

El barman se echa para atrás, visiblemente molesto.

—¿Qué me pasa de qué?

—¿Por qué me acosas?

—¿Eres puto o qué? —vuelve a xoder El Paiki.

—¡Déjame en paz con un caraxo! —le dice Alo al Paiki.

Escandalizado, el barman reclama:

—¡Si no quieres que te molesten deberías dejar de andar con la verga parada por todos lados!

Alo observa el bulto en sus jeans. Voltea. Frente a él está Karen. Sonriente. Playerita. Diferente a la que traía en la mañana. Playerita con la leyenda "Copyright". El mismo mechón rosado de siempre.

—¿Dónde te habías metido, guapetón?

Brinco espantadizo. Y luego un gulp.

—¿Qué haces aquí?

—¿Qué haces *tú* aquí?

—Pues aquí… nomás —responde Alo, nervioso.

—Mmm, me suena a que andabas de puto —Karen voltea a ver al barman y ambos se sonríen.

—Ash, no xodas.

—Así es que al fin saliste del clóset…

—¡Caraxo!

—Okey okey, no te enojes —Karen le da un billete de cien dólares al barman—. Dame una cerveza oscura. Y cóbrate las dos de él.

—A la orden.

Encabronado, Alo observa alejarse al barman maricón. Cuando se da cuenta, dos manos de mujerbonita le tapan los ojos.

—Karen…

La Sunrise lo besa de forma naif. Veintitrés campanitas suenan en el corazón alesco.

—Shhh.

Alo golpea con su antebrazo la botella, que cae al suelo y explota. El momento parece durar varios minutos. Alo desea que Tequila Sunrise se recueste en el suelo y los vidrios hagan sangrar su espalda y el líquido rojo fluya por el Valle durante la noche, e imagina que ahí, en ese mar precioso, los barcos navegan y una nueva fauna marina crece, y que en las playas teñidas él y ella caminan de la mano y se recuesta al lado de la autora del nuevo océano y luego se ahogan juntos, calmadamente, pasmosamente…

CON LA CALMA de una vaca hindú, veo el fido y espero pacientemente mi turno. Está comenzando el segmento del tipo que dice que su novia se convirtió en un cheerio. Todo esto es muy extraño. Me siento solo.

CLAVIUS CAMINA, solo, por la cancha de básquet. Toc toc.

Aquella cancha es una prestación para los empleados de la compañía. Hay que agradecer a la compañía, piensa Clavius. Se siente solo. Toc toc, sus pisadas huecas. El silencio. Todos en el edificio siguen comiendo. Aunque ya se acerca el fin de la hora de la comida. Él no ha comido. Bueno, tomó una barra de granola de una de las máquinas de esnacs gratuitos para empleados de la compañía. Y una leche con chocolate de las máquinas de bebidas gratuitas. Una prestación más. Hay que agradecer a la compañía, piensa.

Abre la envoltura. Muerde la barra. Me gusta por su sabor, piensa. No tiene mucho trabajo. Los auditores deben estar tendiéndome una trampa, piensa. Siente miedo. Huir. Preferible: huir. Se pregunta cómo estarán las cosas en lo de los Randyson. Si voy no pasa nada, piensa, Debbie se va a cagar. La muy puta. Afuera de la cancha, junto a la puerta, un teléfono público. Recuerda el papelito doblado. Lo busca en la bolsa de su camisa. Lo encuentra. Lo desdobla. Lo lee. Lo memoriza.

Marca.

Ring ring.

—Buenas tardes, soy Clavius Pirulazao… estoy buscando a mi esposa, Debbie… sí, gracias… gracias…

Respirar hondo. La cancha vacía. Ni un alma. Su voz reverberando en el gimnasio.

—*¿Bueno?*

—Hey.

—*¿Clavius?*

—¿Cómo va todo?

—*Bien. ¿Qué pasó?*

—Pues aquí, en la hora de la comida. ¿Qué me cuentas?

Pausa.

—*Nada. ¿Qué pasó?*

Pausa.

—Hoy vino a buscarme alguien. De la contraloría —se le eriza el vello de los brazos—. Y estuvo muy raro, me citó a las ocho de la noche aquí, muy raro…

—*¿Me esperas un segundo?*

—Sí, sí, claro.

Pasan unos segundos.

—*Ya. ¿Qué pasó?*

—Nada. ¿Qué me cuentas?

—*Nada. Oye, me están esperando para ver el programa de Cuki, ¿pasas al rato cuando acabe esto?*

—Sí, claro.

—*Okey, bye.*

—Okey, bye.

Clic.

Salir de aquí, piensa. Ahora.

Clavius abandona a paso rápido el gimnasio de duela. Toctoctoctoctoctoc.

✫ ✫ ✫

LA VOZ DE la flaca de la diadema taladra el cerebro de Robin Simon. Comerciales. Se montan en ella y le retocan el maquillaje. También le encienden un cancro.

—Ahora siguen las recomendaciones de libros, obviamente nuestros socios de Francine-Gladys quieren que se hable del libro de… de…

—¿De Cuki? —completa Robin, medio ida.

—Sí, de Cookie. También tenemos el manual de feng-shui para idiotas que nos quedó de la semana pasada/

—¿Que no siguen los consejos del sexólogo?

—Y… —la flaca de la diadema revisa como desesperada su tableta—, me parece que no… y… creo que no… o sí… déjame ver…

—¿Sí o no?

—En el libreto tengo lo que son las recomendaciones de libros, Robiñinga.

—Está bien —dice suavemente Robin.

—Y bueno, quería comentarte, si me lo permites —comienza la flaca de la diadema—, que me parece hipercool que combines nuestro bloque de celebridades con lo que es el concepto del bloque de gente común en situaciones extremas/

—Niña…

—¿Sí? —pregunta la flaca de la diadema, entre aterrada e intrigada.

—No tienes que decir "lo que es" o "lo que son" cada vez que explicas algo. Sobra. Siempre lo haces. Y es desagradable.

—¿Cómo?

—Dijiste "en el libreto tengo lo que son las recomendaciones de libros". Basta con decir "tengo las recomendaciones de libros".

La flaca de la diadema se rasca la cabeza.

—¿Cómo?

—Olvídalo.

Robin fuma. La maquillan. Respira hondo. Después de todos esos años, las cámaras siguen poniéndola nerviosa.

✯ ✯ ✯

—¿DÓNDE ESTÁ MARPIS? —pregunta Anyi Vlap-Vlap, nerviosa.

—Sí, ¿dónde está? —secunda Debbie Jay.

—Marpis tiene problemas —dice Mariquita Pratt.

—Qué novedad —interviene Madre—. Se parece a Midyet.

—Huuuuuuuuy, qué fuerte.

—¿Siempre fue así? —le pregunta Debbie Jay a Madre.

—Sí. Niña conflictiva. Adolescente conflictiva. Ahora madre y esposa conflictiva…

—Yo no soy así —declama Anyi Vlap-Vlap—. Yo tengo valores.

—Y yo.

—Y yo —dice Mariquita Pratt, y se ahoga un poco con su bebida.

—Mira al pobre Cuki —dice Debbie Jay, melodramática—. Encontró a alguien por quien vale la pena luchar y desvelarse y dar la vida, y la pierde. Es una verdadera desgracia.

—Nunca conocí a Pixie, pero en verdad la extraño —dice Anyi Vlap-Vlap, cursi.

—Yo también —suspira Madre.

—Un tragedión.

—Si eso me pasara —Anyi Vlap-Vlap traga saliva—, Dios, no sé qué haría.

—¿Si te pasara qué? —pregunta Mariquita Pratt.

—¿Cómo que qué? ¡Perder trágicamente a mi Joselín!

—Ay, Dios no lo mande —Debbie Jay toca madera—. Un marido es una bendición.

—La muerte es algo horrible. Y más cuando le pasa a los jóvenes —dice Madre.

Mariquita Pratt gruñe:

—¡No han pasado ni cinco minutos y ya estoy hasta los ovarios de este necrótico festín!

(…)

—Sabrías perfectamente bien de lo que estamos hablando si tuvieras un poco de corazón —regaña Anyi Vlap-Vlap.

—Un triste tomate.

—No me xodan —Mariquita Pratt se talla los ojos—. Por favor.

Un mesero con teléfono inalámbrico en la mano se asoma a la carpa.

—¿La Sra. Debbie?

Debbie Jay levanta la mano.

—Tiene llamada.

—Puf —Debbie Jay se para, refunfuñando—. ¿Bueno?

—*Hey*.

—¿Clavius?

—¿Cómo va todo?

—Bien. ¿Qué pasó?

—Pues aquí, en la hora de la comida. ¿Qué me cuentas?

—Nada. ¿Qué pasó?

—Hoy vino a buscarme alguien. De la contraloría. Y estuvo muy raro, me citó a las ocho de la noche aquí, muy raro…

—¿Me esperas un segundo?

—Sí, sí, claro.

Debbie Jay le dice a Madre "es Clavius" y Madre le responde "córtalo". Regresa al teléfono:

—Ya. ¿Qué pasó?

—Nada. ¿Qué me cuentas?

—Nada. Oye, me están esperando para ver el programa de Cuki, ¿pasas al rato cuando acabe esto?

—Sí, claro.

—Okey, bye.

Clic. Debbie Jay deposita el teléfono en el brazo de la silla. Dice:

—¿No son una bendición los maridos?

—¡Miren, están hablando del libro de Cuki! —exclama Madre, y se sienta cerca del fido.

★ ★ ★

—AMIGAS QUE NOS acompañan en casita: el día de hoy quiero recomendarles un libro ma-ra-vi-llo-so que nos cuenta una historia de soledad, desesperación, amor y, por supuesto —Robin Simon ejecuta su ensayadísima sonrisa cuando dice lo último—, romanticismo: *Pixie en los suburbios* —muestra la portada a las cámaras— es el libro autobiográfico de Cuki Pirulazao, hijo del famoso empresario Ignacio Pirulazao, quien vivió en la ciudad de Saltillo, en el Norte, y ahí conoció a la Pixie del título, hija del senador Baldo Halliburton, pero terminó casándose con la hermana, que lo trataba con la punta del pie, ¡iupsi du! —suena la campana y el respetable aplaude—. No les voy a contar en qué acaba, pero sí les diré que *Pixie en los suburbios* de nuestros amigos de Editorial Francine-Gladys está ba-sa-do-en-he-chos-rea-les y fue publicado después de que Pixie muriera en un trágico accidente automovilístico, por lo

que es, también, un bello relato de aquellos seres queridos que se
han ido, pero cuya presencia permanece.

★ ★ ★

MI PRESENCIA NO es requerida, piensa Clavius mientras conduce la Wagoneer por el Lyndon B. Johnson. No podía quedarme,
no podía. No poder es horrible. Baja la temperatura del clima y se
limpia el sudor. Se afloja la corbata. No hay tráfico. Aún no es la
hora pico. Toma la desviación hacia el country. Debbie no me espera, piensa. No hasta que acabe todo. Qué gusto le va a dar. Qué
risa.

★ ★ ★

—JO JO JO —Midyet finge una risita socarrona al escuchar a Robin
Simon hablar del libro en el fido—. Lo trataba con la punta del pie.
Es lo que todos quieren oír.

★ ★ ★

—¿ESTO ES LO que le gusta a la gente? —pregunta Cuki, aún en el
cuartito, cuando Robin Simon presenta su libro en el fido—. Peor
aun: ¿esto es lo que llamas "la promoción"? —encara a Srita. Topisto, completamente metida en lo que pasa en el fido, quien sólo
atina a gruñir:
—¡Shhh!

★ ★ ★

—¡SHH!
Clavius, corbata desanudada y saco y copete engelado, enfren-
ta a las cotorronas. Acababa de saludar con un "¡Hola!" muy efusi-
vo, pero nadie le hizo caso.
—¿Debbie?
Elevando los ojos al cielo, Debbie Jay se levanta rápidamente
de su lugar y, con voz baja, le dice a Clavius:
—¿Y tú qué haces aquí? ¿No deberías estar trabajando o algo?

—Me salí.

—Te saliste —Debbie Jay hace una mueca de hastío—. ¿Qué quiere decir eso?

—Se me hizo temprano. Y como a esta hora no hay tráfico, llegué rápido.

—Ah.

—¿Qué pasó? ¿Dónde está Marpis? —pregunta Clavius.

—Se paró y se fue.

—¿A dónde se fue?

—Mira, estamos viendo el programa —Debbie Jay lo despacha—. Por qué no te vas a la alberca donde están los hombres y luego hablamos, ¿sale?

(…)

—Okey.

Debbie Jay regresa a su lugar.

Clavius se queda ahí parado.

Un minuto más, hasta que decide irse a la alberca, a buscar a Obe San Román.

Creo que salgo sobrando, piensa en el camino. Después se pregunta en dónde estará su hermana Marpis.

✮ ✮ ✮

NO SÉ CUÁL es mi lugar, piensa Marpis. Qué hago aquí, para qué soy buena, de qué se trata esto. Dejé de creer en Dios, las cosas eran más fáciles entonces. Ahora, nada. Danilo, nada. Cole, nada. A veces algo, pero la mayor parte del tiempo, nada. Esta vida, nada. Todo es nada.

Marpis camina, distraída, por la casa de los Randyson. Baja unas escaleras. Alcanza una especie de sótano. Abre la puerta. La cierra detrás de sí. Instintivamente, pone el cerrojo. Está en una cochera oscura. Reja cerrada. Escondida. Hay un LTD. Se acerca. Está abierto. Se mete. Se sienta. Cierra la puerta. Tiene las llaves del motor pegadas. Siente la ansiedad por encenderlo. Salir a toda velocidad. Huyendo.

En el asiento contiguo, el control de la reja. Lo aprieta. Se abre la reja. Buuuuuuuuuun. Lo aprieta. Se cierra la reja. Buuuuuuuuuuun. Así se divierte un par de minutos y luego lo dropea.

Y te ves viviendo en una casita de muñecas, piensa Marpis, y te ves en otra parte del mundo, y te ves manejando una miniván, y te ves viviendo en una casa hermosa, con un esposo guapísimo. Y te preguntas, ¿cómo caraxos llegué aquí?

★ ★ ★

CÓMO LLEGUÉ a esto, se pregunta Alo al separarse de su hermana. El beso fue mojado, piensa. Me gusta por su sabor.

—Hola —dice Karen, extrakinky.

—Hola.

—Te ves bien.

—Gracias —Alo deja ver algo de desconfianza en su voz—. ¿Cómo estás?

—Pues ya sabes.

—¿Bien? ¿O mal?

—Ya sabes.

—No, no sé.

—Ni bien ni mal. Bien sólo las putas, y mal sólo los pendejos.

—Ah —Alo recuerda las palabras de su hermana en la mañana, y las repite tal cual—. A veces me encantaría llegar a saludarte y que me dijeras: estoy muy bien.

—Equis —responde Karen, apática—. ¿Nunca te han dicho que tienes muy poco pelo, Alito?

—Todo el tiempo.

—Por eso usas gorra, supongo. Bueno, hoy no.

—Ajá.

—Siempre me has gustado así. ¿Se nota?

—Ajá —Alo se mueve nervioso, mirando hacia los lados—. ¿Qué más se nota?

—Que no has tocado un cepillo de dientes en días.

—¿A qué huelen mis muelas?

—Feíto. A alcohol.

—Uh.

—Perdón.

—¿Por qué?

—Por criticona —Karen le arrima las chichis—. Sobre todo porque anoche la borracha era yo.

—Bueh, yo te cuidé.

—Sí, lindo —lo abraza momentáneamente—. Y yo te eché a perder tu saco.

—No importa, ya sabes —dice Alo mongólicamente.

—Eso es bonito. De tu parte, digo.

La multitud crece en el lugar. Alo reconoce a un grupo de drogados de la fraternidad Lucky Strike-Huxley. Vuelve con Karen, quien lo mira amorosamente. Respira hondo. El dice:

—Oye.

—Dime, querido.

—Nunca me habías tratado tan bien.

—Eso no es cierto.

—En serio.

—Será que ahora sí me estás tratando bien.

—No sé —Alo traga saliva—. Estás rara.

—¡No es cierto!

—Casi pensaría que estás planeando algo.

—Para nada.

Alo cierra los ojos. Los talla. Vuelve con Karen.

—¿Puedo abrazarte? —interroga, con un tono de desesperación.

—No, gracias.

—¿Por qué?

—Quiero que no me abracen.

—Bien. Esa es la Karen que yo conozco —Alo busca sus cancros pero no trae—. ¿Tienes un cancro?

—No fumo.

—¿Y el Bobby?

—¿Qué con él?

—¿Dónde anda?

—Por aquí. Pero no sé.

—¿No ibas a ir a lo de los Randyson?

—Ya no se me antojó.

—¿Por?

—Me quitaste las ganas.

—¿En serio?

—Sí.

(…)

—¿Qué pasó?

—¿Qué pasó cuándo?

—Después de… tú sabes.

Karen eleva las cejas.

—¿Quieres que te diga?

—Por favor.

Karen suspira. Habla:

—Bobby me preguntó sobre ti, por qué reaccionabas así, si teníamos onda… ya ves, insinuó que traemos algo… íntimo.

—Ajá… —Alo asiente.

—No le importó que tú, salvajito, me hicieras daño. ¿Ves abajo de mi ojo izquierdo? Es una medalla. Me la he ganado a pulso. ¿Sabes qué hice? Le dije que me encantaba coger contigo y me armó un pedo mundial. Luego le dije que era un asno insensible. Y luego te insultó y dejé que lo hiciera porque decía la verdad.

La Sunrise muestra los dientes.

—Caray, discúlpame —Alo se talla el pelo—. No quería/

—Ah, chinga a tu madre, leandro culero.

Epa, la Sunrise está de vuelta en casa.

—¿Qué pasa? ¿Ahora me insultas?

—Vete a la vergota, jotito.

—¡Caraxo, perdóname!

—¿Por qué me pegaste?

(…)

—¿No me vas a decir?

—Sí, bueh… no sé.

—Mira, putito, si me da la gana de coger contigo, bien. Y si me gusta cogerme de lo lindo al otro pendejo, también. Eso es cosa que a ti te vale madres. Pero, ¿qué veo? A un retardado con una piedra en la mano, dispuesto a romper un vidrio que ni siquiera es suyo.

—Ya sabía que me ibas a reclamar.

—¿Reclamar?

La Sunrise lo empuja.

—¿Cómo chingados no quieres que te reclame? Eres igual de pendejo que Bobby.

—¡Y dale con decirle Bobby!

—¡Ese es mi problema, con un caraxo!

—¡Perdóname por favor!

—Na, na.

—¿No es importante que te pida perdón?

—Nop. Hay asuntos más importantes. Deveras.

—¿Cómo qué?

—Hoy me he dado cuenta de muchas cosas.

—¿De qué cosas?

—Adiós.

Alo se queda solo. Ni siquiera hace el intento de perseguir a Karen. En el fido aparece el logotipo del chow de Robin Simon. Ha terminado el bloque del compadre cuya novia fue secuestrada por un extraterrestre.

Ring ring. Suena la campana.

★ ★ ★

—VA EL ROUND dos —le dice Cuki a Srita. Topisto.

—Paciencia, tigre —suspira la monigota, bien entretenida con un ejemplar atrasado de *Tele Guía*. En la portada aparece Robin Simon y la leyenda "Reina del rating"—. Pronto vendrá tu turno.

—No lo decía por eso.

—¿Mmm?

—¿Te había dicho que padeces de estreñimiento cerebral?

—Ajá.

Oddjob custodia la puerta. Tiene en sus manos un Labello. Abre y cierra la tapa. La abre. La cierra. Cuki observa la operación. Luego se concentra en el aspecto del pseudocoreano de doscientos kilos. Le ladra:

—¿Te había dicho que si no hubieras nacido del vientre de tu madre te habría inventado Ian Fleming?

Oddjob permanece mudo.

★ ★ ★

EN SILENCIO, Clavius se arremanga la camisa y observa cómo el Óstin le prepara un jugoso coctel. Su saco reposa en una silla.

—¿Por qué saliste temprano? —lo interroga el Óstin, muy afanoso—. ¿Amenaza de bomba?

—Nada de bombas.

—¿Te corrieron o qué? —dice, socarrón, Obe San Román.

—No, pendejo —revira Clavius, mostrando los dientes—. Nada más me dio hueva quedarme. Eso es todo.

—Qué raro —dice Danilo.

Le sirven el coctel. Clavius bebe sin brindar. Cuatro sujetos frente a él: Obe San Román, su cuñado Danilo, el Óstin y un desconocido. Se concentra en este último.

—¿Y tú quién eres? —pregunta.

—Ah, él es Marvik —interviene el Óstin—. Y es un chingón.

—Hola, Marvik —saluda, desganado, Clavius.

—Hola —regresa el saludo Marvik, también desganado—. Me pareces conocido…

—Él es el hermano de Cuki —de nuevo interviene el Óstin—. El del fido, ya sabes.

—Claro.

—Ajá.

—Qué raro.

Silencio incómodo.

Marvik se levanta.

—¿A dónde vas? —chilla, jotísimo, el Óstin.

Marvik no dice nada. Sólo se va.

★ ★ ★

LLEGA, SOLO, hasta el garaje. La puerta se abre. Y se cierra. Y se abre. Y se cierra.

Marvik se detiene, intrigado. Se acerca a la cochera.

Abrir. Cerrar. Abrir.

En una de esas, logra entrar.

Cerrar.

Adentro de la cochera hay un LTD.

Y una mujer en su interior.

Se mueve hacia el auto. Con cautela.

Agita la mano. En son de paz.

—¡Hey!

La mujer es Marpis. Lo observa. No dice nada.

—¿Por qué esa cara? Es un día hermoso.

No hay reacción.

—¿Es tuyo el auto? —Marvik lo señala con el dedo.

Nada. Así pasan unos momentos.

Abrir.

Cerrar.

Intenta de nuevo:

—¿Estás aburrida o algo?

Marpis baja un poco la ventana.

—Sí —dice casi en un susurro.

—Yo también —se aproxima lentamente—. ¿Pero quién dijo que la vida es pura emoción?

—No es eso —dice Marpis. Tiene los ojos hinchados. La nariz enrojecida—. Las emociones se acabaron.

—Si tú lo dices —Marvik se recarga contra el cofre, cerca de la ventanilla.

Silencio.

—¿Eres amiga de los Randyson? Creo que no te había visto. Aunque me pareces conocida.

—En realidad no. Vine aquí por Madre.

—¿La Sra. Pirulazao? ¿Ustedes dos…?

—Madre es mi madre.

—Oh —Marvik se jala el cuello de la playera—, ya, ya. Viniste a ver el programa de tu hermano.

—Sí.

—¿Y por qué la depresión? Tienes cara de que en cualquier momento te vas a aplicar el harakiri.

—Más o menos.

Marvik ve a Marpis con interés.

—¿Casada?

Marpis asiente.

—¿Con hijos?

Marpis asiente. Hace un "uno" con el dedo.

—¿No tan feliz?

Marpis mueve negativamente la cabeza.

—¿Trabajas?

—No.

—¿Por qué no?

—¿Crees que es fácil?

—Yo sólo pregunté si trabajabas.

—¡Pues no!

—Parece que te aburres porque quieres.

—¿Porque quiero? ¿No te parece aburrido esperar a que mi esposo venga a comer, esté un rato tirado en la sala, vuelva a su oficina y regrese en la noche, hagamos el amor cada tres semanas y sábados y domingos no sean muy distintos?

Marvik se encoge de hombros.

—Demasiada información…

—¿Tú trabajas? —revira Marpis.

—No.

—¿Entonces por qué me xodes?

—Yo no te xodo. Soy un paiki. Los paikis no trabajamos.

—¿Qué más hace un paiki?

—Nos sentamos a ver girar las ruedas. Y nos gusta.

Marpis suspira.

—En ese caso, las amas de casa somos paikis.

—Paikis involuntarias —filosofa Marvik—. Pero a fin de cuentas paikis.

Silencio.

—La vida se me ha complicado y a la vez es inútil y simple y banal —exclama Marpis, y se sorprende repitiendo lo mismo que le dijo a Anyi Vlap-Vlap en el country—. Nada me sorprende, nada me llena, siento que he caído en una rutina que, quizá, debería de hacerme feliz ¡pues alguna vez me hizo feliz!, pero ya no. Como cuando sientes que absolutamente nada tiene sentido y despiertas con un agujero en el estómago y te vas a dormir con un agujero en el estómago? ¿Sabes?

—Sí. Si sé.

Silencio.

—¿Lo sabes?

—Sí —sonríe Marvik—. Te entiendo.

Marpis lo observa asombrada. Las cejas arriba. Los ojos bien abiertos.

—Gracias —dice ella, y al quitarse el último residuo lacrimógeno de los ojos, añade—, ¿tienes novia?

★ ★ ★

—¿A QUIÉN TE andas cogiendo ahora? —le pregunta Clavius a Obe San Román.

—A una ruca —responde Obe San Román.

—Eso ya lo sé. A menos que te hayas hecho puto.

El Óstin carraspea.

—Me refiero a que está ruca —agrega Obe San Román, sonriente.

—¿No es estudiante?

—Nop.

—¿Está buena? —Clavius bebe.

—Me comería su caca. Con eso te digo todo.

—Guau —exclama Clavius.

—Guau —exclama a su vez el Óstin.

—Me gusta por su sabor —añade Obe San Román.

En el fido está el fulano cuya novia se convirtió en un cheerio. Sostiene, con fervor casi religioso, el pedazo de cereal en la mano.

—¿Qué tal coge?

—Rico. Y diario.

—Diario… —suspira Clavius, melancólico.

—Diario… —suspira el Óstin, melancólico.

—Diario… —suspira Danilo, melancólico—. Qué raro.

—Todos los días encontramos un lugar nuevo para coger.

—Me cago en la leche.

—Cágate, tich: le encanta mamarme el cipote *on the road*. Tiene una camionetona.

—¿Una camionetona? ¿Pues es señora o qué?

Obe San Román se hace pendejo. El muy cabrón. Yo sé a quién se coge. Y ustedes deben saberlo ya.

—Te digo que es una ruca.

—¿Y no te cansas? —pregunta Danilo, extrañamente interesado.

—No. Todos los días ando caliente.

—Sí, yo también amanezco con la verga parada, pero eso no significa que a huevo tenga que coger para aplacarla —instruye Clavius.

—Todos dicen lo mismo —suspira el Óstin, y voltea nervioso para los lados—. ¿Dónde estará Marvik?

En el fido aparece una mujer. Corre a abrazar al tipo del cheerio. Robin Simon sonríe para la audiencia.

★ ★ ★

ROBIN SIMON SE toca el audífono cuasimicroscópico que descansa en su oreja. Asiente viendo a la flaca de la diadema, bien escondidita tras bambalinas.

—Pero dime —dice Robin—, ¿no te gustaría ver a tu novia de nuevo? O sea, ¿de carne y hueso y a tamaño natural?

—Pero claro…

—¡Upsi du! —exclama Robin—. ¡Te tengo una sorpresa! ¡Aquí está tu novia, sigue siendo humana y está bien!

Aplausos.

★ ★ ★

LOS APLAUSOS LLEGAN hasta el cuartucho en el que Cuki descansa las grupas. Simplemente atina a encogerse de hombros. Srita. Topisto lo mira de refilón. Le dice:

—¿No te encantan las historias de amor?

—No —responde Cuki.

—¿Pero por qué dices eso? —Srita. Topisto se pone las manos en la cintura, bien coqueta—. *Pixie* es una historia de amor.

—Ese libro es una reverenda mamada. Pura pretensión. Literatura fast food mis huevos.

Srita. Topisto mira a Cuki con ardor.

Entra la flaca de la diadema. Le dice que lo van a llevar al estudio. Pasan por pasillos, en medio de mucha gente, y entran al lugar en donde están las luces y las cámaras y los cables pegados al piso con masking tape. Sientan a Cuki en un sillón rojo. Le ponen un lavalier que se prende en el cuello de su playera. Un maquillista retoca a Robin, pero ésta se despega para saludar a su invitado. Ella fuma un cancro. Otra vez.

—Hola, Cuki —le dice extendiéndole la mano—, mucho gusto.

—¿Puede hablar? —le pregunta el floor manager a Cuki.

—No puedo decir lo mismo —dice Cuki, dando el apretón de vuelta.

—¡Qué buen outfit traes, querido! —exclama Robin.

—Es una mierda —eructa Cuki.

—¿Puede hablar? —insiste el floor manager.

—Hablo, hablo, hablo...

—Ay, pero qué cosas dices —Robin se retuerce como gusano—. ¿Viste lo que dijimos de tu libro?

—¿Dijimos? Yo sólo te escuché a ti hablar.

—Usé la tercera persona editorial, querido —replica Robin ágilmente—. ¿Listo para tu entrevista?

—No.

—¿Puede hablar otra vez?

—Hablo, hablo, hablo...

La muy cabrona.

—Okey, listos —advierte, en el ácido, el floor manager, y se dirige a Cuki, mientras le quita el lavalier—. Le voy a pedir que me acompañe detrás de esta mampara, cuando le demos la señal va a pasar a sentarse al sillón más cercano al escritorio de Robin y se va a poner el micrófono. ¿Entiende mis instrucciones?

—Ajá.

Cuki se levanta.

—Seré gentil, querido —le dice Robin mientras lo llevan tras bambalinas, y ella se sienta de vuelta en su escritorio.

—Lo que tú digas, querida.

Lo último es dicho con un dejo de horror.

✷ ✷ ✷

CON HORROR EN el rostro, Alo ve al Bobby, justo después de que Karen se levanta, tomar asiento junto a él. Relevos australianos, creo que les dicen.

—Hola —saluda el Bobby.

Alo no dice nada. Sólo siente que la oscuridad cae sobre él.

—Ea, man. Dos cervezas —le dice el Bobby al barman.

—A la orden.

—No, yo estoy bien.

—Ándale, una no es ninguna.

El Paiki Que Vive Adentro De La Cabeza de Alo le guiña un ojo.

—Pero…

—¡Una! —grita el Bobby, y después modera el volumen—. Ándale. Y te dejo en paz.

En el fido, Robin Simon dice "¡Upsi du!" y luego "¡Te tengo una sorpresa!"

Alo traga saliva.

Llegan las cervezas. Oscuras. Beben.

—Ahh —el Bobby choca el tarro contra la barra después de tomar—. ¿No te encanta?

—Me gusta por su sabor —dice Alo.

—¡Yo siempre digo eso!

El Bobby ríe estúpidamente. Luego, empieza:

—Cuñado, ¿puedo decirte cuñado?

Alo asiente con la cabeza.

—Yo sé que han corrido chismarrajos de que Karen y tú andan, bueh, planchándose la bastilla y rataplán, pero yo sé que esos chismarrajos son sólo eso: chismarrajos. O sea, tú tienes a tu noviecita santa y pulcra, y ella va en nuestro mismo campus, ¿cierto?

—¿Yo tengo novia?

—Sí, pero nadie la conoce porque es ratón de biblioteca. Tú llevas ya dos años con ella, ¿cierto?

—No sé de qué me hablas.

—Sí, llevas dos años con ella —afirma, agresivo, el Bobby.

—Si tú lo dices.

—Lo que quiero que veas es que cada quien tiene su amorcito loco: tú tienes a tu ratón de biblioteca y yo tengo a Karen, lo que elimina cualquier malentendido.

—Supongo.

—Sucede (déjame contarte) que Karen y yo nos conocemos desde la infancia, ¿no te ha platicado?

—No.

—Ay qué niña, si yo jugaba futbol y era quarterback y ella era porrista y… ¿no te ha dicho nada?

—No.

—Uff, nuestrás mamás son amiguísimas, vecinas y bla bla bla.

—¿Madre y tu mamá?

—Sí, de toda la vida. Lo importante es que Karen siempre me ha ayudado a superar las crisis. Me ha echado la mano para sacar de mi cabecita a una novia que tuve hace dos años.

—No lo sabía.

—Tú sabes que uno se encula, comienza a secretar sustancias y ¡pas!, un día crees amanecer enamorado y que tú y ella son el uno para el otro. ¿El amor, sabes?

—No, no sé.

—Por desgracia, a esta chiquilla se le declara un extraño lupus cortisoide en las células paninaras y ¡zaz!, de repente me veo en medio de hospitales, médicos, batas, uff, el caso es que en una semana ya la habíamos enterrado, ¡algo muy cabrón! Quedé asqueado de la vida, pero Karen se dedicó a sacarme del hoyo, y estoy saliendo, ajá, ¡estoy saliendo!

—Ya veo.

—Pero es un proceso lento, no creas, cada vez que paso cerca de un hospital pierdo control de algún esfínter que tengo o queseyó porque luego luego me orino y ¡pzing!, meada por aquí y ¡pzing!, meada en la cola del cine y ¡pzing!, un trozo de mierda se escurre por los pantalones mientras espero en el cajero automático, aunque bueh, esa es la parte más radical del problema, pues (déjame decirte) qué bueno que ella tiene a un hermano como tú, ya que eres un superapoyador.

—¿Un superapoyador?

—Sí, un superapoyador. Pero volviendo al tema, no alucines si te dicen que los vi juntos porque sé que tú tienes a tu ratona de biblioteca y ella me tiene a mí. Y tampoco tienes que preocuparte por su virginidad.

—¿Ah, no?

—Noooooooooooo, Karen es más virgen que la de Los Remedios. Karen es prácticamente una monja, te digo, apretadita, ingles tiernas, clítoris lavado, vagina mustia, himen nuevecito, con sello de garantía y toda la cosa.

—Ajá.

—¿Todo arreglado?

—Y… sí.

—Qué bueno, cuñado. ¿Quieres otra?

—No, gracias —responde Alo—. Estoy deprimido.

★ ★ ★

—SU AMIGA ESTÁ deprimida.

Ese es Marvik, parado frente al fido.

—Shhhhh.

Esas son las zorras, listas para ver el segmento de Cuki.

—Oigan…

—¿Qué quieres? —gritonea Mariquita Pratt.

—¡Su amiga, que no sé cómo se llama, está deprimida! —gritonea en turno Marvik, y todas escuchan—. Se encerró en el garaje adentro de un coche. Y se ve mal.

Silencio.

—Marpis —murmura Debbie Jay.

—¿Mal como en no paro de vomitar? —pregunta Anyi Vlap-Vlap.

—No. Mal como en soy una suicida potencial —dice Marvik.

—Parece que va a llover —dice Mariquita Pratt.

Todas meditan lo último con los ojos clavados en el cielo. Dos segundos después, Anyi Vlap-Vlap, Debbie Jay y Mariquita Pratt se levantan de la mesa y caminan a toda velocidad hacia la cochera. Madre, sola con Mamá Randyson, alcanza a exclamar:

—¡Hey! ¿A dónde van? ¡Ya va a empezar!

★ ★ ★

YA VA A EMPEZAR, piensa Cuki, detrás de la mampara. Junto a él está la flaca de la diadema, frente sudorosa, pelillos castaños pringosos y pegados al audífono, tensión en las manos de calaca, apachurrando la tabla que no ha soltado de dos horas atrás. Se miran un segundo. Ella sonríe, un poco ausente. Cuki regresa la sonrisa. Le tiemblan las manos. El viejo y estarrio frik. En la panza. En el pecho.

Piensa que ya va a empezar. Piensa qué diría Midyet si lo viera. O quizá sí lo va a ver, piensa Cuki. Lo más seguro es que no.

Afuera, suenan las trompetas y los aplausos. La flaca de la diadema se pone más tensa que antes.

—Acá listos —dice en la diadema la flaca de la diadema—. Adelante, por favor —le dice con seguridad a Cuki, y éste obedece sin chistar.

Sí. Lo más seguro es que no, piensa Cuki mientras lo empujan al estudio. A Midyet no le gusta el fido.

MIDYET OBSERVA en silencio el fido. Sigue sola en el cuartito. A oscuras.

Regresan de comerciales. Afuera se escucha el estruendo del respetable y la estúpida música introductoria.

Piensa en Cuki. En el silencio que está a punto de romperse.

OSCURO. Y AHORA con luz. Oscuro. Y ahora con luz. Marpis se divierte con el control de la reja. De nuevo tiene el rostro empapado en lágrimas. Alguien entra. Rápidamente, verifica que los seguros del auto estén abajo.

Sí están.

—¿Marpis? —le pregunta Debbie Jay acercándose a la ventanilla, su voz apagada detrás del vidrio—. ¿Qué haces ahí?

Marpis la observa con sorna. No dice nada.

—¡Ya va a empezar el programa! ¡Sal de ahí! ¡Ven!

Marpis piensa que, desde su posición, Debbie Jay se ve como un pez en una pecera. Moviéndose alrededor del auto, tratando de abrir la portezuela. Un pez en pecera. Ríe. Qué clase de espectáculo.

LA CÁMARA PANEA por el estudio con el logotipo esquinado, trompetas y platillos retumbando de fondo, y se detiene en el escritorio de Robin Simon.

—¡Upsi du! —exclama la caclecacle—. Nuestro siguiente invitado es un brillante joven escritor naucalpense, y es autor del polémico libro *Pixie en los suburbios* que presentamos hace rato. Por favor démosle la bienvenida a Cuki Pirulazao.

Aplausos y más música de trompeta. Cuki, pants, gorra y Vans, aparece por detrás de la mampara. Saluda al respetable y, un poco titubeante, se dirige hacia el escritorio. Ahí lo espera Robin, de pie. Le propina tremendo beso en la mejilla.

Cuki se sienta en el sillón rojo.

—¿Cómo estás, Cuki?

—Bien, Robin, gracias —responde Cuki con sobriedad. Fuerte y claro.

—¿Sí eres naucalpense, verdad?

—De aquí mero.

—¿Y no vinieron a verte tus familiares?

—Llegué con dos amigos —responde irónico—. Pero no los he visto por aquí.

—Cuéntanos cómo va tu libro —Robin pone los codos sobre la mesa.

—¡Bien! La crítica ha sido razonablemente buena, adentro y afuera de los círculos literarios/

—¿Afuera de los "círculos literarios" quiere decir con gente que no está relacionada con el ámbito de los escritores?

—Básicamente, sí. Con gente que normalmente no lee.

—¿Por qué será, me pregunto?

—¿Es una pregunta?

—Sí —Robin sonríe.

—Bueno, no lo sé.

—Déjame ayudarte —Robin se inclina hacia adelante—. ¿Será por la parte autobiográfica? —aplausos falsos en el público—. ¡Upsi du!

—A lo mejor. Aunque no hay una "parte autobiográfica" —Cuki finge las comillas con los dedos.

—Bueh, no me refería a un capítulo en concreto. ¿Pero el libro está salpicado de referencias personales, cierto?

—Cierto.

—¿Por qué?

—No sé escribir de otra forma. Tengo que escribir sobre lo que tengo a la mano. La gente que conozco, los lugares que he visitado. No puedo sentarme a escribir sobre algo que no sea emocionalmente importante para mí.

—¡Upsi du! —exclama Robin y se dirige al público—. ¡Un escritor honesto!

Aplausos. Robin retoma:

—La Pixie del título, entonces, ¿es una persona de carne y hueso?

—Era una persona de carne y hueso —responde Cuki sin chistar.

—Era, perdón. Dinos, Cuki, ¿quién era Pixie?

—Bueno, Pixie es una de las protagonistas del libro. Fue una persona que conocí mientras viví en Saltillo. Yo trabajaba allá para/

—¿O sea que viviste allá?

—Sí, viví allá. Y Pixie fue la mujer con la que tuve una relación personal mientras viví en Saltillo.

—¿Estaban casados?

—No, nunca nos casamos.

—Pero sí tuvieron hijos, ¿cierto?

—Bueno…

—Es que en el libro hay una parte que mezcla la fantasía con la realidad —la caclecacle mueve vigorosamente las manos—, en la que describes que tú mismo quedaste embarazado… —risas entre el respetable—. ¡Sí, sí! ¡Eso dice! —Robin exclama lo último como disculpándose.

—Bueno —Cuki sonríe—, al escribir que quedé embarazado en realidad estaba diciendo que iba a ser padre.

—¿Con Pixie?

—Con Pixie.

—Sabemos que tuvieron un accidente terrible —Robin ejecuta su cara falsa número dieciocho.

—Ajá. En Saltillo. Saliendo de una comida.

—¿Pixie perdió la vida en ese accidente?

—Sí.

Silencio en el estudio. Close up a Cuki, tragando saliva, la mirada gacha. El director de cámaras, desde la cabina, pide que enfoquen a los parroquianos del público. El floor manager, viendo todo por un monitor, dice en voz baja: "Bien, bien".

—Yo sé que es difícil.

—No tienes idea —Cuki suspira.

La flaca de la diadema pasa corriendo junto a Srita. Topisto, quien se ha puesto mocosa. Con un nudo en la garganta. El viejo y estarrio nudo en la garganta.

—Pero, de alguna forma, tu libro es una especie de homenaje póstumo a Pixie, ¿cierto?

—Me gusta verlo de esa manera. *Pixie en los suburbios* es una manera novelada de contar los últimos años de mi vida. Y Pixie fue la única persona real que tuve en esos años.

—Bueno, estoy de acuerdo en que tienes derecho a gritar a los cuatro vientos todo sobre ti —Robin acelera el ritmo y la intensidad de sus palabras—, pero ¿por qué mostrarle a todos la vida privada de la gente que conoces? ¿Pediste permiso para hacerlo?

—No tengo por qué pedir permiso —Cuki frunce el ceño—. Ellos hablan de mí todo el tiempo. Y no me piden permiso.

—Pero no lo hacen público.

—Eso lo dices porque no conoces a mi madre.

—¡Upsi du! —suena la campana y el público ríe—. Vamos a comerciales y cuando regresemos quiero que nos cuentes TODO de Midyet, la "hermana mala" —Robin actúa las comillas— de Pixie. ¿Te acuerdas de ella?

—Cómo olvidarla —replica Cuki, seco.

—¡Ahora regresamos!

Entra el jingle y, casi en sincronía, los corifeos orientales. Le prenden un cancro a Robin. Le secan la frente. Le quitan el brillo. También retocan a Cuki. Srita. Topisto se asoma desde las mamparas, ve a su autor y eleva su pulgar, emocionada. Cuki arquea las cejas. Tiene las manos empapadas.

✯ ✯ ✯

MADRE ARQUEA las cejas, encabritada.

—¿Por qué me molestan? —increpa a Anyi Vlap-Vlap y Mariquita Pratt—. ¿Que no ven que estoy viendo a mi Cuki?

—Es que Marpis está muy necia —dice Anyi Vlap-Vlap, más nerviosa de lo normal—. Se encerró en el garaje y no quiere salir.

—Bah. Es un berrinche. Al rato se le pasa —Madre bebe de su taza y agita las manos como espantando moscas—. ¡Ahora váyanse, que quiero ver a mi Cuki!

✯ ✯ ✯

—¿ESE ES TU hermano? —pregunta el Bobby.

Alo empina el codo. Regresa la botella a la barra. Asiente con la cabeza, mirando el fido con ojos ligeramente perdidos, y dice:

—Sí. Cuki.

—No lo conocía.

—¿Aunque hayas convivido tanto con mi hermana desde la infancia?

—Hey —el Bobby le propina un golpe en el pecho—. Soy un poco distraído.

—Ajá —Alo se soba—. ¿Y Karen?

—No lo sé —el Bobby toma de su cerveza—. De loca por ai. Como todas las pinches viejas.

✮ ✮ ✮

TOC TOC. POL entra en el cuartito. Midyet voltea inmediatamente y le regala una sonrisa. Nota, cuando ya lo tiene cerca, que carga un par de cajas negras. Primo Perfecto se apresura, cortésmente, a tomarlas.

Pol prende la luz.

—Te lo manda Robin. ¿Podrías echarle un ojo?

Midyet ve las cajas con desconfianza.

—¿Ya voy a salir?

—Al final de este bloque. Robin comienza con Cookie y al final sales tú. Pero eso —señala las cajas y chasca la boca al tiempo que le cierra un ojo—, *eso* es importante.

Midyet ve las cajas. De nuevo.

Se acerca.

Las abre.

Un vestido. Negro. Lo saca. Lo extiende.

—Guau —se le escapa.

En la caja chica, unos zapatos.

—¿Y esto?

—Lee la nota.

Hay un sobrecito enredado en el papel arroz de la caja negra. Midyet lo abre. Lee:

"Midyet querida, este es un regalo que te hace el canal para darte las gracias por aceptar acompañarnos. Nos encantaría que lo usaras. Como un favor personal. Robin."

—¿Quieren que me ponga esto?

—¿No te gusta?

—No, está precioso todo, pero, ¿por qué?

—Mira, darlin —Pol sube el tono—, dígame si lo quiere o no porque, si no, tengo como diez segundos para decirle a Robin que venga a convencerla personalmente.

Midyet tiene los zapatos en mano. Tacón alto, pero no puntiagudo. Se lo prueba. Perfecto. Cómo consiguió mi número, se pregunta.

—Está bien —dice Midyet.

—Perfecto —Pol camina a la puerta de salida—. Vengo en dos minutos.

—Claro —Midyet acaricia el vestido, y en la etiqueta lee "Anne Taylor"—. Ahora voy.

★ ★ ★

—Estamos de vuelta —dice Robin, y su invitado sonríe, muy sentado en el sillón rojo—. Yo quería preguntarte algo, Cuki: la novela está impregnada de cierto estilo de vida, un estilo de vida muy… caro. ¿Qué pasó con eso?

La audiencia ríe.

—¿Lo dices por mi atuendo?

—En parte.

—Bueh, dejé de ser así.

—¿Por qué?

—No tengo empleo. Esto no es ningún secreto, ni para mis amigos, ni para mis hermanos, ni para Madre y Padre.

—¿Vives con tu madre?

—Vivo con ella.

—¿Y nunca te dice nada? ¿Nunca te exige que salgas y consigas trabajo?

—Sí, pero nunca profundizamos en el asunto.

—¿Por qué crees que sea así?

—Madre es un poco posesiva y controladora, así es que prefiere tenerme aquí, en su casa.

—Ese es el escritor honesto que todos conocemos —Robin da una risotada—. Pero hay algo que todavía no me cuadra: dices que "dejaste de ser así" —de nuevo actúa las comillas—. Ya que siempre has tenido una buena posición, ¿no extrañas los lujos y las cosas caras?

—No vivo mal en casa de Madre.

—Déjame refrasear: ¿no extrañas tu independencia?

—Sigo yendo solo al baño.

Aplausos y risas entre el público. Robin trata de calmar la situación.

—Bueno bueno, cuéntame de tu padre. ¿Él qué opina al respecto?

—¿Padre? A duras penas lo veo. Tengo meses sin hablar con él. Padre siempre ha estado ausente. Tenerlo o no tenerlo da exactamente lo mismo.

—¿Rencor, acaso?

—No, para nada —Cuki se rasca los brazos—. Me harté de acompañarlo a jugar golf. Bueno, a emborracharse mientras jugaba golf.

—¿Tu padre toma mucho?

—¡Es un borracho! —se escuchan los "ohhhh" entre el respetable—. Vive borracho, pero como tiene mucho dinero, la gente supone que está en todo su derecho.

—¿Y no te da pendiente?

—Te digo que él nunca está disponible para nadie. Madre dice que va a dejar plantada a la muerte.

¡Upsi du! Robin ríe y toma de su taza, en medio de una lluvia de aplausos.

★ ★ ★

MADRE APLAUDE y ríe como demente, celebrando el gag de Robin:

—¡Se acordó del viejo! —le truena los dedos a un mesero y rápidamente acuden a rellenarle la taza—. Increíble. Mi Cuki.

—Un triste tomate —suspira Mamá Randyson.

—Sí, qué familia —Madre se pone muy seria y muy melancólica. En medio de la algarabía, extrañamente, se pregunta por Alo. Ni idea, piensa. Desde la mañana que hablamos, nada. ¿Quién sabrá dónde anda? ¿Quién?

★ ★ ★

—ALGUIEN SABRÁ en dónde está —aguijonea Robin.

—Ah, claro. Sus amigas especiales.

—¿Tu padre tiene amigas especiales?

—Toda la vida. Déjame contarte esto: Madre una vez encontró en el auto de Padre una bolsa de mano con pinturas y lipstick y unos calzones envolviendo una cigarrera.

—Suena como evidencia incriminatoria.

—Exactamente. ¿Sabes qué pretexto dio cuando Madre lo confrontó? Que había ido al dauntaun y que un raterillo pasó por ahí y, como la policía lo iba a alcanzar, aventó la bolsa adentro del coche.

—Nooooo.

Aplausos y risas.

—¡Tenemos eso grabado! —Robin se limpia una lagrimita del ojo y toma de su taza—. Bien, volviendo a ti, Cuki: ¿tu experiencia amorosa tuvo algo que ver con esta transformación?

—¿Cuál transformación?

—Esta. De yuppie a desempleado.

—Hay muchos yuppies desempleados hoy en día, Robin.

—Pero pocos con un libro publicado.

—Yo soy un viudo. Quiero que la gente me vea como tal.

—Un viudo. Lo dices por Pixie.

—Sí —Cuki se pone meditabundo—. Soy un viudo de la única mujer que significó algo importante en mi vida.

—¿Qué me dices de Midyet? ¿Ella no fue importante?

—Bueno, me dio la oportunidad de darme cuenta de cosas.

—¿Qué cosas?

—Que estaba haciendo todo mal.

—¿Nada más eso?

—Hay relaciones que sólo sirven a ese propósito, Robin.

—¿Y ese propósito no fue importante en tu vida?

—Hasta cierto punto. Pero lo más importante fue deshacerme del error.

—¿En verdad te trataba taaaaaaaan mal?

Silencio. Cuki respira hondo. Robin espera impaciente la respuesta.

—Todo está en el libro.

★ ★ ★

EL LIBRO, PIENSA Karen. A quién caraxos le importa un libro. Se reclina sobre el love seat, sin despegar los ojos del fido. Toma de un casco de cerveza que tenía ahí a la mano, caliente. Respira hondo. Se soba la mejilla. Auch. Demasiado amor para nada. Tiempo de regresar con Alo, piensa. Que comience el dolor.

★ ★ ★

—SUENA A QUE fue una tortura —dice Robin.

—Es la verdad. Y no quiero sonar misógino —se escuchan dos o tres quejas en el respetable—, pero una mujer puede hundir o levantar a un hombre. Amén.

—Upsi du —Robin ve una de sus tarjetas y parece ponerle atención al audífono que tiene en el oído—. Vamos a escuchar una pregunta del público —se levanta y de inmediato le proporcionan un micrófono de mano. La espera ya un parroquiano.

—Mi pregunta es/

—¿Cuál es su nombre? —lo interrumpe Robin.

—Uh, Morizio.

—Morizio, ¿cuál es su pregunta?

—¿Por qué te corrieron de Atari?

Risas y organito melódico. Robin tuerce el cuello.

—¡Upsi duuu! —exclama—. Lo siento Morizio, venimos a hablar de gente, no de aparatejos —se mueve de lado a lado—. Vamos por acá. ¿Cuál es su nombre?

—Méngui.

—Méngui, ¿cuál es su pregunta?

La chica observa fijamente a Cuki.

—¿Alguna vez amaste a Midyet?

Silencio. Cuki se revuelve en su silla, nervioso.

—Bueno, Midyet fue mi esposa. Vivimos juntos, convivimos. Con el tiempo uno genera cierta codependencia. Creo que eso es normal en todos los matrimonios.

—¿Pero nunca la quisiste? —interviene Robin, parada junto a Méngui—. ¿Aunque fuera tantito?

—A menos que ustedes le digan amor al afecto.

Suena un leve abucheo.

—Ooooooootra pregunta. ¿Cuál es tu nombre?

—Raquel. Mi pregunta es: Cuki, ¿has vuelto a ver a Midyet después de la separación?

—¿Has visto a Marpis?

Danilo no dice nada. Sólo atina a perderse en el rostro redondo de Debbie Jay. Clavius la observa con morbo. Perdido en el rostro redondo de su esposa. Ella le gruñe cuando lo siente demasiado mirón.

Grrr.

—¿Cómo? —pregunta de nuevo.

—Que si has visto a tu esposa —interroga, en turno, Anyi Vlap-Vlap.

Danilo se encoge de hombros.

—No —se rasca la barbilla—. ¿Por?

—Ven con nosotros —lo jala Debbie Jay, y Danilo, sin saber qué pasa, sigue a las locas.

Marvik se levanta y sigue a Danilo y Debbie Jay y Anyi Vlap-Vlap. El Óstin se levanta y sigue a Marvik, quien a su vez sigue a Danilo y Debbie Jay y Anyi Vlap-Vlap.

En esos momentos llega a la alberca Joselín Damm, con traje y portafolios, muy saludador. Él no sigue a nadie. Nada más se sienta. Y ahí están, pues, Joselín Damm, Clavius Pirulazao y Obe San Román. Como en la mañana.

—¿Qué pedo contigo? ¿Por qué no regresaste a la oficina? —pregunta Joselín Damm.

—¿Qué pedo contigo? ¿Por qué tampoco regresaste a la oficina? —responde Clavius.

Después de los apretones de manos, el silencio.

Cuki permanece en silencio, y después responde:

—No. No la he visto desde que nos separamos.

★ ★ ★

MIDYET ESTÁ LISTA. Vestido negro, largo, las piernas y los perfectos chamorros asomándose. El pecho pecoso al aire. El copete esponjado, la sombra escandalosa en los párpados. Le sudan las manos. Sujeta, nerviosa, su bolsa de Vuitton. Qué hago aquí, piensa. A qué vine.

Pol se asoma. Entra al cuarto alfombrado.

—¿Lista? —pregunta.

Midyet traga saliva y asiente.

—¿Puedo dejar aquí mi bolsa?

—Sí, no hay bronca.

—¿Seguro?

—No te preocupes —le dice Pol—. Estás en buenas manos —Pol, muy atento, parece escuchar algo en la diadema. Se pierde por un segundo. Asiente con la cabeza.

★ ★ ★

DANILO NIEGA con la cabeza.

—¿Qué parte no entiendes? —pregunta Debbie Jay, caminando apresuradamente hacia la cochera.

—¿Qué hace ahí metida?

—Básicamente, se trata de un penoso caso de aburrición.

—¿Y yo qué?

—¿Cómo que tú qué? ¿Qué le has dado a tu mujer?

—¿Que le he dado de qué?

—¿Qué le has ofrecido?

—No estoy cachando —Danilo tose—. Todo esto es muy raro.

—¿Crees que tu esposa es más feliz casada que soltera?

—No lo sé. Yo supongo.

—Caray —llegan a la reja, que se abre y se cierra—. Dime algo: ¿si te dieran a escoger entre el departamento de verduras y el de perfumería, cuál preferirías?

—El de juguetes.

—Dios.

—¿No era eso lo que querías oír?

Debbie Jay zarandea a Danilo de los brazos.

—Danilo: ¿quieres a Marpis?

—Sí —responde con nerviosismo.

—¿Cuánto?

—¡Es mi esposa!

—¿Y eso qué?

—Tengo que quererla.

—¿Pero te comunicas bien con ella? ¿O sea, tienes detalles?

—¿Cómo?

—Por ejemplo, ¿qué le regalaste en Navidad?

—Una plancha.

—No —Debbie Jay extiende la O.

Marvik los alcanza. Había escuchado lo último. Exclama:

—¡Una plancha!

—¡Pero es una plancha especial! —se defiende Danilo—. Le sale vapor cuando la usas.

—Qué idiota —Debbie Jay eleva los ojos al cielo.

—¿Por qué? ¿Ahora resulta que ustedes son expertas en planchas?

—Escucha —Debbie Jay lo empuja hacia la reja, que se abre y se cierra—. Tienes que hablar con ella. En verdad habla con ella.

★ ★ ★

—CLAVIUS, TENEMOS que hablar.

Ese es Obe San Román. Han estado mirando el chow, en silencio. Bebiendo. Joselín Damm se ha levantado para ir al baño. Así es que sólo están ellos dos. Y nadie más.

—Shh, pérate. Se está poniendo bueno.

—Man, en serio —Obe San Román lo toma del brazo—. Tenemos que hablar.

Clavius voltea a verlo, glacial.

—¿Qué pasa?

★ ★ ★

—¿QUÉ TE PASA? ¿No vas a salir? —interroga Mariquita Pratt, en franca desesperación.

Marpis no dice nada. Sólo juega con el control remoto. Y sorbe mocos. Y se limpia las lágrimas de las mejillas. La mirada perdida. El semblante patético.

Mariquita Pratt bufa, derrotada. Puf.

En ese momento, Anyi Vlap-Vlap entra a la cochera.

—¿Qué haces aquí? —increpa—. ¿No estabas viendo el programa?

—Ya sabes, me dio la culpa —dice Mariquita Pratt—. Pero deberíamos regresarnos. Nos estamos perdiendo todo.

—¿Algún avance?

—Ninguno.

Se abre la reja.

Se cierra la reja.

Se abre la reja.

Entra Danilo, espantado.

Se cierra la reja.

—Ahí viene Dani —advierte Anyi Vlap-Vlap.

—Aleluya.

Se abre la reja.

Danilo camina cautelosamente adentro de la cochera. Anyi Vlap-Vlap se apresura a acercarse al LTD y toca toc toc en el vidrio, fingiendo excitación.

Se cierra la reja.

—¡Marpis! —gritonea Anyi Vlap-Vlap—. ¡Mira quién vino a verte!

✷ ✷ ✷

—BUENO, NO ME vas a creer quién está aquí, Cuki —exclama Robin.

—¿Quién? —pregunta Cuki con horror.

—¡Midyet!

Midyet sale del cuarto y un torrente de aplausos la inunda.

Cuki clava las uñas al asiento.

✷ ✷ ✷

MIDYET CLAVA LAS uñas en la silla. Observa el fido. Pol no quita el dedo de su diadema. De su propia y privada diadema.

"Bueno, no me vas a creer quién está aquí, Cuki."

"¿Quién?"

Midyet traga saliva. Se pone de pie ante las señas de Pol.

—Ahora, ven —le dice Pol y la toma del brazo.

"¡Midyet!"

Pol la empuja delicadamente y Midyet sale del cuarto alfombrado y la deslumbran las luces del estudio. Los aplausos suenan desaforados.

✳ ✳ ✳

LOS APLAUSOS NO se detienen, ni siquiera cuando Midyet se sienta en el sillón rojo en el que le dijeron que debía sentarse. Un poco temblorosa, pero entera, se clipea el lavalier al vestido.

Cuki está cagado.

Robin muestra la victoria en su cara.

Midyet, colorada. La muy güera.

—¿Y bien, Cuki, qué te parece? —interroga Robin.

✳ ✳ ✳

—¡QUÉ TAL! —grita Madre, realmente emocionada—. ¡Esa cabrona de Robin trajo a Midyet!

✳ ✳ ✳

"MIDYET", PIENSA Alo, y después se caga de la risa. La encomiable risa del tizo. Pega en la barra con el puño, y hasta ordena otra cerveza (sin importarle si el barman tiene o no cambio).

—¿Quién es esa? —pregunta el Bobby, repentinamente interesado.

—Es Midyet —dice Karen, justo al tomar asiento junto al par—. La esposa de Cuki.

—Cuki es mi hermano —comenta Alo, medio estupidizado—. Cuki es mi hermano.

—¿Entonces ella es como… mi cuñada? —saliva el Bobby.

—No son nada —aclara Karen y al tiempo toma a Alo del brazo—. Hey.

—¿Qué?

—Ven.

—Espera —pide Alo, con cerveza nueva—. Esto está bueno.

—No. Ven. En serio.

✮ ✮ ✮

—¿EN SERIO ES tu cuñada? —Obe San Román destapa otra cerveza. Su cara es de incredulidad—. Guau.

—Ex cuñada —instruye Clavius.

—Man, es igualita a la Jennifer Connelly —comenta, muy rubicundo, Obe San Román.

—¿Quién es la Jennifer Connelly? —pregunta Clavius.

—La morrita de *Laberinto* —instruye Joselín Damm, de regreso del baño—. Vi un detrás de cámaras en el ocho.

—No la ubico.

—Es en la que sale David Bowie —grazna Joselín Damm.

—Ah, ya —Clavius bebe de su coctel y mira al cielo, nublado—. Parece que va a llover.

—Man, soy fan de tu ex cuñada. Es guapísima.

—Ajá —Clavius se afloja la corbata—. ¿De qué querías hablar?

✮ ✮ ✮

—¡USTEDES DOS tienen mucho de qué hablar! —exclama Robin, y el palero de la chamarra plateada arenga al respetable—. ¿Cómo estás, Midyet?

—Bien, Robin, gracias.

Cuki mueve nerviosamente la pierna. Por la situación. O por el chamorro perfecto de Midyet que se asoma entre los pliegues de la falda.

—Déjame decirte que te ves muuuuuuuuuy guapa.

—¡Gracias!

La asquerosa complicidad de las mujeres. Puaj.

—Cuéntanos, Midyet, ¿a qué te dedicas?

—Trabajo en una consultoría de información.

—Suena complicado.

—Sí, lo es.

—¿Trabajas mucho?

—Más o menos.

—¿Tal como aparece en el libro? ¿Día y noche?

—No tanto, pero sí soy una persona dedicada a mi trabajo.

—¿No tanto como en el libro? —Robin pone los codos sobre su escritorio, y finge una cara de interés ultramarino.

—No. No tanto —Midyet borra todo recuerdo de una sonrisa en su rostro.

—¿Cómo te sentiste cuando leíste sobre ti en *Pixie en los suburbios*?

Bang bang. Estás muerto.

—No muy bien.

Cuki traga saliva. Muerde calzón.

—Obviamente, todos teníamos curiosidad por conocerte. Y un poco de miedo, debo decir. En el libro pareces ser una persona feroz —risas y organillo melódico—. ¡Upsi du!

Cuki muerde saliva. Traga calzón.

—Bueno, yo no soy esa persona que describes, Robin —dice Midyet, cada vez más segura de sí misma.

—Este… —Cuki intenta intervenir.

—¿Por qué no dejamos que Midyet cuente su historia y luego te damos derecho de réplica, Cuki? —lo interrumpe Robin.

Cuki se calla el hocico.

—¿Decías?

—Yo no soy esa persona.

—Bueno, ciertamente eres más alta.

—Seguro —Midyet suelta una risita nerviosa y retoma el hilo—. Por ejemplo, mis padres murieron hace muchos años y en el libro dice que mi padre es el senador Halliburton, a quien lo mencionan despectivamente, por cierto, pero él en realidad es mi tío.

—No sabíamos que eras huérfana, Midyet. Lo siento mucho.

—No importa, pasó hace mucho —Midyet descruza la pierna y cruza la otra. Cuki arquea las cejas y bufa en el proceso. Puf—. El caso es que me dio mucha tristeza haber leído todo eso.

—Eso —Robin toma un lápiz y la señala con éste—. Cuéntanos cómo te sentiste.

Close up y silencio en el foro.

—Triste. Un poco perdida… enojada. Muy enojada. *Realmente* enojada.

—Yo…

—Un segundo, Cuki —Robin vuelve a interrumpirlo—. ¿Qué más te molestó del libro, Midyet? En verdad me estás asustando, chiquilla.

Los parroquianos en el graderío murmuran, nerviosos.

—Me molesta que la gente se quede con una idea equivocada de lo que pasó en nuestra relación, que piense que yo fui la mala o me quedé ardida —el tono de Midyet es crudo y áspero—. Y todo el asunto de Pixie, claro.

—Pixie —remata Robin con un tono misterioso, y voltea a la cámara—. No se vayan, amigos, vamos a comerciales y en un segundo regresamos para hablar de esta extraña Pixie.

Movimiento en el estudio. Los corifeos orientales. El enano. El cancro. Robin examina sus cartulinas y no le pone atención a los invitados. Como si no existieran. El floor manager arregla algo en el lavalier de Midyet. Cuki ve hacia el suelo. Se talla los ojos. Salir de aquí, piensa. Huir. Pero Oddjob lo observa de cerca. Srita. Topisto también, un poco aterrorizada. El público murmura. Cuki no se atreve a dirigirles la mirada.

La culpa. La culpa que corroe.

En cierto punto, Midyet y Cuki voltean a verse.

En silencio.

El supremo silencio. El silencio de los que antes hablaban de todo y ahora no hablan de nada.

No pueden.

★ ★ ★

—NO PUEDO.

Esa es la respuesta de Danilo al salir de la cochera.

—¿Cómo que no puedes? —le grita Debbie Jay.

—No, no puedo.

—¿Qué te dijo?

—Puras cosas… raras. No entendí nada.

—Ash —Debbie Jay se mete a la cochera. Encara a Marpis y golpea en la ventanilla—. ¿Qué caraxos pasa contigo, eh?

—¿Para qué traen a ese idiota?

La voz de Marpis, ahogada, detrás del vidrio.

—¡Es tu esposo!

—¡Yo no necesito esposo!

—¡Eres una loca!

—¡Y tú una insensible!

—¿Qué?

Sorprendida, Debbie Jay se echa para atrás. Anyi Vlap-Vlap llega corriendo.

—¡Debbie!

—¿Qué? —voltea Debbie Jay, realmente encabronada.

—¡Es Midyet!

—¿Cuál Midyet?

—¡Midyet! ¡La ex de Cuki! ¡Está en el programa!

—¿Midyet? —Debbie Jay parece reaccionar—. ¡Midyet!

—¡Sí, Midyet!

Huyen a trote.

Marpis se queda sola. De nuevo.

"¿Quién es Midyet?", se pregunta.

—PIXIE. ¿QUIÉN es Pixie?

Esa es Robin. Los presentes en el estudio se han puesto en hold, en una pausa indefinida, en completo silencio.

Midyet, ya en control, con la pierna muy cruzada, se recarga contra los brazos del sillón rojo y comienza:

—No lo sé. No la conozco.

Ruido en el estudio. Robin no puede impedir sonreír. Finge estar concentrada en una de sus tarjetas, y luego dispara:

—¿Cuki?

Cuki respira hondo. Replica, corrosivo:

—¿Qué?

★ ★ ★

—¿QUÉ TRAES? —es la pregunta de Alo, violentamente arrastrado por Karen a través del antro, pasando las barras, a los parroquianos bailando y hasta una escalera. Bajan atropelladamente, chocan con dos yonquis, dan vuelta en la esquina, abren una puerta y finalmente se ven en un lote medio vacío.

Un lote medio vacío.

Hay algunos autos. Alo reconoce uno de ellos. Un Súper Bee. Con un plástico cubriendo el vidrio trasero.

—¿Qué hacemos aquí? —la interroga de nuevo, pero Karen sólo se limita a mostrar las llaves del Súper Bee.

El viento de la tarde sopla. Nubes.

—Tenemos que hablar.

—¿Ahora? ¡Pero está Cuki en el fido!

—No importa —Karen lo lleva hasta el coche, lo abre y arroja a Alo en el asiento trasero.

—¿Qué haces?

—Déjalo ir, muchacho —dice Karen, metiéndose junto a él y cerrando la puerta.

—¿Por qué?

$$\star \, \star \, \star$$

—¿QUÉ? —IMITA Robin, completamente poseída de su chow—. Es tu derecho de réplica. ¿No tienes nada que decir, Cuki?

—No sé —es la parca respuesta de Cuki.

—¿Quién es Pixie?

Bang bang. Estás muerto. Otra vez.

—Pixie no existe —declara Midyet, fuerte y claro.

Silencio en el estudio.

El floor manager: "No mames".

Srita. Topisto, cagada.

La flaca de la diadema, en el ácido.

—¿Perdón?

—Pixie no existe, Robin.

—¿De dónde salió, entonces?

—Estábamos en un mol. El día que Cuki y yo empezamos a andar —Midyet se mueve un churro de copete que le molesta en la frente—. Ese día Cuki me dijo Pixie. Y ya.

—¿O sea que Pixie es un apodo?

—Noooo —Midyet ensaya un tono de desesperación—. Yo soy Pixie. La Midyet que ven en el libro soy yo. Sin todos los detalles grotescos, pero soy yo. Intransigente, controladora,ególatra, narcisista y adicta al trabajo. Y también soy Pixie. Todo lo que menciona que hizo con Pixie, en Monclova, en las comidas y las cenas, en los viajes, todo, todo eso lo hizo conmigo. El romance, la forma en que nos conocimos, las maneras que tuvimos de separarnos y regresar, mis ausencias, mis obsesiones y las suyas. Todo. Yo soy esa. Yo soy Pixie.

Bang bang bang. Tiro de gracia.

Silencio.

✦ ✦ ✦

MADRE, boquiabierta.

Mariquita Pratt, Debbie Jay, Anyi Vlap-Vlap, Marvik, el Óstin, Joselín Damm, Clavius, Obe San Román, el resto de los asistentes a la fiesta en casa de los Randyson, el florero, los meseros, el control remoto, el piso de adoquín, los hielos derretidos, las plantas moviéndose por el aire de la tarde, las nubes de lluvia que se están formando en el cielo, todos boquiabiertos, todos mudos.

Silencio.

✦ ✦ ✦

CLAVIUS NO dice nada. Una extraña compasión lo arropa, y luego, una sacudida en el estómago y la garganta. Hace mucho que no llora. Sólo mira el fido, sin decir nada. Contiene las ganas de llorar.

Obe San Román y Joselín Damm no hablan de nada. Extrañados y sorprendidos, voltean a ver a Clavius.

Sus ojos están húmedos, pero no sueltan una sola lágrima.

✦ ✦ ✦

MARPIS LLORA, sin saber por qué, adentro del LTD. Se arroja contra el volante y ahí se recarga. Llora amargamente. Llora y aúlla. Como cuando parece que han abierto la llave del cielo, como cuando el hueco de la ausencia es más intenso que cualquier cosa, como cuando todo lo que has hecho no ha servido para nada, como cuando te arrancan algo que era parte del mundo y el mundo ya no es igual sin eso. Aprieta el botón del control remoto. Cierra la reja. Deja caer el remoto en un hueco entre los asientos. Y ahí se va, ahí se pierde, el remoto. La oscuridad la toma. Afuera, el sonido del trueno. Va a llover. Y ella llora. Llora. Llora. Con todo lo que tiene. A todo lo que da.

★ ★ ★

CON INTENSIDAD, con una rabia y una pasión extrañas y horrendas, Karen besa a Alo, le mete la lengua, toma su pene y lo estruja, se le encima y lo apachurra. Alo se hace a un lado, asustado. La empuja y se reclina contra el asiento de cuero. Respiran pesadamente. No dicen nada, sólo se miran. Alo se estremece y soba sus brazos. Ve la leyenda "Copyright" en la playerita. No entiende un caraxo. El Paiki Que Vive Adentro De La Cabeza De Alo observa todo desde afuera. Mudo.

Karen se pasa al asiento del copiloto, como borracha, casi golpeando a Alo con sus pies, y cae pesadamente, de nalgas. Prende el radio.

Suena algo de Boomtown Rats. "The silicon chip inside her head gets switched to overload." El Súper Bee tintinea. Tin tin. Tan tan. Karen canta un poco y luego suelta dos risitas y luego se pega, violentamente, a la ventanilla. Apaga el radio. Soba su mechón rosado. Voltea a ver a Alo, quien le regresa la mirada con una extraña mezcla de amor y asco. El horror. Karen comienza a sollozar. Un lloriqueo ahogado, soso. Raro. Se limpia los mocos con el antebrazo. Mira de nuevo a Alo. Él no le ha quitado los ojos de encima. Así pasan un rato, sin hablar de nada ni de nadie.

★ ★ ★

CUKI NO HABLA. Sólo cruza los dedos de las manos, y ve hacia el frente. Como un yogui. En silencio. Cara de piedra. Tenso.

—¿Tienes algo que decir, Cuki?

Esa es la primera pregunta de Robin.

Cuki no dice nada.

—¿Por qué inventaste a Pixie, Cuki? Creo que eso es lo que queremos saber todos.

Esa es la segunda pregunta de Robin.

Cuki no responde.

Nada.

Actúa como si estuviera solo en el mundo.

Nada.

Solo.

✲ ✲ ✲

ESTOY EN UN cuarto, mirando el chow, en silencio, calladito.

Pol abre la puerta.

—¿Hank?

✲ ✲ ✲

—YA QUE CUKI no quiere decir nada —comienza Robin—, ¿por qué no nos cuentas de Hank, Midyet?

—¿Hank?

Cuki parece reaccionar.

—Sí, Hank. En el libro es el nombre simbólico que Cuki le pone a tu trabajo, ¿cierto?

—Así es —Midyet titubea—, pero como te decía, aunque sí soy muy dedicada a mi trabajo, de ninguna manera/

—¿Pero Hank no es una persona real?

Esa es Robin, interrumpiendo de nuevo.

—¿Perdón?

—Sí, Hank —Robin revisa sus tarjetas—. Te voy a ahorrar la molestia de responder, querida. Fíjate que hicimos un poco de investigación que, como sabes, es la base de este programa, y encontramos a un Hank. ¿Curioso, no?

Midyet tiembla.

—Un Hank —prosigue Robin— que estudió con Cuki en el Tecnológico. De hecho, tengo entendido que se conocen desde niños. Eran vecinos.

Cuki arquea las cejas.

—Y parece que incluso vivió con Cuki mientras estuvo en Saltillo. Fueron rumeits. Antes de casarse contigo, claro.

Midyet no dice nada. Simplemente cruza los dedos de las manos. Cuki se encoge de hombros.

—Pues Hank está aquí —platillos, clarinete y trompetas, el

palero de la chamarra plateada parece devolverle la vitalidad a los parroquianos del público, quienes atinan a aplaudir mientras aparezco por una de las mamparas, arrastrando los pies, sobándome la barbilla, soportando el aguijón de Midyet y la mirada odiosa de Cuki. Me siento en el tercer sillón rojo, junto a Midyet, la hermosa, la única y auténtica causa de mis desvelos y de los de miermano Cuki.

Estoy en medio de ambos, una vez más.

Silencio.

Digo, el estudio es un reverendo desmadre, pero para mí es como estar en la zona del silencio.

En el ácido.

Bang bang, estoy muerto. Y todavía no digo nada.

—Hola, Hank —saluda Robin—, ¿cómo estás?

—Bien, gracias —respondo.

—¿Por qué no nos dices a qué te dedicas?

—Yo no me dedico a nada. Soy un paiki.

—Un paiki. Qué interesante. ¿Pero qué es eso? —Robin parece tomar el audífono que reposa en su oído, y escuchar algo.

—Un paiki es…

—¡Vamos a comerciales! —me interrumpe bruscamente—. De regreso en nuestro último bloque vamos a desentrañar la verdad —agudiza la voz—, y nada más que la verdad, detrás del libro *Pixie en los suburbios*, que nuestros amigos de Editorial Francine-Gladys le regalan el día de hoy a los primeros cinco amigos del público que llamen desde casita al teléfono que está en pantalla. ¡Volvemos!

Clic.

Se repite la secuencia. Corifeos orientales. Cancro. La flaca de la diadema corriendo por todos lados como desquiciada. Srita. Topisto, agitando las manos, tratando de sacarle a Cuki alguna expresión. Los parroquianos en las gradas parecen muy entusiasmados con el misterio, y me barren de pies a cabeza. No entienden nada, claro. No han leído el libro. Creen que soy un tercero en discordia. Y tienen razón.

Cuki, Midyet y yo no platicamos de nada. Al menos hasta que rompo el hielo:

—Hola Midyet.

Nada. Carraspeo y me dirijo a Cuki.

—Man.

Cuki duda un segundo, y luego dice:

—Qué pedo.

Otro silencio. Pregunto:

—¿Cómo me veo?

—De la verga.

—Tu mamá.

✯ ✯ ✯

MADRE SE LEVANTA, emocionada. Como con prisa.

—¿A dónde va? —pregunta Anyi Vlap-Vlap quien, como el resto de las dos toneladas de parroquianos en la terraza de los Randyson, está pegada al fido.

—¡Voy al baño! —corre de puntitas—. ¡Esto está buenísimo!

✯ ✯ ✯

—MAN, ESTO ES intenso —exclama Obe San Román.

—Ajá —dice Clavius, muy serio—. Parece que le ponían el cuerno a mi hermano.

—Futa —dice Obe San Román—. Esto es material como para un programa del fido.

—Güey, es un programa del fido —señala Joselín Damm.

—Estoy haciendo una ironía, pendejo —Obe San Román toma la licuadora de la barra—. ¿Alguien quiere algo?

—Yo voy a mear otra vez —anuncia Joselín Damm.

—¿De qué querías hablar? —interroga Clavius, mirando fijamente a Obe San Román.

—¿Qué?

—¿Que de qué querías hablar?

—Ah. Y… nada importante.

—¿Nada importante? Hace rato parecía muy importante.

—Ya no me acuerdo —Obe San Román toma una botella—. ¿Te gusta el vodka?

—No —Clavius se recarga contra la barra—. ¿Qué me quieres decir?

(…)

—No sé por dónde empezar.

Se quedan callados. Obe San Román, perdido en la etiqueta de una de las botellas, Clavius buscando su mirada.

Joselín Damm llega del baño.

Siente la gélida atmósfera. Clavius se acerca a la barra. Apaga el fido.

—¿Quieren que me vaya?

—ME VOY —anuncia Alo, esforzándose por salir del Súper Bee—. Tengo que ir a casa. Este no ha sido un buen día.

—No, no te vayas —Karen se apresura y coge la manija de la puerta—. No te puedes ir.

—¿Por qué?

—Porque no hemos terminado contigo.

Alo se rasca la cabeza. Piensa en su bolsa de Aurrerá. La bolsa, dónde dejé la bolsa. El saco, tengo que ir a dejarlo, me van a cerrar, y el saco/

Rewind.

Su mente regresa a la última frase de Karen.

"Porque no hemos terminado contigo."

¿Cómo?

Se voltea y la enfrenta.

—¿Quiénes no han terminado conmigo?

Karen, sujetando la manija. Alo, en el asiento trasero.

La puerta por la que salieron del antro se abre.

El Bobby y otros tres cabrones en el lote.

Cara de pocos amigos.

Comienza a llover. Poco a poco.

Karen los saluda. Señala a Alo con los ojos y las cejas.

EL FLOOR MANAGER señala con su dedo a Robin. La música arranca y el logotipo aparece en pantalla.

Robin respira, aletargada. Un poquito más. Y a descansar, al menos por hoy.

—¡Upsi du! ¡Estamos de vuelta para nuestro último bloque!
—Robin despierta y se deja ir sobre mí—. Hank, ¿cómo conociste
a Midyet?

—Conocí a Midyet por Cuki.

—¿Y cómo se conocieron ellos?

—En una fiesta.

—¿Tú estabas ahí?

—Yo estaba ahí.

—O sea que no se conocieron, como dice en el libro, en un
cine…

—Bueno, lo del cine sí pasó.

—¿Ah, en serio?

—Sí.

—¿Cómo era la relación de ellos dos?

—Rara.

—¿Puedes ser más descriptivo?

—Primero ella no quería nada con él. Luego él insistió. Después, Midyet iba al departamento de Melrose casi todos los días. Al
final se casaron. Ellos se quedaron en Saltillo y yo me vine a Naucalpan.

—¿Estuviste en la boda?

—Sí.

—Ahora bien —Robin toma sus tarjetas—, algo que me intri-
ga es la manera en que Midyet y tú empezaron a relacionarse…

Cuki para la oreja.

—Que quede claro que él y yo nunca tuvimos nada que ver
—brinca, de la nada, Midyet.

—Bueno, fuimos a Vegas —explico calmadamente, sin hacer
caso del último comentario—. Ellos me invitaron.

—¿Los tres? ¿Tú, Midyet y Cuki?

—Sí. Los tres.

—¿Y qué pasó ahí?

—Midyet y yo… bueh, nos hermanamos.

—¿Cómo es eso?

—Yo no sabía por qué me habían invitado a Vegas —me enco-
jo de hombros—. Es decir, yo vivía ya en Naucalpan y tenía tiempo
sin saber de ellos, y de repente me invitan a un viaje. Y a Vegas. ¿No
te parece raro?

—Muy raro. ¿En qué momento se "hermanaron"? —Robin actúa las comillas.

Cuki parece interesado en mi relato. Realmente interesado.

—En el aeropuerto, de regreso —digo, sin pelos en la lengua—. Hasta ese momento supe cuál era el interés de Midyet en invitarme a Vegas.

—¿Y cuál era?

—¡PUES PONERLE los cuernos! —exclama Madre, de pie, frente al fido—. ¡Esa desgraciada!

MIDYET ME OBSERVA con temor. Pero no tiene nada de qué preocuparse. No voy a decir absolutamente nada.

—Ella necesitaba hablar con alguien —digo.

Robin parece no entender mi respuesta.

—¿Puedes ser más descriptivo?

Cuki me ve con extrañeza.

Creo que todos me ven con extrañeza.

—Miren, es muy simple. Todo este asunto es más simple de lo que parece.

—Instrúyenos —reta Robin, y se cruza de brazos.

—¿Nunca les ha pasado que quieren algo con muchas ganas y cuando lo tienen no saben qué hacer? Bueno, eso fue exactamente lo que le pasó a miermano Cuki. Él quería a una mujer como Midyet, y cuando la tuvo, se xodió. Porque no supo qué hacer con eso que tenía.

—Man, eso es lo que ella decía —despierta, al fin, Cuki.

—Ella no decía eso —replico.

—No, sí decía eso. Decía que estaba demasiado loca y que no podía tener una relación porque siempre echaba a perder todo.

Robin escucha la discusión con interés.

—Midyet está loca, es hipocondriaca y no duerme por las noches —regreso con Robin—. Eso es un hecho. Pero me consta que lo quería. Y al decir "lo quería" me refiero a que quería "todo" con él. Pero él no puede tener "todo" con nadie. Es un paralítico emocional —señalo a Cuki—. Y cuando uno es un paralítico emocional, llega un punto en el que no puede seguir adelante. Se pasma.

Cuki me observa. Sólo me observa.

—¿Qué quieres decir con todo esto? —pregunta Robin.

—Que Cuki lo echó a perder. Cuki lo estaba echando a perder, día a día. Por eso Midyet me buscó. Necesitaba hablar con alguien.

—¿Qué quieres decir con que lo echó a perder?

—Con sus obsesiones y sus neurosis y su idiota inconformidad. Lean el libro. Las únicas partes honestas son en las que él se describe. Necio e idiota. Por eso lo despidieron de su trabajo.

Midyet asiente con la cabeza.

—No hubo accidente ni hubo nada. Ella lo corrió de su casa. Simplemente porque Cuki no sabe comprometerse. No sabe darse a nadie.

Puf.

—¿Es cierto que te echaron de tu casa, Cuki? —interroga Robin, medio pasmada.

Cuki no dice nada.

—¿Midyet?

—Sí, yo lo corrí.

—¿Por qué?

—Casi no hablábamos. Y cuando lo hacíamos era para recordarnos todas las razones por las que él no podía estar con nadie y cuánto odiaba habernos casado.

—Midyet es una mujer increíble —intervengo—. Es la mejor. Es hermosa y es inteligente, y también es exitosa. A veces es Pixie, y a veces es Midyet. Y Cuki lo echó a perder.

Robin se inclina, picarona:

—Suena a que estás enamorado de ella, Hank.

La audiencia ríe. Ya saben, de esas risas nerviosas. Yo no río. Sólo respondo, parco:

—¿No es obvio?

—¿Y me dices que Midyet y tú no tuvieron nada que ver?

—Nada que ver. Pura amistad.

Midyet me mira con dulzura.

—¿Ni una aventurilla? —pregunta Robin, decepcionada.

—Ni una sola.

En medio de los aplausos y la rechifla, Cuki golpea en los brazos del sillón, desaforado, y enfrenta a Robin:

—¿Ahora resulta que yo soy el idiota disfuncional y estos dos sólo dos buenos amigos que siempre se portaron bien?

Frío cáustico. El viejo y estarrio frik.

—¿Qué estás diciendo, Cuki? —pregunta Robin—. ¿Que Midyet te fue infiel con Hank?

—Claro que sí.

—¿Puedes comprobarlo?

Midyet se tapa los ojos.

De nuevo reina el silencio en el foro. Cuki respira hondo y dice, derrotado:

—Sí. Bueno… no.

El floor manager comienza a hacer señas. Se acaba el tiempo.

—Ahí lo tienen, queridos amigos —Robin voltea a la cámara—. ¡La indecisión de un escritor!

—¡Esto es una injusticia! —Cuki se levanta, amenazador, y el floor manager le hace señales como loco al director de cámaras. Movimiento en la cabina. Me imagino que así es cuando un invitado empieza a escupir sandeces— ¡Esto es una reverenda mamada! —me encara—. ¡Y tú eres un cabrón mentiroso! ¡Te la cogiste en mi cara!

El floor manager le pide a Robin que corte ya. ¡Ya!

—¡Se acabó el tiempo! —Robin se dirige de nuevo a la cámara y trata de sonreír al tiempo que Oddjob y otro gorila de seguridad contienen a Cuki—. ¡Muchas gracias por acompañarnos y esperemos tener de nuevo a nuestros invitados del día de hoy…

Oddjob sujeta a Cuki quien, prensado y todo, alcanza a soltarme una patada. La esquivo y me hago para atrás. Midyet se levanta, asustada y pasoneada. El palero de la chamarra plateada se apura a animar a los parroquianos.

—…para concluir con este tema que ha resultado más apasionante de lo que esperábamos! ¡Todos los ganadores de los libros no olviden presentarse en nuestras oficinas…

Midyet se hace a un lado. Cuki está hecho una furia. En medio de la pelotera, un gorila de seguridad me empuja y caigo detrás de los sillones rojos. Veo la situación desde el piso. Entra el tema del programa. El palero de la chamarra plateada baila una especie de break-dance y se hace el chistoso. Los gorilas llevan a Cuki tras bambalinas, gritando cosas ininteligibles.

—…con una identificación oficial vigente a partir de mañana de cuatro a seis de la tarde! ¡Gracias y hasta la próxima!

Me levanto. Robin se quita el lavalier. Los gritos de Cuki se escuchan detrás de las mamparas. Midyet es acosada por la flaca de la diadema. Robin se abre paso, seguida por los corifeos orientales y el enano, y llega hasta ella.

—Muchas gracias por venir —le da un apretón de manos al tiempo que comienzan a caminar hacia afuera—. Fue uuuuuuun placer. Espero que se repita.

—Yo espero que no —es la respuesta de Midyet.

—¡Claro! —Robin sonríe falsamente y desaparece por los pasillos del canal 127-B.

Midyet se queda sola. Está cansada. Quiere quitarse el vestido, desmaquillarse, escuchar el buzón de voz de su oficina, salir huyendo de Naucalpan.

De repente, aparece Cuki, sujetado por Oddjob. Frente a frente.

Se miran en silencio.

Una música los toma. Una música cadenciosa, apagada, gris.

★ ★ ★

NADIE DICE NADA en casa de los Randyson. Siguen pasmados frente al fido. Comienza a llover. Parece que esa es la señal para que regrese la actividad.

—Tenemos que ver a Midyet —dice Madre y le truena los dedos a un mesero—. Tráeme el teléfono.

—Un triste tomate —dice Mamá Randyson.

Madre dice que hay que organizar una cenita y que hay que ordenarle al chofer que recoja a Midyet en el canal. Le dan el teléfono. Llama al estudio. Después de tres intentos, logra hablar con la flaca de la diadema, la misma con la que había arreglado previamente todo lo de Cuki. Le pasa a Midyet. Le ordena, en el tono que sólo Madre puede tener, que el chofer del canal la va a llevar a su casa y que no se mueva de ahí.

✵ ✵ ✵

OBE SAN ROMÁN está completamente paralizado.

—¿No sabes por dónde empezar qué?

El tono de Clavius es angustioso.

—Lo que tengo que decirte.

—¿De qué se trata?

—Caraxo —Obe San Román se jala los pelos—. No sabes cómo quisiera que estuviéramos hablando del clima o cualquier otra pendejada.

—¿Y por qué no hablamos del clima o cualquier otra pendejada?

—Es que sé que Debbie jamás te lo va a decir. Uno de los dos tiene que hacerlo.

(...)

—Lo que sea —Clavius traga saliva—, lo que vayas a decir, dilo ya.

—Creo que sí —Obe San Román eleva la mirada. Las nubes de lluvia se ven realmente amenazantes. A punto de estallar.

—Vamos, estoy ansioso.

—Es que no soy de palo, Clavius.

—¿Eso es lo que me querías decir?

—Y bueno, ella tampoco —Obe San Román se sirve un trago, tequila derecho, y se lo empina como va—. A veces necesitamos alguien con quien hablar, ¿sabes? A veces dos personas necesitan alguien con quien hablar.

(...)

—¿De qué estás hablando?

—De eso.

—¿Qué es "eso"? ¿Tú y Debbie?

Obe San Román muerde calzón.

—Ajá.

Clavius se sienta. Suspira. Toma un cancro. Lo enciende. Fuma. Obe San Román lo mira un segundo y luego se sirve otro trago.

239

—¿Y ahora qué hago? —dice Clavius—. ¿Matarte?

—Una madriza es más que suficiente.

—¿Y nuestra amistad?

—¡Ah, no! —Obe San Román sacude las manos—. Nuestra amistad no está en juego, eso no tiene nada que ver.

—¿Nada que ver? ¿Después de que te la has estado cogiendo?

—No tienes que ser tan gráfico —Obe San Román extiende la palma de su mano. Comienzan a caer unas gotas—. Sólo fue una noche de ceguera.

—Eres un gran hijo de puta.

—Perdóname, Clavius —lo abraza—. Tú eres como mi hermano.

—Chinga tu madre —Clavius se aparta a la fuerza—. ¿Cuántas veces?

—Sólo una. Te lo juro.

—¿Seguro?

Los ojos de Clavius son como dagas.

—Pues… —Obe San Román se soba la barbilla, agachando la cabeza. Atina a levantar los ojos, sólo los ojos—. ¿Tres?

—¡Tres!

—Algo así.

—¿Qué quiere decir "algo así"?

—Es que ya no me acuerdo.

—¿Cuántas veces pasó? —Clavius se levanta y toma a Obe San Román de los brazos y lo zarandea.

—¡No sé! ¿Ocho?

—¿Por qué me preguntas a mí?

—¿Doce?

—Eres un hijo de puta —lo suelta y vuelve a sentarse.

—Vale, vale, más de veinte. Fueron muchos fines de semana.

—Qué hijos de puta —susurra, derrotado.

—No va a volver a pasar —Obe San Román levanta la mano izquierda, a manera de juramento—. Puedes contar con eso.

Clavius se imagina a Obe San Román y su esposa cogiendo. Lo imagina a él enorme, y a ella llorando y gimiendo, gozosa. Piensa en la sangre fría. En lo que se necesita para tener sangre fría. Piensa en cómo cambió todo en minutos. En cómo puedes estar parado en un lugar y en cuestión de minutos, e incluso segundos, verte completamente en otro escenario. Todo va a cambiar, se dice a sí mismo. Pero sigo siendo un payaso.

Se pone de pie. Toma su saco. Lluvia.

—¿A dónde vas?

★ ★ ★

—¿A DÓNDE? —pregunta el Bobby.

Alo ha salido ya del Súper Bee. El ruido de las gotas, plop plop plop, cayendo sobre sus hombros. Ve a los lados. No hay salida. Oh no, piensa. Bobby y los tres cabrones se acercan.

Los golpes varían en intensidad y colocación. El inaugural es un tubazo en la clavícula izquierda que cae ahí sólo porque Alo mueve la cabeza a tiempo. Algo choca contra sus piernas, contra sus espinillas, contra su cara, contra su cuello y después siente que lo toman de la espalda. Le arrancan unos pelos, y casi le rompen la playera. Cae al suelo.

Karen grita, como una burda aficionada en ringside: "¡Putéenlo, que sepa lo que se siente!" En el suelo, Alo siente las patadas, los tubazos y los golpes en la cara, algunos con el puño cerrado y otros con toda la mano. Instintivamente, se coloca en posición fetal, pero es imposible. Aquello ya duele bastante.

Finalmente, siente a alguien treparse en él. Es el Bobby, o al menos eso observa desde su posición. Luego, los puños del Bobby. Después de los primeros tres moquetes, las mejillas y la nariz se le duermen. Un dolor seco, ahogado. ¿Es eso sangre? ¿Es esa mi sangre?

¿Cuándo fue la última vez que alguien te hizo sentir bien? ¿Cuándo fue la última vez que te dijeron un piropo? ¿Que elogiaron tu trabajo? ¿Que te dieron una palmada en la espalda? ¿Que alabaron lo limpio que dejaste el auto? ¿Que te dijeron lo orgullosos que están de ti por haber pasado un examen? ¿Cuándo fue la última vez que te recibieron con una sonrisa al llegar a casa? ¿Que te dijeron "qué bien te lucen esos zapatos", o "qué bueno que te cambiaste el corte de pelo. TE VES MEJOR"? ¿Cuándo fue la última vez que alguien te escribió una nota encantadora y la dejó en tu portafolios, en el monitor de tu computadora, en el limpiaparabrisas de tu auto? ¿Cuándo fue la última vez que te agradecieron que regresaras a la butaca cargando una bolsa de palomitas y un refresco? ¿Cuándo fue la última vez que alguien te dijo que te necesitaba? ¿Que te hicieron ver que eres importante? ¿Que sin ti el mundo no sería el mismo, que estaría incompleto? ¿Que podrás ser imperfecto pero que para esa persona eres sublime?

Un escupitajo final. De Karen.

—No me vuelvas a poner un dedo encima, hijo de puta —le dice.

El Bobby la abraza y se mete con ella al Súper Bee. Los otros tres ya los esperaban ahí.

Llueve.

Run run. Adiós.

✷ ✷ ✷

DESPEDIRME. Sin decir nada. Simplemente desaparecer, piensa Marpis.

Se seca las últimas lágrimas. Decide que ya no va a llorar. Hacer algo.

Mira las llaves del LTD. Pegadas al motor.

✷ ✷ ✷

CLAVIUS TOMA las llaves de la Wagoneer. Las aprieta con furia. Camina a paso rápido de la alberca a la carpa. No le importa mojarse. Llega a donde habían estado viendo el fido las mujeres. Hay poca gente. Ni una señal de Madre. Pero su esposa está ahí.

Debbie Jay lo mira con desconfianza. Clavius le dice, casi le grita:

—¡Vámonos!

✷ ✷ ✷

—NO ES BUENO que te quedes aquí, Alo —le susurra la vocecilla—. Vamos.

Lo ayudan a levantarse. Tiene un ojo cerrado, completamente hinchado. Llueve intensamente. Trastabillando, se apoya en los hombros de la dueña de la vocecilla y entra en un auto. Afuera está El Paiki Que Vive Adentro De La Cabeza de Alo.

—Sabía que esto iba a pasar —dice, sardónico, del otro lado del vidrio.

Alo se acuesta contra el asiento trasero.

—Y ahora te vas en este coche, con unos desconocidos —dice El Paiki—. Deveras que eres idiota.

Cállate, piensa Alo. Cállate ya.

El auto arranca. Run run.

El Paiki se aleja en el horizonte hasta desaparecer. Run run.

Quien conduce no es la vocecilla. Lo descubre porque se asoma desde el asiento del copiloto. La dueña de la vocecilla es Belynch.

—Vas a estar bien —dice—, todo va a estar bien.

Se toma de las costillas. El dolor, agudo. Puf. Traga saliva. Ahh. El dolor.

—¡Mira! —Belynch se asoma de nuevo y le muestra la bolsa de Aurrerá—. Te traje esto, sé que es importante para ti —estira el brazo y le soba el rostro sangrante—. Todo va a estar bien, ya verás.

★ ★ ★

—Está bien, es tu suegra —le dice la flaca de la diadema, pasándole el auricular.

Midyet se hace a un lado, harta. La gente entra y sale de aquel cuarto. Todos neuróticos. Todos a mil kilómetros por hora. Primo Perfecto, que ya lleva un rato ahí, junto a ella, hace las veces de paraguas, defendiéndola de codazos y pisotones impertinentes. Él también está hasta la madre.

—¿Puedo cambiarme primero? Estoy realmente incómoda —dice Midyet.

—Por favor toma la llamada —la flaca de la diadema insiste, y tapa la bocina—. Está lo que es muy necia. Ha hablado varias veces ya.

Midyet suspira. Toma el teléfono.

—¿Bueno? —asiente con la cabeza y sonríe parcamente—. Bien, señora, gracias… sí, gracias… yo, pensaba ir al hotel y… no, gracias, en serio… no se moleste, deveras —eleva los ojos, y la gente sigue entrando y saliendo del cuarto—. No, por favor, no es necesario… ¿ya lo arregló? Bueh —se sienta, abatida, en el mueble del maquillista—, está bien. Sí, está bien… el chofer, okey, que me lleve el chofer del canal… ya lo arregló, okey, lo veo afuera… sí, un beso, nos vemos al rato… okey, un beso… bye… un beso, bye.

Midyet se queda un rato ahí sentada, mirándose en el espejo. La flaca de la diadema, increíblemente, parece no hacer nada. Está recargada en el mueble del maquillista, como si le hubieran quitado las baterías. Midyet piensa en Cuki. En cómo salió corriendo y acabó con su breve encuentro tras bambalinas. En dónde estará, se pregunta.

Aparece Srita. Topisto. Los saluda con una sonrisa falsa.

—¿No han visto a Cuki?

Midyet se encoge de hombros.

—No.

Malhumorada y nerviosa, Srita. Topisto se dirige a la flaca de la diadema:

—¿Tú no has visto a Cuki?

—¿Mmm?

—Que si no has visto a Cuki.

La flaca de la diadema se quita la diadema. Cruzándose de brazos, respira hondo antes de preguntar:

—¿Quién?

Noche

CLAVIUS

no dice nada. Debbie Jay no dice nada. Así pasan un buen rato. Al menos hasta que la Wagoneer dobla en la esquina de Rex y Margot:

—¿En qué piensas?

Una breve pausa. Piensa: "Puedes haber terminado con el pasado, pero el pasado no ha terminado contigo". Y luego dice:

—¿Yo? —voltea súbitamente Clavius—. En nada.

—Ah.

Otra pausa.

—¿Seguro?

—Sí.

—¿Segurísimo?

—Ajá.

En el radio suena *Eye in the Sky*.

—¿Quieres que me calle?

—No sé.

—¿Por qué vienes así?

—¿Cómo?

—Así.

—¿Así cómo?

—Así de mamón.

—No sé. Será el whisky.

Silencio.

—¿Por qué estabas enojado?

—Un arranque. A lo mejor.

—Mmm. Sigues enojado

—No, para nada.

—Estás enojado.

—No, cómo crees.

—Sí estás enojado.

—¡Que no! —Clavius pega en el volante—. ¡Ya te dije que no estoy enojado!

Pausa.

—Entonces quita esa carota —Debbie Jay mira por afuera de la ventana. Enfrente, el Lyndon B. Johnson. Copado. Una gran fila de autos. Una gran fila embotellada.

(…)

—No tengo ninguna cara.

—Ajá.

—Es mi cara de todos los días. ¿No la conocías?

—Di lo que quieras.

—¿Quieres que me calle? —reta Clavius.

—Buena idea —responde Debbie Jay.

Y yo tengo una idea mejor, piensa Clavius.

La lluvia cae.

Fuerte.

★ ★ ★

MIDYET ODIA la lluvia, piensa Cuki. Por lo de sus papás. La lluvia es triste. Antes pensaba que la lluvia traía gente. Cuando conocí a Midyet, nada. La lluvia se lleva a la gente también. Es triste, piensa Cuki.

Corre a guarecerse. El agua le escurre por el pelo y la visera de la gorra de los Dodgers, y también por las paredes y los techos. El QuickStop. El mismo en el que estuvo en la mañana. Donde el bote de basura. Donde las prietas. Ahí, a un lado, un teléfono público. Lo ignora.

Entra al QuickStop. Pide una cajetilla de cancros. Piensa me gustan por su sabor. Paga. Se mete el cambio, billetes y monedas, en los bolsillos de los pants. Pretende salir, pero se detiene. Mejor darse una vuelta por los pasillos y ver qué llevarse. Una botella. Vodka. Toma la tarjeta. Regresa a la caja. Entrega la tarjeta. Paga. Tres minutos después le dan la botella envuelta en papel de estraza.

Sale. El bote de basura. El teléfono público. No lo ignora. Toma los centavos que le dieron. Los mete en el teléfono. Piensa podrás haber terminado con el pasado, pero el pasado no ha terminado contigo. Marca. Decidido.

(...)

—*Editorial Francine-Gladys...* —contesta la voz de un hombre.

—Con el editor Jiménez, por favor.

—*Un segundo.*

Ya salió la recepcionista. Qué hora es, se pregunta. No importa, este pendejo siempre está en la oficina.

Espera. Espera.

—*¿Bueno?*

—Bueno. Soy yo.

—*¿Quién?*

—Cuki.

—*¿Cuki? ¿Cómo estás?*

—Mal.

—*Topisto te ha estado buscando.*

—Ah.

—*¿Qué tal el programa?*

—No sé, tú dime.

Pausa.

—*Fue... inesperado.*

—Me imagino.

—*Pero lo que cuenta es la promoción del libro, ¿no?*

—Claro, la promoción es primero.

Pausa.

—*¿Estás bien?*

—No.

—*Tú sabes cómo son esos programas...*

—Es una mierda. Eso es lo que es.

Pausa.

—*No me lo tomes mal, pero Robin Simon nunca invita escritores. Los libros nunca tienen este tipo de promoción. Son libros, tú sabes.*

—A quién le importan los libros.

—*Exacto. ¿A quién?*

—Yo sé.

Pausa.

—*Bueno, ¿qué vamos a hacer con el nuevo?*

—¿Con *Miller* y *Jiménez?*

Pausa.

—*Sí.*

—No sé, tú dime.

—*Si quieres llámame el lunes y lo seguimos platicando.*

Pausa.

—Okey.

Pausa.

—*Okey. Bye.*

Pausa.

—Bye.

Clic.

No se va a detener, piensa Cuki. Esto no se va a detener.

Permanece un rato así, mirando la lluvia. Salir de aquí, piensa. Tengo que salir de aquí. Esto no se va a detener.

Encara el teléfono. Otro centavo. Marca a su casa.

Está ocupado. Cuelga. Espera unos minutos. Vuelve a marcar. Salir de aquí, sigue pensando, con el auricular en la mano. Salir de aquí.

★ ★ ★

ME METÍ PARA sacarla, piensa Marvik, sentado en un banco, el LTD a un lado. Para qué sacarla. Para qué. Respira hondo. Mira hacia el auto. Los vidrios arriba, la nariz de Marpis colorada, llorosa.

Marvik dice:

—Oye, tengo una idea.

"¿Qué?", replica Marpis sin hablar, adentro del LTD.

—Salgamos de aquí —traga saliva—. Velo como una fuga de prisión. ¿Te suena?

Marpis baja un poco la ventanilla. Se inclina hacia ésta como perro encerrado, sacando la nariz, sofocado.

—¿Como escapar de la cárcel?

—Exacto. Y estoy buscando como un… cómplice. ¿Sabes?

Marpis ríe. Sólo un poquito.

—Primero tenemos que salir de este garaje, luego de la ciudad y luego del país —dice Marvik, pegándose a la ventanilla—. ¿Le entras o no?

—Le entro.

Otra risita.

—Okey, paso por ti en una hora.

—Sale.

—Sale, bye.

—Bye.

Los dos se quedan ahí, en la oscuridad, sin decir nada. Pasa una media hora. Marvik enciende un cancro. Dos cancros. Fuma y se relaja. Se levanta, estira las piernas, silba una canción. Mira la reja. Está cerrada. Para qué sacarla, piensa. Vuelve a sentarse en el banco.

—No puedo hacer nada más —Marvik rompe el silencio—. Lo siento.

—Lo sé. Pero tú no eres el problema.

—¿Cuál es el problema?

Marpis suspira.

—Puedes decir, "hey, he roto con el pasado". Pero el pasado no ha roto contigo.

Marvik cruza las piernas.

—¿Y no lo sabías?

—¿Qué?

—Que iba a ser así.

Marpis espera unos segundos antes de hablar. Lo hace:

—No quiero nada de él. No quiero nada con él, punto.

—"Él" es tu esposo, supongo.

—¿Te puedo decir algo?

—Dime.

—Pero no tiene mucho sentido. Y es un poco idiota.

—Así son los sueños.

Belynch limpia dos heridas en la cara de Alo. Con un algodón. Y agua oxigenada. Alo, cual pachá, reposa en un sillón. Disfruta aquello. Realmente lo disfruta.

Un espacio en blanco. Luego comienza:

—Okey, el sueño es así: Karen vestida de novia. Siempre he

creído que tiene la cara de un ángel, pero en el sueño es demasiado: peor que nunca de hermosa. Peor que nunca. Está la gran iglesia, con flores y muchos invitados y el superieure detrás del altar, ¿sabes?

—Sí, me lo imagino perfecto —dice Belynch, con su vocecita idiota.

—Las manos de Karen, vírgenes. Su cara, inmaculada. Su himen, pulcro.

—¿Cómo sabes eso?

—Sólo lo sé. Así son los sueños.

—Claro.

—Cuando me arrodillo junto a ella, sé que yo soy el novio y que pronto seremos lazados —suspira—; yo, un patán, casándome con una virgen hermosa. Luego soñé la misma iglesia, la misma gente, el mismo superieure y las mismas flores.

—Ajá…

—Nada más que… un detalle ensuciaba la función.

—¿Cuál?

—Yo era un invitado más. Y en ese sueño, Karen no era virgen.

Belynch no dice nada. Luego suelta un "ja".

—Creemos haber terminado con el pasado, pero el pasado no ha terminado con nosotros. ¿Verdad?

Alo sonríe.

Por primera vez se pregunta: "¿En dónde estoy?"

★ ★ ★

—¿DÓNDE ESTAMOS?

—Ya muy cerca —dice el chofer oriental mezclado con indígena—. ¿Se norteó?

—Nunca había tomado este camino.

—Ah, es un atajo. Es que el freeway está embotellado, missy —el chofer pone el aire acondicionado—. ¿Le molesta?

—No, para nada.

Entran al country: llueve copiosamente. Cae la noche. Puta, odio la lluvia, piensa Midyet.

Se estacionan.

Freno de mano.

Motor apagado.

—Espéreme —ordena el chofer y sale corriendo de la limusina. Abre la cajuela, toma el paraguas y regresa por Midyet. Abre la
puerta. Midyet pone un pie afuera.

—¿¡Qué hacemos con la maleta!?

—¿Qué?

—¿¡Que qué hacemos con la maleta!?

—¡Que se quede aquí! ¡Seguro yo la regreso a su hotel!

Midyet asiente y corre, guarecida por el chofer, hasta la puerta de entrada de la casa de San Diego de los Padres. Entran y el chofer, sacudiéndose, dropea el paraguas en el hall. La sirvienta, perfectamente disfrazada, la saluda con una caravana.

—Buenas noches, señorita.

—Buenas noches, Paula.

—Ya viene la señora.

—Gracias.

La sirvienta y el chofer se van y dejan a Midyet sola, quitándose algo de agua que le ha quedado en el pelo lacio. Las gotas en sus
pestañas largas, en sus mejillas rosadas. En su chamarra de piel.
Revisa su bolsa de Vuitton. Todo en orden.

Observa el hall. Mucho tiempo sin estar ahí. Todo está muy
silencioso. Un teléfono, piensa. Camina toc toc y sus pasos se escuchan con eco.

Fraaaaaaaaap.

Ese es el sonido de la puerta corrediza por la que aparece Madre. Ensayando un rostro compasivo, casi trotando, llega hasta
Midyet y la abraza.

—Hija —le dice.

Midyet siente cómo la aprisiona en su abrazo. Fornido. No
hace nada. No se mueve, no dice nada. No siente nada.

Sonrisas.

Madre la suelta.

Sonrisas.

—¿Cómo estás?

—Bien, Madre. ¿Y tú?

—No tan bien. Yo no sabía nada.

—No te preocupes, yo/

—Espera, espera —la empuja hacia la puerta corrediza—, vamos a tomar algo al estudio.

—Sí.

—¡Paula! —Madre gritonea, y su voz de trombón hace eco en el hall—, ¡Paula!

—¿Madre, puedo usar tu teléfono?

—Dígame, señora —la sirvienta llega corriendo.

—Espérame —y se dirige a la Paula—, prepáranos café por favor. ¿Todavía tomas café, hija?

—¿Es descafeinado?

—Claro.

—Okey —Madre vuelve con la Paula—. Y tráete galletas o algo.

—Sí, señora.

La sirvienta se aleja.

—¿Qué me decías?

—Que si puedo usar tu teléfono.

—¡Claro! —la empuja, de nuevo, hacia la puerta corrediza. Llegan hasta ésta y la abre de golpe, fraaaaaaap—. Tú habla lo que quieras y yo ahorita vengo, que me estoy haciendo pipí, ¿vale?

—Vale.

Madre desaparece.

Fraaaaaaaaap.

De nuevo sola.

"Puedes haber terminado con el pasado", piensa Midyet, "pero el pasado no ha terminado contigo".

El estudio es acogedor. Muebles de caoba. Parquet. Y un tapete lindo. En un escritorio está el aparato. Imitación de teléfono antiguo pero con funciones de teléfono moderno. Qué nacada, piensa Midyet.

Toma el auricular. Aprieta los botones en la base. Saca un aparatejo cuadrado de su bolsa.

Ring ring.

—*Hola, estás llamando al buzón de voz Midyet Halliburton, por favor deja tu mensaje después de la señal.*

Pega el aparatejo a la bocina.

—*Hi, you've reached the voicemail of Midyet Hallib/*

Aprieta algo en el aparatejo. Clic clic. Lanza un par de tonos.

—*Buzón… contraseña…*

Marca todo lo que tiene que marcar.

—*Usted no tiene mensajes de voz nuevos.*

Decepcionada, cuelga.

Se sienta en el escritorio. Busca algo en su bolsa. Una tarjeta. Coge el teléfono. Marca.

Ring ring. Ring.

—*Marriot.*

—Buenas noches, habitación dos dieciocho.

—*Un segundo.*

Ring ring. Ring. Ring. Ring ring.

—*¿Bueno?*

—Hey, soy yo.

—*¡Hola! ¿Cómo estás?*

—Mmm. Más o menos.

—*¿Cómo te están tratando?*

—Bien. Normal —hace una pausa—. Digo, acabo de llegar.

—*Pensé que debí haberme traído tu maleta al hotel.*

—Está bien. Ellos me van a regresar. ¿Cómo está el hotel?

—*Bien. Normal. ¿Segura que todo está bien?*

—Sí.

Pausa.

—*Okey, cualquier cosa me llamas. No voy a salir. No me gusta esta ciudad.*

—Lo sé —suspira—. Okey, te veo al rato.

—*Con cuidado, un beso.*

—Un beso. Bye.

—*Bye.*

Clic.

Fraaaaaaaaap.

Madre aparece, muy espichada.

—¿Ya hiciste tus llamadas?

—Sí, Madre, gracias.

Midyet, sentada. Madre, con su mano sujetándole la barbilla.

—Qué linda eres. Siempre dije que te parecías a la Jennifer Connelly.

—Lo sé.

—Yo fui la primera que salió con eso, ¿te acuerdas?

Midyet sonríe.

—Me acuerdo.

Ring ring.

—Ash.

Ring.

—Deja que conteste la muchacha.

Ring. Ring ring. No más ring.

Las dos mujeres espectantes.

Fraaaaaaaaap.

Esa es la Paula, asomándose:

—¿Señora?

—¿Siiiiiiii?

—Es su hijo Cuki. ¿La toma aquí o le traigo el inalámbrico?

Madre hace una "O" grande con la boca. Midyet cierra los ojos.

—La tomo aquí. Tú ve a colgar allá.

—Bueno.

Fraaaaaaaaap.

Meneando la mano, Madre camina hacia el escritorio. Coge el auricular.

—Ya, Paula.

Un clic del otro lado.

—¿Bueeeeeeno?

—*Hola.*

—¿Cómo está mi estrella del fido?

Pausa.

—*¿Qué hay de cenar?*

—Bueno, ¿qué quieres cenar?

Pausa.

—*Hamburguesas.*

—Le puedo decir a Paula que te prepare hamburguesas.

Midyet se talla los ojos. Afuera, suena la lluvia. Chocando contra techos y ventanas.

—*No sé.*

—Adivina —Madre voltea a ver a Midyet, se detiene un poco y luego lo suelta—, adivina quién está aquí.

Pausa.

—*¿Quién?*

—Mejor te la paso.

Midyet hace "no no" en voz queda y sacude las manos. Madre la levanta y, a empujones, la lleva hasta el teléfono. Anda, anda. No no. Anda, anda. Sí sí.

Puf.

Coge el auricular.

—¿Bueno?

Pausa.

—*Bueno*.

—Hola.

—*Hola*.

Pausa.

—¿Dónde estás?

—*No sé*.

Pausa.

—*¿Qué haces ahí?*

—Madre me invitó a cenar.

—*Ah*.

Pausa. Una larga pausa.

—*¿Vas a estar mucho rato?*

—¿Por qué?

Pausa.

—*Podría ir. Podríamos hablar*.

Pausa.

—No sé si sea muy buena idea.

Pausa.

—Como quieras.

Pausa.

—*Sí quiero*.

—Okey.

—*Te veo al rato entonces*.

—Okey. Un beso —Midyet se estremece al decir lo último.

Pausa.

—*Beso*.

Clic.

★ ★ ★

CLIC. KAREN APAGA el fido. Suficiente por hoy. Recarga la cabeza en la almohada, dando bocanadas de aire. El Bobby, en una hamaca, se mece rítmicamente. No hace nada. La mirada perdida. Sólo se mece.

—¿En qué piensas?

El Bobby no contesta nada.

Karen cierra los ojos. Piensa en Alo. Piensa en lo que pasó al mediodía, en el antro de cervezas, y luego en el antro bizarro. Piensa que ha terminado con el pasado. Aprieta los ojos. Con fuerza.

Una turba de escolapios pasa corriendo por el pasillo. Los muy pendejos. Ya están pedos o listos para irse a la peda. Ruidosos. Karen abre los ojos. Le dedica una larga mirada al dormitorio. Es raro estar a esas horas en el campus. Y en viernes. Pero se siente cansada. Así debe sentirse cuando eres vieja, piensa. Pero todo el tiempo.

Todo el tiempo.

Dirige los ojos a la hamaca.

—¡Bobby! —grita.

—¿Mmm?

—Ven a la cama.

Lentamente, el Bobby se desliza afuera de la hamaca. Arrastra los pies hasta el colchón y se pone a un lado de Karen. La abraza por detrás. Le besa el cuello.

—Dime que me quieres —le pide Karen.

—¿Estás loca? —dice el Bobby—. No te quiero. Te amo.

Karen sonríe. Te amo es bueno, piensa. Pero un te quiero hubiera sido suficiente.

★ ★ ★

—SÍ QUIERO.

—*Okey*.

—Te veo al rato entonces.

—*Okey. Un beso*.

Pausa.

—Beso.

Cuki cuelga el teléfono. Midyet le manda besos a todo mundo, piensa. Eso no es nada raro. ¿O sí es raro? ¿Qué es raro?

Un taxi. Pronto. Arruga la bolsa con la botella de vodka.

Mira la avenida. Los autos pasan frente al QuickStop. Pero ninguno se detiene. Ya recuerda: a unos doscientos metros, sobre Rex y Margot, hay un sitio de taxis.

✭ ✭ ✭

—Creo que debería llamarme un taxi o algo —suelta Alo, repentinamente preocupado.

—No te preocupes, nosotros te regresamos —dice Belynch.

—¿Quiénes somos nosotros?

Se levanta y se sienta en el sillón. Aquel lugar es oscuro.

—¿Dónde estamos? —pregunta Alo, más lúcido de lo normal.

Belynch no dice nada. Sólo le ofrece una pastillita rosa. Sonríe, y Alo la observa. En una mesa está su bolsa de Aurrerá. Pero no ve a El Paiki Que Vive Adentro De La Cabeza De Alo. Ni un rastro de él.

Siente miedo.

—Todo va a salir bien —Belynch le pone la pastillita rosa en la boca—. No te preocupes.

—¿De qué debería preocuparme? —replica Alo, resistiéndose a tragarla.

—De nada. ¿No quieres?

—¿Qué es?

—Algo para que te sientas mejor.

Soy un pendejo, dice Alo, y traga.

—¿Dónde estamos?

—En una fiesta —dice Belynch, a su lado, acomodándole el fleco.

—¿En una fiesta? ¿Y dónde está la gente?

—En otro cuarto. Ya están llegando.

—¿Ah sí? Quiero verlos —reta.

Belynch se pone de pie. El ruido de la lluvia, afuera, es lo único que los separa. Le extiende la mano.

—Claro. ¿Vamos?

✭ ✭ ✭

—¿A dónde vamos?

Clavius sólo maneja. En silencio.

—Hey, te estoy hablando.

—Y yo te estoy escuchando.

—¿A dónde vamos?

—Ahora ves.

Ruedan por Jinetes. En silencio. Cuando cruzan los Arcos, Debbie Jay insiste:

—¿Me vas a decir a dónde vamos?

—¿No es obvio?

Un minuto después, pueden ver los pulcros jardines y dormitorios del campus.

—¿Qué hacemos aquí?

—Insisto: ¿no es obvio?

Se estacionan.

Debbie Jay se cruza de brazos.

—¿Qué quiere decir esto, Clavius?

—Bájate. Te están esperando.

Sangre helada. Mandíbula tensa.

—¿Quién me está esperando?

—Ya sabes quién.

—No, no sé quién.

Clavius aprieta el botón del seguro de la puerta. Prac. Se levanta.

Debbie Jay, atónita.

—¿Estás enojada? —pregunta Clavius.

—¿Tú qué crees? —Debbie Jay abre la portezuela.

—Pues no deberías.

—¿Por qué? —Debbie Jay cierra la puerta—. ¿Porque me estás botando en un lugar extraño?

—Este no es un lugar extraño. No para ti.

—Vete a la mierda —ladra, y abre de nuevo la portezuela. El ruido de la lluvia se introduce en la Wagoneer.

—Soy el ojo en el cielo —declama Clavius, extrañamente—. Puedo leer tu mente.

—¿Qué?

—Soy mucho mejor de lo piensas.

—¡Ja! —ríe Debbie Jay, saliendo de la camioneta—. Eres mierda, eres insensible, eres barbaján.

Cierra la puerta. Mete reversa.

—¿A dónde crees que vas?

Baja la ventanilla.

—¡A la oficina!

—¿A qué?

—Tengo una cita. ¿No te acuerdas?

—¡Que te crea tu madre! —Debbie Jay se aleja de la Wagoneer.

Clavius se encoge de hombros. Un peso se le ha quitado de encima. Sonríe.

★ ★ ★

CON ROSTRO de preocupación, Anyi Vlap-Vlap observa a Mariquita Pratt jugar con una sombrillita coctelera. Cole camina al borde de la piscina iluminada. Joselín Damm, aburrido y en un camastro, no dice nada. La mirada perdida.

—¿No es peligroso que Cole esté tan cerca de la alberca?

—Naaaa.

El Óstin, detrás de la barra y a un lado de Danilo, pregunta, en tono festivo:

—¿Alguien quiere algo?

Joselín Damm responde desde el camastro, los pies al aire:

—No.

—¿Crees que tarden mucho? —Anyi Vlap-Vlap se dirige a Mariquita Pratt.

—Caray, mis poderes de clarividencia se han agotado —respinga Mariquita Pratt—. No puedo ver qué es lo que está pasando adentro de ese maldito garaje.

Ji ji. Eso es una risita socarrona de Joselín Damm.

—Me preocupa Marpis. No sé cómo Madre pudo irse a su casa así de tranquila.

—Madre tenía cosas más importantes que hacer —declara Mariquita Pratt.

—Qué raro —dice Danilo.

—Lo que yo no entiendo es por qué sólo quiere hablar con Marvik.

—A lo mejor se gustan —espeta Mariquita Pratt.

—Ay nooooooo —exclama el Óstin, celoso.

—Qué raro —es la reacción de Danilo.

—¿De dónde sacas eso?

Anyi Vlap-Vlap, horrorizada.

—Mis poderes de clarividencia están regresando, querida.

Silencio. Joselín Damm lo rompe:

—¿Les puedo decir algo?

* * *

—CLARO, DIME.

Marpis gira la llave. Se estira hasta llegar a la ventana. La baja. Marvik traga saliva. La cara de Marpis está muy cerca.

Se miran, pegaditos. Marpis sonríe y dice:

—Eres una buena persona.

—Gracias.

—Vas a tener una buena vida —se aproxima aún más y lo besa en la mejilla.

Marpis se regresa al asiento del piloto y enciende el motor. Marvik observa la operación. Los faros se encienden, la reja se abre, las luces de reversa tintinean.

Se despide. Con la mano arriba, Marvik dice adiós. Pero Marpis no devuelve el ademán.

Un minuto después, el LTD sale de casa de los Randyson, suelta una vomitada de humo y arranca a toda velocidad.

* * *

EL TAXI ARRANCA.

Cuki, en el backseat, se estira para hablarle al chofer:

—Country club. San Diego de los Padres. Número nueve.

—Okey.

Pone en marcha el taxímetro.

Cuki se recarga contra el asiento. Abraza su botella de vodka. Sólo un par de segundos. Vuelve a estirarse.

—Mejor al dauntaun.

—¿A qué parte del dauntaun?

El taxista es gordo. Trae boina.

—Usted dele para allá. Luego vemos.

—Okey.

Cuki se asoma. Afuera, la lluvia. Oscura.

✳ ✳ ✳

MIRA LA NEGRURA afuera, justo al coger la bolsa de Aurrerá. Cuando se asoma por la ventana, tiembla el cielo. Un trueno. Dos segundos después, todo se ilumina. Está en un lugar boscoso. Árboles y más árboles. A lo lejos, puede observar, una carretera. Fugazmente recuerda su propio coche. El Máverick. Estacionado junto al highway, en el antro de cervezas. O quizá ya se lo llevó la grúa, piensa Alo.

Sigue con la mirada las parcas luces de un auto en la distancia. En medio, entre él y los dos faros que se alejan, no hay nada. Sólo árboles. Y lluvia.

Se aferra a la bolsa de Aurrerá.

—¿Seguro que no la quieres dejar aquí? —pregunta Belynch.

—Sí. Seguro.

Alo le echa una última mirada a la habitación en la que han estado. Crece la precipitación. Un ensordecedor concierto acuoso. Sigue a Belynch hasta la puerta. La lluvia parece ocultar lo que hay detrás de esa puerta. Sí, no es la puerta, piensa Alo, es la lluvia. El ruido de la lluvia.

—Todo va a salir bien —dice una vez más Belynch, con su tono pacífico.

Abre la puerta.

Luces que queman. Reflectores. Pantallas plateadas para rebotar la luz. Tripiés.

Alo se deslumbra. Instintivamente, tapa su cara. Cuando logra recuperarse, nota que lo ven. Unos diez pares de ojos lo observan.

Son hombres. Todos están desnudos.

✳ ✳ ✳

LE QUITAN LA ropa. Ella no mueve un dedo. El Bobby, muy animado, avienta lejos los pantalones. Y la playera. "Copyright." Y el bra. Le sacude el pelo, le besa y le lame el mechón rosado. Se cuida de no magullarle más el moretón en el rostro. Pronto el Bobby también está desnudo. Pronto lo siente adentro. Un empujón fuerte y ya estuvo. Auch. Rítmicamente, Karen ve el techo y la cabecera. Le duele un poco, pero no importa. Agarra al Bobby de los pelos de la nuca. Él parece decirle algo. Murmuraciones. Pero Karen ha puesto "mute" en su cabeza. Oh sí, es lo mejor. No siente nada, sólo esa punzada dolorosa que le provoca el pene del Bobby. Auch. Igual se relaja. Ya pasará. Así ha de ser cuando estás casada, piensa. Pero una tiene que hacer lo que tiene que hacer.

✱ ✱ ✱

UNO VIENE a hacer lo que tiene que hacer, piensa Clavius. Algunos, grandes cosas. Grandes obras. Yo, un payaso. Hacer lo que tiene que hacer un payaso. No hay otro traje que el del payaso. De nuevo en Rex y Margot. Da vuelta sin poner la direccional. Trescientos metros adelante, la entrada al Lyndon B. Johnson. Lo toma en contraflujo. Nada de tráfico. Los pobres vaclayos regresan a su casa después de un día de trabajo. Con sus aburridas esposas y sus aburridos hijos. A ver sus aburridos fidos. A ver *XE-TÚ, No empujen* y luego a Jacobo. Puf. Pone el radio. Nada interesante. Lo apaga.

El dauntaun. Los altos edificios. Las calles vacías. Los camiones barrenderos pulen las calzadas de chapopote. Av. Federico T. de la Chica. El edificio de la Corporación Shimago-Domínguez. La caseta. El gafete. La revisión.

—Buenas noches —saluda el guardia de seguridad panzón—. ¿Trabajando tarde?

—Más o menos —responde, relajado, Clavius.

—Adelante, Maese Pirulazao.

Las pisadas de los perfectos mocasines de Clavius resuenan en el piso de mármol. El reloj del lobby marca las ocho y cuarenta de la noche.

✱ ✱ ✱

JOSELÍN DAMM señala su reloj de muñeca.

—¿Qué?

—Es tarde.

—¿Eso querías decirnos?

—El tráfico ya bajó. Y yo quiero irme a mi casa —completa Joselín Damm—. ¿Nos vamos, amor?

—¿Pero qué vamos a hacer con Marpis?

—Marpis tiene esposo —le da un apretón de manos de despedida a Danilo—. Que él se ocupe de ella.

—Hasta que alguien dice algo inteligente hoy —dice Mariquita Pratt.

—¿Se van y ya? —parece despertar Danilo.

—Yep —Joselín Damm camina hacia la salida. Se para en seco—. ¿Anyi?

—Voy, voy.

—Pues entonces yo voy por Marvik —comenta el Óstin.

Rechinón de llantas.

Banquetazo.

Definitivamente eso ha sido un banquetazo.

—¿Qué fue eso?

Desde aquel lugar puede verse la calle.

Y en la calle, el LTD, con Marpis adentro, rodando a toda velocidad. Lejos de casa de los Randyson.

Una pequeña nube de humo.

Y el silencio.

Marvik aparece poco después. Comienza a llover fuerte.

—¿Qué pasó? —lo interroga Danilo—. ¿Qué pasó?

Sonriente, Marvik responde:

—Nada. Creo que esta fiesta se acabó.

—YO NO QUERÍA que todo acabara así.

—Pero así acabó, Madre.

—Bah —Madre sirve más café. Habla pausadamente, con una serenidad pasmosa—. Tú y Cuki siempre me recordaron a mí y al viejo. Dos hijos de la chingada consumados. No como Clavius y Debbie. Pobre Clavius. Pero eso le pasa por casarse con ella. ¿No te encierras en una jaula con una serpiente sin esperar que te muerda, ah?

—¿Cómo eran ustedes? ¿Tú y tu esposo?

—Bueno, al principio, un poco locos —bebe café—. Demasiado inteligentes como para creernos la mentira más antigua del mundo.

—No me digas. El amor.

—Un cuento que inventaron para que la gente no salte por la ventana.

Midyet ríe. Le pone sacarina a su café.

—Parecería que es exactamente al revés.

Madre mira a Midyet con ternura.

—Ese es exactamente el punto. El amor es peligroso. Por eso la iglesia creó el matrimonio. Para quitarle todas las toxinas que se te meten al cerebro y te hacen creer cosas que no son ciertas. Pero no funcionó, sabes. La gente sigue perdiendo la cabeza.

—Ya veo.

Ring ring.

Madre hace puf.

Fraaaaaaaaap.

—¿Señora?

—¿Sí?

—Es la Sra. Damm. Que le urge hablar con usted.

Madre y Midyet se miran confundidas. Madre toma la llamada. Fraaaaaaaaap.

—¿Bueno?

—*Madre. Soy Anyi.*

—¿Qué pasa?

—*Es Marpis.*

—¿Qué hizo ahora?

—*Se robó el coche de los Randyson. Se fue de la casa y nadie sabe a* dónde.

Madre se toma un segundo para pensar. Le agradece a Anyi Vlap-Vlap y regresa, a paso lento, con Midyet.

—¿Qué pasó? —pregunta Midyet.

—Nada.

Madre se toma otro segundo para pensar.

✲ ✲ ✲

CUKI MEDITA, muy serio, con la mirada perdida en la negrura. De vez en cuando suspira.

—La novia lo dejó, ¿eh?

Cuki ve los ojos del taxista en el retrovisor.

—No. De hecho me corrió.

—No me diga. ¿Por qué?

—Por hacerle la pregunta equivocada.

—¿Cuál?

—"¿En qué estás pensando?"

El chofer ríe. Probablemente no le entendió al chiste, pero un taxista tiene que reírse de las bromas de sus clientes. Llámenlo cortesía profesional. Cuki aprovecha para sacar la botella de vodka.

—¿Le molesta?

—Para nada.

Un buen trago. Así.

—¿Está bueno?

—Muy bueno —Cuki siente el calor en la garganta—. Lo burgués no se quita.

—¿Cómo es eso?

—Durante una época de mi vida luché por dinero. El dinero suficiente para poder tener y mantener a una mujer como Midyet.

—¿Y lo logró?

—Oh sí. Tuve el dinero y tuve a la mujer.

—Me imagino que ahora no tiene nada.

Cuki suspira de nuevo.

—Bueh, no la tengo a ella. Pero sí el dinero.

—¿Deveras? —pregunta el taxista, sorprendido.

—Sí. Nomás no lo ejerzo.

—Eso es interesante.

—Ajá —Cuki muestra la botella—. En fin, por esto le decía que lo burgués no se quita: podré ser un paiki, pero las cosas buenas y caras me siguen gustando —y bebe.

—Le apuesto a que es igual con las mujeres. O con esa mujer en especial.

Cuki no responde a lo último. Abandonan, a toda velocidad, el Lyndon B. Johnson. Los edificios del dauntaun los saludan.

✳ ✳ ✳

EL SEMÁFORO en el dauntaun está en amarillo. Lo cruza veloz. Hay pocos autos en las calles. Al salir de casa de los Randyson se había dirigido al aeropuerto. Se estacionó en un terreno, el mismo en el que se detenía a fajar con sus novios en la prepa, a ver aviones despegar y aterrizar. Así pasó un buen rato. Ahora está en el dauntaun. Simplemente rodando. Es viernes pero no hay mucho que hacer. Los ojos, hinchados. Cansada.

Del otro lado de la calle está el taxi de Cuki, esperando a que se ponga la luz verde. Tuuuuuuuuuuuuuu. Se cruzan entre semáforos, el de ella amarillo, y el de él rojo, pero ninguno de los dos sabe que el otro está ahí.

La lluvia cae pesada.

Qué voy a hacer ahora, se pregunta Marpis, rodando. Esto no está bien.

✦ ✦ ✦

LA CABRA, CON la lengua de fuera y los ojos desorbitados, ríe a carcajadas. Alo no puede dejar de verla. Quizá sea la pastillita rosa, o la lluvia, o sólo ese maldito día, pero sus pupilas se han dilatado y la cabra lo posee. No quita los ojos de ella ni siquiera cuando las suaves manitas de Belynch lo llevan a una silla junto a una hielera y se sienta junto a él. Alo traga saliva.

—¿Estás bien?

La cabra en realidad es un hombre desnudo. Desnudo, pero con máscara de cabra. Tiene una botella de algún licor en las manos, y se pasea entre los demás empelotados, sirviendo shots en caballitos tequileros. Alo observa el resto de la escena. Los reflectores, montados en negros tubos gruesos, provocan un calor sofocante en el salón. Junto a las paredes, montoncitos de ropa con sus respectivos zapatos. Cuidadosamente acomodados. Cada montoncito en su lugar.

Hay otros invitados. Y no están en canicas. Andan de camisa rosa y corbatitas delgadas, y los puños arremangados sobre las mangas de los sacos, y los pelos parados bien New Wave. Algunos cargan tabletas con papeles, y parecen muy ocupados anotando cosas, y otros nada más conversan y echan bromas y ríen como si se hubieran metido diez kilos de perico. Uno con wet look opera una pesada cámara. Alo no alcanza a ver hacia dónde apunta la cámara. Hay demasiados empelotados tapándole la vista, haciendo un semicírculo. Desde la silla en la que está sentado, Alo sólo ve espaldas y nalgas peludas, lonjas y estrías.

Alo reacciona. Busca la salida. Eso. Salir de aquí. Se levanta.

—¿A dónde vas? —pregunta, inocente, Belynch.

Justo en ese momento suena una armónica y un organillo y una exasperante trompeta. Todo junto, todo al mismo tiempo.

—A pedir un taxi, gracias —responde tembloroso; el ruido le quema la piel.

Alo se acerca a una ventana (afuera: la negrura y la lluvia) y después a una puerta. Cuando toma la manija, la cabra bípeda destroza sus tímpanos con esa carcajada que corroe su cabeza y que sabe que lo perseguirá hasta el fin del mundo.

Se detiene en seco.

De nuevo las manos de Belynch.

De nuevo lo llevan a la silla.

Se sienta. Frente a él, la cabra.

—¿A dónde ibas, mi muchacho? —interroga la cabra, la voz cegada por la máscara.

—¿Yo?

—Sí, tú.

—Y... a pedir un taxi. Tengo que irme.

—No te vayas, mi muchacho —la cabra sirve un shot del licor, verdoso—. Tómate uno.

—No, gracias.

—Anda, Alo. Te va a ayudar.

Alo mira a Belynch con furia.

—¿Me va a ayudar para qué?

—Hey, no me mires así. Tú relájate y disfruta.

Alo obedece y bebe. Hace una mueca. El licor quema su garganta.

—¿Otro?

Y así, se empina dos al hilo. La cabra se aleja, riendo y diciendo cosas inaudibles.

—¿Qué hora es?

—¿Para qué quieres saber la hora?

—Por favor.

Haciendo una mueca de hastío, Belynch ve su reloj de muñeca.

—Es casi la una.

—Estuve dormido mucho rato.

Gritos detrás de las nalgas peludas. Aplausos. Alo respira hondo. Mira a Belynch:

—¿Me vas a decir qué es esto?

Belynch pestañea dos veces antes de hablar:

—Bukkake.

Alo asiente con la cabeza.

—Ah. ¿Cómo?

—Bukkake.

—Okey. Bucaque —traga saliva antes de volver a preguntar—. ¿Qué es bucaque?

Tomándolo de las manos, Belynch se acerca a él. Con ternura, empieza:

—Una bola de extraños eyaculan en la cara de una chica. De preferencia muy bonita y muy joven. Y grabamos todo en video. ¿Cómo ves?

Alo hace un "mmm" con los labios y los ojos y el cuello tenso.

—¿Y los extraños salen en el video?

—No. Sólo ella —Belynch le da un beso en la mejilla—. No te pongas nervioso. Te va a gustar.

Tragar saliva.

—Además, te vamos a pagar. ¿No es maravilloso?

Ese extraño sentimiento de pérdida.

✶ ✶ ✶

CLAVIUS SENTADO en su oficina. En silencio. En su silla giratoria de piel y partes fabricadas en acero inox. Las gordas gotas caen en la ventana. En el dauntaun, cada vez más vacío.

Abren la puerta. Es Takenaga. Y un pelotón de babers trajeados.

Suspirar. Él sabe. Clavius sabe. Takenaga es el símbolo de su verdadera ignominia. Su propio y privado némesis.

Precio de un frasco de Crixivan con ciento cincuenta tabletas de 400 mg en Wal-Mart: 900 dólares.

Los integrantes del pelotón de trajeados son puros hombrecillos no mayores de veinticinco años. Babers de mierda que inhalan perico y gastan sus sueldos en accesorios de Sega y corbatas de Zegna y suscripciones a GQ y fines de semana de fiesta y shopin en Coral Gables y las villas de sus padres en Tequisquiapan.

—Buenas noches, maese.

—Buenas.

—Llega tarde.

—Problemas familiares.

—Ah.

Dos babers se apresuran a montar una Betamax en un tripié. Casete adentro. Dirigen la lente a Clavius y, finalmente, encienden un foco pegado al aparatejo. Deslumbramiento.

Clavius se cruza de brazos. Y ofrece una de sus mejillas.

Takenaga le hace una señal a uno de los babers.

—Maese Pirulazao —declama el báber, pegado al micrófono—, bajo el poder de la contraloría de la Corporación Shimago-Domínguez procederemos a embargar todos y cada uno de los bienes de esta oficina, los cuales, personales o no, pasan a formar parte de la compañía a partir de este momento. En caso de que alguno de estos artículos deba regresársele se hará en presencia y previa autorización de las autoridades correspondientes.

Takenaga lo encara. Habla con sangre en los ojos:

—Lo estamos relevando de su puesto por cargos de fraude y peculado. ¿Había olvidado decírselo?

Clavius asiente en silencio.

Takenaga truena los dedos. El pelotón de babers comienza a colocar todas las cosas en cajas de cartón. Los clips, los post-its, los retratos de Cole y Debbie Jay, los libros, los discos, el pisapapeles, el cenicero y el diploma de participación en el último seminario anti-ambulantaje. Uno pone las cosas en la caja, otro hace un chequeo con pluma y bloc de notas.

Takenaga le entrega un papel.

—Le voy a pedir que revise cuidadosamente esto —pone el dedo en el documento y lo puntea con fuerza—. Es su acuerdo de finiquito y confidencialidad.

Suspirando, Clavius lo coge. Y ofrece su otra mejilla.

—Si tiene dudas avíseme. Le doy diez minutos para que lo lea.

Clavius así lo hace. Lo cubre una sensación de irrealidad, de temor, un hueco en el estómago. Ese extraño sentimiento de pérdida. Detrás de él, un par de babers asalta su clóset. Sus corbatas, sus sacos, sus artículos de limpieza, la grasa de sus zapatos y la franela con la que los limpiaba antes de una comida importante. Uno de los babers le dice al otro: "La revista GQ dice que las corbatas no están hechas para la tintorería. Dicen que sólo las uses y, cuando estén sucias, las tires a la basura".

Lanzando primero un sollozo ahogado, Clavius rompe en llanto. Como un niño. Sumerge la cabeza entre las rodillas. Le parece escuchar el motor del zoom de la Betamax ejecutando un encuadre cerrado y morboso de su tragedia.

—¡Venga, hombre! —grita Takenaga—. ¡Parece un maricón! ¡Es usted una nena!

Clavius levanta tímidamente la cabeza.

—¡Venga, mariquita! —insiste Takenaga—. ¡No es el fin del mundo!

★ ★ ★

—HE VIVIDO lo suficiente como para conocer esa otra patraña ancestral: que el mundo se va a acabar. Escalofriantemente, la historia sigue, mi niña. Aquello por lo que sufrieron antes los hombres y las mujeres es aquello por lo que sufrimos hoy y seguirá sufriendo la gente.

Midyet asiente. Madre parece recuperarse de la llamada.

—¿En serio no era nada grave?

—Nada. Tú tranquila —Madre bebe de su café—. Siempre pasa algo bueno. Al final, una siempre encuentra la forma de asomar la cabeza.

—Yo pensé que nunca vería a Cuki otra vez —dice Midyet—. Después de todo lo que pasó. Y de todo lo que nos dijimos.

—Pero aquí estás. Y seguro tampoco te imaginabas que ibas a estar sentada otra vez en la casa de esta vieja loca.

—No, tampoco —sonríe Midyet.

—Podemos haber terminado con el pasado —declama Madre—, pero el pasado no ha terminado con nosotros.

—Sí. Tú me enseñaste eso.

La lluvia parece ensañarse con el techo de la casa de San Diego de los Padres. Midyet dispara más saña:

—Durante mucho tiempo te eché a ti la culpa, sabes…

Madre se pone el dedo índice en el pecho.

—*Moi?*

—Sí, tú.

—¿Por qué yo?

—Por cómo es Cuki. Pensaba que tú lo habías echado a perder.

—Bueno, sí —Madre suspira—. Pero hice lo debido. Si te apegas mucho te dicen sobreprotectora. Si te separas te dicen desnaturalizada.

—¿Cuál de las dos fuiste?

—Un poco de ambas.

Midyet eleva las cejas.

—Y luego —añade—, cuando se vino a vivir contigo sentí que era el colmo. Que lo estabas solapando.

—No seas ingenua, niña. El trabajo de ser madre nunca termina. Siempre está a la mitad.

—Pero eso no te quita lo solapadora. ¡Lo consientes mucho!

—Ya te dije que sí —Madre se mueve en el asiento, nerviosa—. Pero siempre pensé que tú eras la mitad del problema.

—Todo por ese libro maldito. Pero yo lo vi, Madre. Yo viví con él.

—¿Se portaba muy mal?

—Cuki vivía para él. Su vida era una graaaaan celebración narcisista. Allá solo, en Saltillo, sin nadie que lo vigilara, hacía lo que le pegaba la gana. Olvídate de todo lo que puso en su libro, de su soledad y de cuánto necesitaba a alguien.

—Yo creo que sí necesitaba a alguien. A ti.

—Yo no creo —Midyet se reclina contra el respaldo de la silla—. Se encaprichó conmigo. Eso es todo.

—Puede ser.

—Y me dejó encarrilada —se le quiebra un poco la voz a Midyet—. Yo estaba muy bien sola, Madre. Yo siempre he estado acostumbrada a estar sola. Desde que murieron mis papás.

Madre le soba cariñosamente el pelo a Midyet.

—Mi niña interrumpida.

Ojos vidriosos. Pero se contiene.

—Cada vez que mis tíos querían enjaretarme a alguien —prosigue Midyet—, cada vez que ~~censurado~~ quería presentarme a un amigo, me hacía la loca. Yo sé, y siempre lo he sabido, que vivir conmigo misma es suficiente trabajo como para preocuparme por alguien más.

—No sé cuál es la diferencia entre tú y Cuki entonces. Los dos son un par de desobligados.

—A lo mejor tienes razón —concede Midyet—. Pero no le dices a alguien las cosas que él me dijo a mí. No le dices a alguien "eres un ángel que ilumina la habitación en la que entras" o "yo te haría el amor todos los jueves", y después no hablar, pasársela ido, ausente, eternamente melancólico. Viendo cómo todo se va al hoyo, sentado frente al fido, frente a esos juegos de mierda.

Guardan silencio un momento.

—¿Cómo fue el accidente?

Midyet jala aire.

—Salimos de una comida —se quita el remanente de una lágrima de la gigantesca pestaña—. De gente de mi oficina. Cuki odiaba esas comidas. Y se emborrachaba. Se ponía muy mal.

Madre hace una mueca.

—Llevó al perro. Cuando salíamos rumbo a la comida, discutimos, para variar, y entonces salió con su chiste de llevar al perro.

—¿Por qué?

—Porque decía que, como todos le cagaban, tenía que platicar con alguien.

Madre hace otra mueca.

—Para salir de ahí —continúa Midyet—, del lugar donde fue la comida, teníamos que agarrar una carreterita. Cuki empezó a pelearse con otro coche, y de lo único que me acuerdo es de que se nos cerró, nos amarramos y de repente todo se puso de cabeza.

—El perro se murió.

—Por suerte sólo el perro.

—Ajá.

Mirada compasiva.

—Ay, hija. Tú y los accidentes.

—Sí, caraxo. Parece que me persiguen.

—¿Ya lo habían corrido?

—Ya. Estaba muy frustrado por eso. *Realmente* quería ser vicepresidente de Atari antes de los treinta.

—Tienes que reconocer que mi Cuki no es un perdedor —dice Madre con un dejo de orgullo.

—Y me encanta eso de él. Pero se perdió Madre, se perdió…

Se sirven más café.

—¿Por qué lo corrieron?

—Porque dejó de ir a trabajar.

—¿Cómo que dejó de ir a trabajar?

—Eso. Se iba de la casa pero no se paraba en la oficina. Se la pasaba en esos antros de maquinitas o comprando cualquier estupidez en el mol. Luego se le metió la idea de trabajar en el supermercado. No iba a la oficina, a su trabajo real, pero sí a cargar cajas al súper.

—No lo puedo creer —exclama Madre, entre divertida y angustiada.

—Créelo, Madre.

—Puf —Madre se pone las manos en la cara—. ¿Y el jefe famoso?

—Le aguantó el asunto dos meses. Pero sí se lo encontró en el súper. Acomodando latas.

—¿Y qué pasó?

—Lo corrió. Justo ese día.

—¿Ya se tardó en llegar, no?

—¿A qué hora hablamos?

—Como a las siete y media —Madre señala un reloj de pared. Las manecillas marcan las nueve con tres.

—Sí, ya se tardó —Midyet se recarga contra el codo—. Qué novedad.

Madre se levanta y camina hacia la ventana. Mueve la cortina y se asoma. La lluvia sigue. Ahí se queda unos momentos, viendo hacia afuera. Midyet le dice:

—¿Dónde están tus hijos, Madre?

☆ ☆ ☆

ALO PIDE un cancro. Se lo dan. Fuma. Dispara:

—Karen se largó de mi vida. Lástima —se rasca la cabeza—. Tantas cosas que pude haberle dicho… disculpas… un baúl lleno de cosas maravillosas.

—Siempre traigo extraños —dice Belynch, mientras prepara una pipa de crack armada de una botella de ron—. Ese es mi trabajo. Traer extraños al bukkake. El cameramán dice que sólo así funciona. Él es un artista, sabes.

—Un baúl… lleno… de… cosas.

Belynch sonríe y toma a Alo de la mano.

—Tú haz lo que diga el cameramán —continúa—. Si te da frío, puedes quedarte con calcetines, pero tengo que advertirte que no es naaaaaada cool, ¿cachas? La próxima semana vamos a rentar un ring de box. Como en donde boxean, ¿cachas? Va a estar increíble.

—Esto no tiene sentido, nada tiene caso, me lleva la chingada —grazna Alo, un poco ido—. ¿Dónde voy a dormir hoy? Tengo que llevar un saco amarillo huevo de Versace a la tintorería, ofrecer un par de disculpas…

—Estás muy tenso —Belynch prende la pipa con el encendedor y fuma. Los ojos se le ponen en órbita—. ¿Quieres?

—No, no le hago a eso —responde Alo—. ¿O sí? ¿O no? No sabría decirte —mira a Belynch con una mirada de desesperación—. ¿Te conozco?

—Anda —Belynch le da la pipa—. Anda, te vas a sentir mejor.

Alo obedece y se mete el tanque. Arribarribarriba. La música crece de volumen. Una vena le palpita, y de inmediato regresa el cancro a su boca. Fuma. Una vez. Dos veces. Una lagrimita se asoma por el ojo.

—Ahora vengo —avisa Belynch y le da un besito en la mejilla. Se va caminando, con su pipa en las manos.

De nuevo solo. Apachurra la bolsa de Aurrerá, siempre a sus pies.

Una fulana buena pasa cerca de él. Es idéntica a las que saca Robert Palmer en sus videos. Vestido negro de una sola pieza, quizá de licra, untado, apenas arriba de la rodilla, medias, cinturón aparatoso, labios rojísimos, maquillaje blanquísimo, pelo corto y embarrado. Toda una Simply Irresistible.

Muy seria, camina a un lado de Alo. Él le sonríe pero ella no regresa el cumplido.

Qué seriedad, piensa Alo, Dios, qué seriedad. Y yo qué hago aquí. Llevar el saco a la tinto. Hacer una llamada telefónica. Pedir dos disculpas.

La Simply pasa junto a los empelotados, se pierde entre las nalgas peludas, las luces y el cameramán.

Adiós a la Simply.

De nuevo solo. Fuma.

Hacer una llamada. Pedir dos disculpas.

Junto a la hielera, un teléfono de disco. El cable atachado a la pared, pero el aparato en el piso. Se asegura de que nadie lo vea. Lo toma. Marca.

Espera.

—¿*Bueno?*

—Bueno.

Pausa.

—¿*Alito?*

—Sí, soy yo. Hola.

Pausa.

—*Hola.*

—¿Qué haciendo?

Pausa.

—*Tratando de dormir. ¿Qué quieres?*

(…)

—No sé…

—*Voy a colgar.*

—No me cuelgues.

(…)

—¿*Qué quieres?*

—Yo sólo quiero… que todo acabe.

Pausa.

—*Vete a dormir.*

—No puedo. No tengo sueño.

Pausa.

—¿*Dónde estás?*

Pausa.

—No tengo sueño.

Clic.

Alo permanece viendo la bocina. Sólo suena el tut tut tut. Junto al disco hay un papel pegado con diurex. En este se lee:

> *Your lights are on, but you're not home*
> *Your mind is not your own*
> *Might as well face it*
> *You're addicted to love.*

La cabra lo saca de su meditación.

—¿Uh?

—¿Tienes algún negocio con ese teléfono?

Mira el auricular, aún en su mano.

—No.

—Entonces regrésalo a donde lo tomaste.

Alo así lo hace.

—Ya te toca. Venga.

—Okey.

Se levanta, sorprendido de la facilidad con la que obedeció la orden. Así se queda. Sin hacer nada.

—¿Qué haces? ¡Encuérate!

Confundido, comienza quitándose la playera, luego los zapatos y los pantalones, hasta quedarse en calzones y calcetines. Siente frío. La cabra se impacienta.

—¿Quieres que te ayude con el resto?

—Y… no.

Fuera los calzones. Y los calcetines. Acomoda su ropa como los montocitos que había visto antes.

—Bien. Ven.

—Okey.

Alo camina detrás de la cabra, cubriéndose pudorosamente. Le arde la nariz. Le arde la cara. Le duele la cabeza. Tiene frío en las plantas de los pies. Y allá vienen, se aproximan las nalgas peludas, contacto en cinco, cuatro, tres, dos, uno… temblando y súbitamente sintiendo el calor de las luces, Alo se pega al copioso grupo de extraños empelotados, y todos observan hacia el mismo lugar: un tapete acolchonado de gimnasia color azul rey, en el que descansa la Simply, de rodillas, el culo reposando en los talones de sus pies. Todavía está inmaculada. Y muy seria. La mirada perdida, vacía. El rostro perfecto, pómulos, nariz, barbilla, orejas, ojos, cejas, frente. Los labios, mojados y brillantes, parecen estallar. A un lado de él, los empelotados se masajean el pene. Muchos están hinchados ya, a punto de reventar. Otros medio flácidos, como si apenas empezaran. No lo sueltan. Lo jalan y lo estiran. Y no le quitan los ojos a la Simply. "Estamos grabando", dice el cameramán. "¡Venga de ai señores, quiero ver sus tacos de leche, quiero que me regalen una cascada de mecos!" Alo respira hondo. Le tiemblan las piernas. Supone que debe hacer algo, pero su miembro no responde. Está empequeñecido, como un botón espantado, perdido en su pelo púbico, en sus propios y privados pendejos. Un gordo, lonjas y pelos en la espalda, es el primero en enfrentar a la Simply. El glande de su pene es una gran bola morada. Se para a un lado de la mujer y comienza a masturbarse a toda velocidad. "¡Abre la boca graaaaaande, corazón!", grita el cameramán y la Simply obedece. Dos segundos después, un chorro acuoso, seguido de una densa eyaculación, empapa el rostro de la Simply, quien con la lengua quita el remanente de la verga del gordo. El gordo gime. "¡Eso era todo!", exclama el cameramán, "¡te gusta por su sabor, yo lo sé!" Algunos de los tipos New Wave aplauden.

"¡Siguiente voluntario!"

El semen comienza a escurrirse por las mejillas de la Simply cuando otro empelotado ya está parado frente a ella.

Salir de aquí, piensa Alo.

ENCIMA DE la puerta giratoria se lee "salida". Clavius camina hacia allá, atravesando el lobby. Tiene la corbata desanudada y el andar desganado y el gel en su cabello comienza a formar un polvo blancuzco. Toc toc toc. Las pisadas huecas de sus perfectos mocasines en el piso de mármol. El silencio, apenas roto por las gotas de lluvia cayendo afuera. Mira la puerta giratoria. "Salida." No por ahí, piensa. Se dirige al elevador que lo llevará al estacionamiento. Se detiene un segundo. Tiene una idea. El reloj del lobby marca las once y treinta de la noche.

UNA Y DIEZ. Karen mira el reloj del buró con sus numerotes rojos y se abalanza sobre el teléfono, modorra:

—¿Bueno?

—*Bueno.*

Pausa.

—¿Alito?

—*Sí, soy yo. Hola.*

Dos minutos después, cuelga. Después de dudar un segundo, decide descolgar el auricular. Bastardo, piensa, y vuelve a acurrucarse junto al Bobby. Sigue lloviendo, se dice a sí misma.

—¿Quién era? —pregunta, casi susurrando, el Bobby, en posición fetal.

—Nadie.

★ ★ ★

—NADIE ES TAN mierda como yo. Soy un asco —se dice Obe San Román al echarse agua en la cara, frente al espejo. Sólo viste boxers y hace poses musculosas, como de Lou Ferrigno—. El problema es que soy muy guapo. Criminalmente guapo.

Escucha un escandaloso toc toc toc.

Se asoma, extrañado.

Toc toc toc. De nuevo. Un toquido desesperado en la puerta.

—¿Vas o voy? —pregunta una voz femenina del otro lado del dormitorio, sus palabras entremezcladas con el ruido del fido, sintonizado en el canal de videos musicales.

—Voy —contesta Obe San Román, y se enfila hacia la entrada, donde el toc toc es cada vez más estridente—. ¡Ya voy, con un caraxo!

Abre.

—Hola —saluda un empapado Clavius—, ¿cómo estás?

(…)

—Bien —Obe San Román carraspea al ver a su amigo con semblante de báber derrotado—, ¿qué te pasó, tich? Te ves del nabo.

—Tenemos que hablar —Clavius intenta entrar.

—Wo wo wo —lo detiene bruscamente—. Es casi medianoche, man.

—No me importa. Tenemos que hablar.

—Okey, pero vamos afuera, aquí está muy encerrado.

—No mames, está lloviendo —y se mete a empujones en el dormitorio.

Se sienta en un sillón.

—Ya veo —Obe San Román cierra rápidamente la puerta—. ¿Quieres algo de tomar? ¿Café? ¿Algo de fumar? —hace como si se fumara un toque—. ¿Una toalla?

—Quiero que te sientes.

—Okey —Obe San Román obedece.

(…)

—¿Qué pasó?

—Pasó —Clavius hace una pausa después de tragar saliva—, que me acaban de correr.

—No mames —los dos guardan silencio unos segundos—. ¿Correr como en correr?

—Me despidieron. Y me van a enjuiciar.

—¿Por qué?

—Tú sabes por qué.

—¿Te cacharon?

Clavius se jala los pelos mojados, y el gel se transforma en una masilla pringosa.

—Me cacharon —confirma.

(…)

—Tengo whisky. ¿Quieres?

—Por favor.

Obe San Román corre a la cocineta. Vuelve con una botella de Jack D. y dos vasos. Clavius le arranca la botella y echa un trago ardiente en su garganta.

—Gracias.

—De nada —Obe San Román lo estudia con cautela—. ¿Por qué viniste al campus?

—¿Te molesta?

—No —se encoge de hombros.

—No sabía a dónde ir —vuelve a beber.

—Por las faldas de San Fabrizio Mártir —Obe San Román alcanza un cofrecito junto al sillón, y de ahí coge un toque, pequeño y apachurrado. Lo enciende y de inmediato el olor de la mariguana se esparce por la pequeña sala—. ¿Quieres meterte un gallo? —ofrece mientras aguanta el humo—. Creo que amerita.

—¿Cuántos de esos te fumas al día? —pregunta Clavius con asco.

—La vida universitaria es dura —exhala—. Además, me gusta por su sabor.

—Eres como un escuincle pendejo.

—¿Te gusta el rock?

—¿A qué viene eso?

—A que te noto medio apagado. Deberías de escuchar más rock y fumar mota. Te aclara las ideas.

—Estoy perdido. Ya nada podría sorprenderme. No después de hoy.

—Bueno, el hecho de que estés aquí, en mi hogar, después de lo que pasó en la comida, no habla muy bien de ti, man —Obe San Román se mete un laaaaaaaargo tanque, y después suelta el humo.

—¿Qué pasa aquí? —interroga la voz femenina.

Obe San Román se pone de pie.

Clavius sólo gira la cabeza.

—Debbie —dice, desapasionado.

—¡Debbie! —exclama Obe San Román.

—¿Clavius? —interroga Debbie Jay—. ¿Qué te pasó? ¿Qué haces aquí?

—Bueno, me decías que ya nada podía sorprenderte —comenta Obe San Román.

El trío se observa sin decir nada.

—Ustedes… dos —Clavius hace pausas absurdas entre palabra y palabra— … son… la… peor… mierda… que hay.

—Clavius —brama Debbie Jay—, déjanos explicarte.

—A la mierda —grazna Clavius. Apañando el whisky, se levanta y sale por la puerta.

—¡Ve tras él! —exige Debbie Jay.

—Na —grazna Obe San Román—. El pobre güey está confundido. Ha sido un día duro. Créeme.

—¡Que vayas tras él y le expliques!

—Perfecto: ¿voy y luego qué? ¿Me va a escuchar? No no no, el señor cree que él es la única persona con problemas en el mundo.

—¡Ve por él Obelario San Román o me voy a enojar mucho!

—Okey okey —la besa servilmente—. Allá voy. A hacer el ridículo de nuevo.

✯ ✯ ✯

Un flaco casi esquelético y con máscara de luchador está parado junto a Alo. Con la lengua de fuera, da brinquitos y no deja de jalonearse el pene. Alo, bastante preocupado ya por su falta de erección, gasta también energía en mantener a raya al flaco de la máscara de luchador. A veces se pega demasiado. Un poco demasiado. La Simply está completamente chorreada. Los pelos mojados, el vestido de licra arruinado. Unos doce parroquianos le han eyaculado encima. El flaco de la máscara de luchador quiere meterse, pero el cameramán decide que es suficiente. Pide un aplauso para la Simply, quien se levanta y agradece con caravanas. El flaco de la máscara de luchador gruñe "puta madre llevo toda la noche esperando" y cosas por el estilo.

Belynch, ahora disfrazada como la Simply, se acerca al semicírculo de carne. Con la mirada vacía, pasa junto a Alo, y el flaco de la máscara de luchador le pellizca el culo y la manosea agresivamente. El cameramán, realmente encabronado, le advierte que no vuelva a tocar a las chicas o tendrá que cancelar todo. El flaco de la máscara de luchador refunfuña. Belynch se arrodilla en el colchón azul rey. Está lista para que le lluevan encima.

✳ ✳ ✳

LA RUIDOSA LLUVIA cae encima de ellos mientras caminan a toda velocidad por los jardines del campus. Obe detrás de Clavius.

—¡Clavius! ¡Vamos, Clavius, detente!

—¿Qué? —Clavius para su marcha.

—No quiero que te lleves una mala impresión de mí —cacarea Obe San Román, su pecho desnudo batido por la lluvia.

—¿No entiendes nada, verdad?

—Hey —lo abraza y lo lleva a recargarse contra una pared del edificio de dormitorios, en donde la precipitación es más leve—, te noto tenso.

—¡Estoy tenso!

—Escucha, todo es vanidad —recita Obe San Román—. El engaño, la decepción, tu apestoso trabajo, tus corbatas de cuatrocientos dólares, tu camioneta con teléfono móvil, todo es vanidad. Al final a todos nos alcanza, man. No importa en dónde te escondas o cuál sea tu juego, si mientas o seas abierto, el final llega para todos. ¿No fue Morrisey quien dijo "I've seen this happen in other people's lives, and now it's happening in mine"?

—No sé qué caraxos quieres decirme.

—Anda. Sube y nos tomamos un café.

—No voy a regresar allá.

—Vamos man, que te hace falta. Debbie puede prepararnos algo sabroso.

Clavius suelta la botella. Cierra el puño. Lo estrella contra el rostro de Obe San Román, quien cae de nalgas en el pasto mojado. Una caída seca, acompañada por un chorro de sangre que emana de su nariz y se mezcla rápidamente con la lluvia. Atónito, mira a Clavius desde el suelo.

—Te mato si le dices a alguien lo que pasó entre tú y Debbie —amenaza Clavius—. Y también si cuentas, y particularmente a ella, que me despidieron. ¿Me oyes?

Obe San Román asiente y ambos guardan silencio. Así pasan unos segundos hasta que Clavius decide recoger el whisky e irse de ahí.

DECIDE PISAR el acelerador. Decide que algo debe pasar esa noche. Decide que esa noche el LTD es suyo y ella pertenece al LTD. Baja por la Lomas Verdes. Pasa junto a la Heliplaza y el Carol Baur. Rápido. El piso está mojado. Quizá yo decidí que estuviera mojado, y que hoy llovería, piensa Marpis. Apaga los limpiadores. Quizá yo decidí que los limpiadores dejaran de funcionar. Una densa película de agua se aglutina en el parabrisas. Quizá por primera vez estoy tomando decisiones en mi vida.

Suelta el volante. Descansa las manos en la nuca.

⋆ ⋆ ⋆

ALGUIEN LE respira en la nuca.

Asustado, Alo voltea. Es el flaco de la máscara de luchador. La verga inflada. Se hace a un lado, dando traspiés. Mientras tanto, en el colchón azul, dos empelotados eyaculan al mismo tiempo sobre Belynch. Puaj.

—¡Vas, muchacho, ahora es cuando!

Se pone el dedo en el pecho:

—¿Yo? —pregunta Alo.

—No, yo —responde el cameramán—. ¡Claro que tú!

Señala con sus ojos sus partes nobles. Nada de nada.

—¿Qué pasa?

—No sé.

—¿Qué pasa, quién trajo a este pendejo? —el cameramán interroga a los tipos New Wave, y ninguno sabe decirle algo.

—¡Voy yo, voy yo!

Ese es el flaco de la máscara de luchador.

El cameramán lo ignora.

—¡Yo, yo!

—¡A ver, tú!

Ese es el cameramán señalando a otro empelotado, alto y fornido.

—¡Yo, falto yo!

—¡Espérate tantito, compadre!

Encabronado, el flaco de la máscara abandona el semicírculo. El alto y fornido pasa a masturbarse en la cara de Belynch. Salir de aquí, piensa Alo, y ahora sí lo dice en serio: da media vuelta y, dando empellones, se mueve entre los invitados, pero la cabra lo detiene.

—¿A dónde crees que vas?

Lo arrastran de vuelta al frente.

—¡Es que no puedo!

La risa maligna. La risa que lo carcome.

—¿Estás loco? ¡TODOS PUEDEN!

—¡Que no puedo con un caraxo!

Alo le da un empujón a la cabra. A su lado, el cameramán lo coge del hombro, pero se zafa. De nuevo media vuelta: salir de aquí.

Se detiene.

Congelado.

El flaco de la máscara de luchador ha vuelto, y con ojos desorbitados. Tiene un revólver en las manos. Apunta hacia el cameramán, quien se encoge y levanta las manos. Alo está en medio.

—¡Toda la puta noche me has hecho esperar, hijo de tu puta madre! —grita, desquiciado, el flaco de la máscara de luchador—. ¡Me duelen los huevos de tanto aguantarme!

Alo pone en pausa la respiración. La quijada le tiembla. El revólver tiembla.

—Señor, por favor cálmese y hablemos de esto tranquilamen-
te —dice, cagado, el cameramán, las manos arriba.

Plic.

Ese es el seguro del revólver.

—¡Yo no voy a hablar contigo, degenerado de mierda! —grita
el flaco de la máscara de luchador, y señala con los ojos el arma—.
¡Vas a hablar con él!

—Señor, por favor…

¡Cranc!

Esa es la bala del revólver.

Un salpicón de sangre rocía el rostro de Alo.

UN SALPICÓN de vidrios rocía el rostro de Marpis. El momento
parece durar varios minutos. Marpis imagina que se recuesta y que
los vidrios hacen sangrar su espalda y el líquido rojo fluye por el
Valle durante la noche e imagina que en ese mar precioso los barcos
navegan y una nueva fauna marina crece y que en las playas teñidas
de rojo ella camina triunfadora como la autora del nuevo océano y
luego se ahoga calmadamente, pasmosamente…

Las llantas habían rechinado escrinch escrinch y las manos de
Marpis, instintivamente, se pegaron con fuerza al volante. Vino el
enrejado camellón y una curva pandeada, un vaivén, una sacudida y
un espasmo: saltó el camellón, arrancó la malla, pasó al carril en
sentido contrario, lo atravesó hidroplaneando hasta el siguiente camellón, y se estrelló con fuerza y ligeramente de lado contra un árbol. Humo saliendo del cofre.

El LTD, mudo, a unos veinte metros del QuickStop. Poco a
poco, deja de llover.

—¿QUÉ HORA ES, Madre?

Madre, angustiada y con la mirada perdida en la ventana, observa la lluvia caer estridentemente.

Suspira.

—¿Madre?

—Como las doce y media —revisa finalmente el reloj—. Doce treinta y seis.

—Ahorita llama Anyi. Seguro te van a dar buenas noticias.

—No —Madre mueve la cabeza—. Tengo un presentimiento.

Un presentimiento. El tipo de pendejadas correctas que sólo las madres tienen.

Ding dong. El timbre de la puerta. Madre y Midyet corren hacia allá. La Paula ya ha abierto. Es Anyi Vlap-Vlap, paraguas en mano.

—¿Qué pasó?

—Nada —Anyi Vlap-Vlap pone el paraguas abierto en el piso del hall—. Joselín y Danilo van a seguir buscándola.

—¿Qué haces aquí entonces? —interroga Madre.

—Vengo a relevarla —señala a Midyet, sacudiéndose el agua—. ¿No estás cansada?

Midyet asiente.

—Sí, hija, tiene razón.

—¿Segura, Madre?

—Sí, segura. Gracias por todo. ¿Te llevamos a tu hotel?

—Me lleva el chofer del canal.

—Pero con cuidado —Madre sonríe a medias—. Está peligroso afuera.

✷ ✷ ✷

CORRE RABIOSAMENTE por una calle oscura, arbolada. Berrea como un niño, repitiendo incesantemente "hijo de puta" y "pendejo pendejo pendejo", y se pega maniáticamente en la cabeza con las palmas de las manos. Se aferra a su ropa hecha bola, y a la bolsa de Aurrerá, enredada con todo lo demás. Se tropieza y cae de bruces junto a un árbol. Tiene miedo de voltear, pero lo hace. Bocarriba, en la calle, los empelotados huyen de la casa como avispas de un panal. Las luces de los autos se encienden, los gritos ahogados. Parece que ha terminado pero no ha terminado. Alo se levanta, vuelve a recoger sus cosas y sigue corriendo y llorando. Llueve. La sangre del cameramán se mezcla con el agua y comienza a correrse de su cara.

Después de un rato, deja de llover.

KAREN OBSERVA EL trivial fenómeno metereológico. Decide prender otro cancro, sentada junto a la ventana, sólo con calzones y playera. "Copyright." Pronto se va a asomar la luna, piensa, o al menos eso espera. Quizá debería prender el fido y poner el canal de videos musicales y apretar el botón de "mute". No tiene sueño. Suspira. No después de la llamada de su hermano.

★ ★ ★

CLAVIUS ESTÁ SENTADO en la puerta del Sears de Plaza. Es un estacionamiento techado. Hay pocos autos además de su Wagoneer. Su aspecto es como el de un desarrapado en un traje príncipe de Gales hecho jirones. Su pelo es un desastre. Se ha quitado los zapatos. Y ha arrojado la corbata a un cesto de basura. "En el nombre de la revista GQ", dijo, en voz alta, y la lanzó hecha bola.

Le queda poco whisky a la botella que le robó a Obe. Decide que lo va a cuidar. La noche es larga, piensa. Mira su reloj. Casi las dos de la mañana. Parece que ha terminado de llover, o al menos el ruidero ha cesado. Bebe. Siente frío. Se encobija con el saco. Llora. Llora por todo lo que ha pasado y por todo lo que seguirá pasando. ¿No fue Elvis Costello quien dijo "they think that I've got no respect, but everything is less than zero"?

Adiós a todos.

★ ★ ★

LAS DOS MUJERES de pie junto a la puerta principal, abrazadas. El chofer aguarda, cubriéndose de la lluvia con el paraguas, junto a la limusina.

—Bueno, Madre, creo que hay que decir adiós.

—¿Cuándo regresas a Saltillo?

—Mañana al mediodía.

—¿Tienes cómo irte al aeropuerto?

—Sí, no te preocupes. ~~censurado~~ tiene todo listo.

—Okey, entonces no me preocupo —Madre abraza a Midyet. Un abrazo sentido.

288

Se separan.

—¿No te preocupa tampoco saber en dónde está Cuki?

—No. Sé que él está bien. Simplemente se está escondiendo —Madre se encoge de hombros—. Espero que lo perdones por dejarte plantada.

Midyet sonríe débilmente.

—Ay, Madre. Tú siempre disculpando a tu hijo.

—Ya me conoces.

(...)

—Sabes muy bien que no lo puedo perdonar.

Madre no dice nada más. Simplemente le regala otro abrazo.

—Gracias por todo, hija.

—Gracias a ti, Madre.

—Te veías hermosa en el programa —Madre le pellizca cariñosamente una mejilla—. Mi Connelly.

—Gracias. Qué linda.

—Sabes que ésta siempre va a ser tu casa.

—Lo dudo, pero gracias de todos modos —Midyet coge firmemente su bolsa—. Ya tienes el número del hotel. No dejes de avisarme qué pasó con Marpis.

—Seguro.

—Adiós.

—Adiós.

Midyet corre a la limusina, guarecida bajo el paraguas del chofer. Y ruedan, bajo la lluvia, hasta el Marriot, conversando de Ronald y las bombas en el espacio y el extraño clima naucalpense. El chofer le ayuda con su maleta una vez que llegan al hotel y se despide amablemente después de recibir una propina por el extenso servicio que dio. Midyet desperdicia casi diez minutos registrándose en la recepción ya que es casi la una de la mañana y no quiere despertar a Primo Perfecto y necesita una llave para entrar en la habitación. Al fin se la dan. Un botones le ayuda con sus cosas. Tanta maleta para nada, piensa Midyet. Nunca voy a cambiar.

Puerta abierta. Maleta junto al baño. Otra propina. Hurtadillas. Clic. Luz de lamparita de mesa, tímida. Primo Perfecto se mueve como bebé en la cama. Encima de otra mesa, sobras de comida. Servicio al cuarto. Le gusta por su sabor, piensa Midyet. Baño. Tina. Agua caliente. A quitarse la suciedad. Juraba que nunca iba a terminar de removerse el maquillaje de mierda. Luego, ahí en la tina, vuelca sus pensamientos sobre Cuki. Recuerdos. Imágenes vívidas. Vacía la tina. Un buen rato bajo el chorro. Cierra la llave. Coge una bata blanca. Toalla en la cabeza. Piel rosada en el espejo. Ojos verdes, enormes.

Frente al espejo, de pie, vuelve el recuerdo de Cuki.

Midyet toma un frasquito de champú y se pone en pose bravucona. En pose de hombre bravucón. Con el frasquito, imita el movimiento de un hombre fumando un cancro. Como Cuki. Habla con voz gruesa, fingida:

—Sabes, güera, he estado pensado… las cosas van a cambiar. Estoy hasta la madre de Atari, estoy hasta la madre de Vómito de Cerdo, estoy hasta la madre de tu trabajo, estoy hasta la madre de tu tío, estoy hasta la madre de tu primo perfecto, estoy hasta la madre de mi familia y de todos los pendejos que me rodean y que no me llegan a los talones; es más, también creo que estoy hasta la madre de ti.

Midyet se cruza de brazos, muy femenina, volviendo a ser ella misma:

—¿Cuki?

Repite el gag del hombrebravucónfumandocancro:

—¿Sí?

Y vuelve a ser Midyet, suprema, digna, majestuosa:

—Como Midyet Halliburton estaba diciendo antes de ser interrumpida groseramente —Midyet eleva una ceja y se sonríe frente al espejo al repetir las palabras que le han hecho eco durante los últimos veinticuatro meses—, debe tomarte exactamente cuatro segundos caminar de aquí a esa puerta. Cuatro segundos. Te daré dos.

✶ ✶ ✶

—¿No fue Holly Golightly quien dijo "el blues da porque te estás poniendo gorda y quizá porque llueve demasiado. Estás triste, y eso es todo".

El taxista suelta una risa fingida. Cuki continúa:

—Y la frase sigue así: "El mean reds es horrible. Súbitamente tienes miedo y no sabes de qué. ¿Alguna vez te ha dado esa sensación?"

Se empina otro trago de vodka. El taxi está estacionado frente al parque de Sigüenza y Góngora, en Historiadores. Las casas que ofrecen su entrada trasera al parque, durmiendo. Y del otro lado, asomándose tímidamente, el puente que conecta Circuito de las Flores. La humedad entra al taxi cuando baja la ventanilla para prender un cancro.

—Midyet y yo jugábamos a traducir diálogos de *Breakfast at Tiffany's*. Ella era Holly Golightly y yo era Paul Varjak —Cuki ríe—. Cuando ella acababa esa frase, la de los "mean reds", yo le decía "seguro, yo también me he sentido así", y ella remataba con un —imita la voz tipluda de Midyet— "bueno, cuando me dan, lo único que me ayuda es subirme a un taxi y correr a Tiffany's".

Las goteras se escurren por una cornisa. Dejó de llover un buen rato atrás. Cuki eructa.

—Y entonces hacíamos el amor o algo. Con ese peculiar modo que teníamos de hacer el amor que sólo nosotros entendíamos.

El taxista se recarga contra la ventana. Mira de reojo el taxímetro. Sonríe.

—Lo cagado es que me corrió de la casa usando una frase de *Breakfast at Tiffany's*. Pero esa no se la voy a decir —Cuki fuma—. Mi casa. Mi propia casa. El departamento que puse con mi trabajo. Con mis propias manos. Ella se quedó con todo. Bueno, luego se fue a vivir a otro lado. O eso cuentan.

En el radio suena *Mercy Street*.

—En este parque hay una vereda, un caminito pedorro con llaves enterradas. Miles de llaves enterradas. ¿Qué quiere decir eso? ¿Que algunas puertas nunca se van a abrir porque nunca vas a poder desenterrar la llave? Midyet siempre me decía que quizá yo tenía la llave. O quizá no —se echa otro trago a la garganta—. A lo mejor no quiere decir nada. Seguro.

Cuki cierra los ojos. Parece dormir. Pero no. Sólo los ha cerrado. Vuelve a su monólogo:

—Yo venía a este parque a ponerme pedo con mis amigos. Con Cole y Pimp. Antes de Atari, antes de la universidad. En la prepa —reactiva su cancro y fuma—. Todo era muy simple. Con cinco dólares comprábamos mota y caguamas. El parque era muy verde entonces. Ahora está amarillento. Han cerrado los callejones porque están asaltando a la gente. Y se va a poner peor. Es el kipple,

¿sabe? El kipple es la única fuerza que opera en el universo. Dios no existe, y si existe, se ha ido ya. Pero nos dejó el kipple. Kipple.

Una franja azulosa, más clara que el resto de la negrura, comienza a asomarse en el horizonte. Junto al puente que lleva a Circuito de las Flores. El cancro es arrojado por la ventana.

—La conocí por primera vez cuando me enseñó su foto, en la que estaba de niñita, disfrazada de ballerina. Recibiendo un diploma. Una *tiny dancer*. Mierda, uno nunca puede cansarse de tanta belleza. Uno no puede dejar de ver esos ojos enormes y profundos y tristes, incapaces de ser felices, interrumpidos. Simplemente no puedes. Por eso me dolió perdernos. Yo la amaba, pero sobre todo nos amaba. Yo nos amaba. Amaba la idea de Cuki y Midyet juntos. La idea de Cuki y Pixie juntos. Pero todo fue un sueño. Yo no dejé de ser yo, y ella no dejó de ser ella. Cuando me engañó, sabe, cuando se fue a coger con ese cabrón, aunque ya no estábamos juntos, me sentí traicionado. No por mí. Más bien porque había traicionado la idea de nosotros juntos. Y yo nos amaba. Cada mañana que la vi fue como verla por primera vez. Midyet opacaba a Minnie Mouse. Midyet nalgasperfectas, Midyet rostrodeángel, Midyet meveobiendepants —Cuki parece meditar algo importante—. Quizá cuando Midyet era Pixie todo era más simple. Creo.

La franja azulosa continúa aclarándose.

—La vida sin Pixie es complicada —Cuki se talla los ojos y bosteza—. Pero no es algo que espero que usted entienda, amigo taxista.

—Ya está amaneciendo —dice el taxista, como aprovechando la referencia personal—. ¿Quiere que vayamos a otro lado?

Silencio.

—Boink —se reacomoda en el asiento—. Se está haciendo tarde.

(Una última cosa)

EN

aquellos tiempos (y vaya que eran buenos), las opciones se limitaban a dos y sólo dos: ser un "báber" o ser un "paiki". La decisión dependía, en gran medida, de lo que el mundo esperara de uno, y también de lo que uno esperara del mundo. Pasa lo mismo con el amor. Uno se imagina una cosa pero normalmente termina encontrándose con otra. En aquellos tiempos (y vaya que eran buenos), Ronald ponía bombas atómicas en el espacio y Gorby estaba a punto de pasarle la factura a todos esos buenos parroquianos rusos. Pero el amor seguía siendo el mismo, la misma mentira que alguien inventó para que la gente no se arrojara por la ventana. La misma mierda de siempre. Dicen que lo malo del amor es que se trata de un crimen del que no se puede prescindir de un cómplice. Y así es.

EL TAXI SE estaciona. Freno de mano. El chofer mira a Cuki salir del auto y caminar con cautela hacia la casa de San Diego de los Padres.

Abre la verja y pone sus perfectos tenis Vans en el perfecto jardín californiano. Se asoma por una ventana. Saca la llave. La mete. La gira. Entra, dando pasitos. Todo está muy silencioso. Madre debe estar dormida, piensa Cuki. Atraviesa el hall hasta las escaleras encaracoladas. Sube. Se mete, rápidamente, a su recámara. La cama tendida. Los posters de Elvis Costello y Simple Minds y Ozzy Osbourne y *El imperio contraataca*. El fido con el Atari 2600 conectado. El Macintosh. Abre la cajonera y hurga entre los calcetines. En una caja de zapatos, fajos de billetes. Los toma y se los mete en los bolsillos. Sale de la recámara.

De regreso, parece haber visto algo. Algo fuera de lugar.

¿Uh?

Extrañado, se asoma a la recámara de Madre. La cama está tendida. Igual que la suya.

¿Eh? ¿Uh?

Baja las escaleras. El hall. La puerta principal. Sale a la calle y se acerca al cochecito amarillo.

—Aquí está —cuenta los billetes—. Trescientos cincuenta. Más una propinita.

—Muchas gracias, señor —dice el taxista—. Que descanse.

—Cool. Cool.

El taxi se aleja run run.

Cuki vuelve a la casa.

Cierra la puerta.

El hall.

Camina a la cocina. Abre la puerta del fridge. Jugo de naranja. Coge la botella y se la empina de un solo trago. Hace una breve pausa, recargado sobre el linóleum. Sale por la puerta trasera. El cuarto de servicio. Toca toc toc.

La Paula se asoma, pelos parados y mal aliento. Parece ansiosa.

—Paula —saluda Cuki—. ¿Dónde está Madre?

—¡Joven Cuki! —exclama la Paula al abrir la puerta del cuarto de servicio—. La señora está en el hospital.

Sangre helada.

—¿Por qué? ¿Qué pasó?

—Su hermana tuvo un accidente.

—¿Y cómo está?

—No sé, pero todos están allá. Me encargaron que le dijera en cuanto lo viera. Sobre el refri dejó la dirección —y luego, casi murmurando—. Y qué padre estuvo el programa, joven Cuki.

—Ajá —Cuki le saca la lengua—. Mejor bájate esos pelos, Paula. Pareces espantapájaros.

Riendo, la Paula se regresa a dormir.

★ ★ ★

DANILO DUERME como un bendito en una de las sillas de la sala de urgencias. Junto a él, también dormido, está Joselín Damm. Anyi Vlap-Vlap, con los ojos muy abiertos, mira el fido en la pared, sintonizado en el canal de videos musicales. Pasan *Runaway* de Bon Jovi.

Madre, de pie y pegada al ventanal, observa la calle.

—Uuuuuh, she's a little runaway —tararea Anyi Vlap-Vlap.

—Ahorita vengo —avisa Madre y sale. Encara un teléfono público que está frente a la sala de urgencias. Marca.

Espera.

—*Bueno.*

—¿Cuki? —respira aliviada—. ¿Dónde estabas, güerco?

—*Por ai. ¿Qué le pasó a mi hermana?*

—Tuvo un accidente. Chocó contra un árbol.

—*¿Feo?*

—Feo. La están operando.

—*¿De qué?*

—Del brazo. Le quedó muy mal —Madre deja escapar un sollozo—. Tardaron cuarenta y cinco minutos en sacarla. Estaba prensada.

—*¿Pero de lo demás está bien?*

—Sí. Podía caminar cuando la sacaron.

—*Ah, qué bueno.*

Pausa.

—*¿No quieres que vaya, verdad?*

—No, mejor quédate ahí. Para lo que se ofrezca. Puede hablar Ed Rooney.

—*¿Para qué?*

—Es que se llevó un pedazo de camellón. Y la están acusando.

—*Ah.*

Pausa.

—¿Sabes algo de tus hermanos?

—*Cuáles hermanos...*

—Alo y Clavius, cómo que cuáles.

—*Ah. No.*

Pausa.

—Bueno, ponte abusado por si llaman —Madre se sorbe el moco—. Yo ya hablé con Karen y le dije que no viniera. Nada más quedó de ir a la casa al rato.

Pausa.

—*Okey.*

—Los Randyson están cuidando a Cole, por si te lo preguntabas.

Pausa.

—*Okey.*

Pausa.

—Bueno. Te mando un beso. Te quiero mucho.

—*Un beso. Te quiero mucho.*

Clic.

Madre vuelve a la sala. Anyi Vlap-Vlap, con una chamarra encima, se ha quedado dormida. Los zapatos veraniegos reposan a un lado. Los pies desnudos se asoman por el forro de la chamarra.

★ ★ ★

Descalzo, Alo pasa la caseta de seguridad del campus. El guardia lo saluda indiferente. Sólo presta atención a lo que trae en las manos.

Una maltrecha bolsa de Aurrerá.

Atraviesa el estacionamiento y los jardines. Hay poca gente. Sólo los que salen a correr. Y los que se levantan temprano para los cursos sabatinos. Se dirige al edificio comercial. En la cafetería, un profesor desayuna y lee el periódico. En el estanquillo de copias fotostáticas, una clerc aburrida se recarga contra el mostrador. Y en la tintorería de Wong, Maese Wong termina de poner los letreros promocionales de dos por uno y "Yes! We're open", y la esposa de Maese Wong, afanosa, arregla algo en la caja.

—Buenos días —saluda Alo.

Toma el saco amarillo huevo de Versace y lo pone en el mostrador. Con asco en el rostro, Wong lo revisa y termina echándolo en un cesto. Le entrega el tiquete. Agradeciendo, Alo sale de ahí. Tira la bolsa de Aurrerá en el primer bote de basura que encuentra.

Camina de nuevo por los jardines, hasta el edificio Manuel Buendía. Subir las escaleras hasta su dormitorio. Abrir la puerta. Las camas tendidas. Los rumeits se han ido. Como todos los sábados, han escapado temprano. Pasa al fridge. Toma una botella de jugo de naranja. La bebe toda de un solo trago. Satisfecho, se dirige a su recámara. Mira de reojo los posters de Belinda Carlisle y Kim Basinger y Kathy Lee Crosby y *Sandinista*. Su cama. Haciendo "puf" se deja caer, bocabajo. Con la nariz apachurrada, voltea hacia su izquierda. En el buró hay una nota escrita a mano.

La mierda, piensa.

El Máverick. Estacionado junto al highway, en el antro de cervezas. Seguro se lo llevó la pinche grúa, medita Alo. Le da culpa.

La mierda, piensa. Y no lo lee.

Prefiere dormir. Casi de inmediato comienza a roncar. Diez minutos después, lo despierta una musiquita insolente. El camión de los helados. Qué pedo, piensa. Abre los ojos. Qué mamada. Tintín, tintín. Tíntirrin tin, tíntirrin tin. Vale verga qué mamada, despotrica. Tíntirrin tin.

Se levanta y se asoma por la ventana. El trasnochado camioncito de helados Cherry Popper se ha estacionado frente al edificio. Tíntirrin tin. Los estudiantes que hacen jogging y los que se levantan temprano el sábado para asistir a sus cursos nerds se aproximan, emocionados, a la caja rodante.

—Todo el puto semestre soportando esta mierda —dice Alo al volver a la cama—. Qué bueno que ya viene el verano.

Qué bueno.

De nuevo acostado, observa el buró. Coge la nota. Lee:

CABRÓN, TU MAMÁ NO HA DEJADO DE CHINGAR DESDE ANOCHE. HAZNOS UN FAVOR Y LLÁMALE CUANDO LLEGUES.

Lo piensa dos segundos. Toma el auricular. Marca.

Espera.

—*Bueno.*

—¿Bueno? —Alo carraspea—. ¿Cuki?

—*Qué pedo.*

La voz de Cuki es ronca. Adormilada.

—¿Está mi mamá?

Pausa.

—*No.*

—Es que me estuvo hable y hable, y como no vine en toda la noche/

—*Sí sí, bla bla bla. Yo le digo que llamaste.*

Pausa.

—Okey. Por favor.

—*Ya te dije que sí güey.*

—Okey. Bye.

Clic.

Cierra los ojos.

Un poco de paz.

Entonces, siente una presencia.

Abre los ojos.

Ahí, parado frente a la cama, está El Paiki Que Vive Adentro De La Cabeza de Alo. Lo observa con una sonrisa pálida en el rostro.

Alo, pelos rebeldes y almohadazo, lo encara, agresivo:

—¿Qué?

El Paiki se encoge de hombros, sardónico.

—No digas nada —dice Alo y vuelve a sumir la nariz en la almohada.

★ ★ ★

NARIZ RESPINGONA, mechón rosado, carabonita. Karen camina hacia el camioncito de Cherry Popper. Trae en las manos un grueso fólder lleno de papeles. Una especie de manuscrito. Se dirige a una central de copiado. Y así la vemos, caralavada, ni sonriente ni triste, con su estado anímico en neutral, justo enmedio de reverse y drive, caminando por un andador del campus.

En la distancia, el camioncito de Cherry Popper.

Se forma en la fila. De vez en cuando asoma la cabeza, a ver si encuentra algo en esa ventana en particular de ese dormitorio en particular.

Nadie se asoma.

—¿Qué va a ser?

Uh.

—Chocochip. En cono.

Vuelve a estirar el cuello, y sus ojos encantadores buscan algún movimiento en el dormitorio de Alo. Nada.

—Aquí tiene —el tendero de Cherry Popper, bata y gorro blancos, entrega el helado—. Es uno cincuenta.

—Gracias —Karen paga con un billete de cinco.

Nadie se asoma.

Lame su helado.

Sí. Nadie se asoma.

Suspirando, recibe su cambio y se aleja, lamiendo.

✮ ✮ ✮

LAME LA CUCHARA y de inmediato la vuelve a meter en el tazón con Fruti Lupis. Debbie Jay, muy metida en el pequeño fido blanco y negro de la cocina, no presta atención a lo que se está comiendo. No le importa que su leche haya tomado un color verdoso. Ni que los colores de sus Fruti Lupis estén incompletos.

Alguien gira una llave. En la puerta principal. Debbie Jay voltea, expectante. Es Clavius.

—Hola.

El traje sucio. Sin corbata. La camisa abierta a medio pecho.

—¿Qué horas son estas de llegar?

—Ya ves.

—¿Qué te pasó?

—Nada.

Clavius se dirige al fridge. Toma una botella de naranja. Está casi vacía. Se empaca el chorrito que quedaba.

Mmm.

—No hay jugo —respira hondo—. De hecho, no hay nada.

—No he tenido tiempo de hacer el súper —Debbie Jay le da la espalda al fidito—. ¿Ya supiste lo que le pasó a tu hermana?

—No. ¿Qué?

—Pues sí, cómo vas a saberlo si te vas toda la noche quién sabe a dónde…

—¿Qué le pasó? —urge Clavius.

—¿Recuerdas que ayer se puso bien idiota en la comida? Bueno, se robó un coche de los Randyson y se embarró en la Lomas Verdes.

Clavius arquea las cejas. Está agotado, pero alcanza a farfullar un:

—Guau.

—Ajá, guau. Está en el hospital. Sobrevivió al golpe, por si te lo preguntabas —se voltea a ver de nuevo el fido—. ¿Ya me vas a decir dónde anduviste anoche?

Silencio.

—Por ai.

—¿Qué tal tu cita?

Silencio.

—Bien. Gracias.

—¿De qué era?

—Para preparar una junta importante del lunes —Clavius se soba la barbilla, nervioso.

—Ah.

—¿En qué hospital dices que está Marpis?

—No te he dicho en qué hospital está —replica Debbie Jay, mamoncísima.

—Bueno, ¿en qué hospital está?

—Madre habló —Debbie Jay vuelve a mirar a Clavius—. Dice que no tiene caso que nadie vaya. Iba para su casa ahorita. A bañarse. Pasó una noche horrible.

Clavius asiente.

—Okey.

Intenta salir de la cocina, pero se detiene en el quicio de la puerta. Avisa:

—Oye, voy a bañarme y luego voy a ver a Madre. ¿Dices que está en la casa?

—Eso dije.

—Okey.

—¿Regresas para comer?

Silencio.

—Claro. ¿Quieres que traiga algo?

—Refrescos —ordena Debbie Jay, regresando al fido.

—¿Nada más?

—Sí. Pedimos algo de comer por teléfono.

—Okey. Bye.

—Bye.

★ ★ ★

Clic.

Mira el teléfono. Y a un lado, el bloc de notas con el logotipo del Marriot.

—¿Qué te dijo?

Ese es Primo Perfecto, desde el baño.

—Que Marpis ya está bien. Que ya terminó la operación y todo salió bien.

Primo Perfecto aparece, desnudo de la cintura para arriba, secándose el pelo.

—Qué bien —se sienta en la cama junto a Midyet.

—Ponte una playera.

—¿Qué? ¿Te pongo nerviosa?

Le hace cosquillas y Midyet ríe. Luego se abrazan de lado, fraternalmente.

—¿Cómo estás?

—Bien.

—No te oí llegar anoche.

—Estabas bien dormido —Midyet regresa su brazo a la posición original—. ¿Qué hiciste?

—Vi *Cheers*. Y luego una película.

—¿Cuál?

—No me acuerdo.

Silencio.

—¿Y tú?

—Bueno, ya sabes.

—¿Se portó bien tu ex suegra?

—Sí —Midyet mira a Primo Perfecto a los ojos, y toma aire—. Sabes, Cuki habló cuando estaba con ella.

—¿En serio?

—Sí.

—¿Y qué te dijo?

—Quedamos de vernos en casa de Madre.

—¿Cuándo? ¿Hoy?

—No, anoche.

—Ah. Lo viste.

—No, justo no —se pasa la lengua por los labios—. No lo vi.

—¿Por qué?

—Quedó de llegar, pero nunca llegó.

Primo Perfecto suspira. Sonriendo, le soba a Midyet la nuca.

—Hey —vuelve a abrazarla—. Yo estoy orgulloso de ti.

—¿Deveras?

—Ajá. Nomás me tienes que jurar que nunca más vas a ir a un talk show.

—Prometido.

—Es que qué pedo con esa mentada Robin. Pinche loca.

—Sí. Qué mujer.

Un silencio. Prolongado.

—Me imagino —comienza Primo Perfecto— que debe dolerte vivir. Por lo de mis tíos y todo.

—Un poco.

—Y esto también debe doler.

—También un poco.

—Se supone que ahora tengo que decirte algo que te hará sentir bien. Una frase pendeja del tipo "si amas algo déjalo libre…"

Midyet ríe y se limpia una lagrimita. Dice:

—~~censurado~~ compra sus frase prefabricadas en Home Depot. A tres noventa y nueve la caja con cinco.

—A huevo. Y a mucha honra.

Los dos sonríen. Y se quedan así un buen rato, sentados en la cama. Como cuando no estás pensando mucho, pero tampoco te metes de nuevo a las cobijas. Y aunque lo hicieras, no podrías dormir.

—Ándale —dice finalmente Primo Perfecto—. Métete a bañar para que nos dé tiempo de bajar a desayunar.

✭ ✭ ✭

LA PAULA PREPARA el desayuno. Huevos con Jamón. Cuki está sentado con los codos sobre la mesa. Se divierte con el servilletero.

—Obligué al huevón de Danilo a que se quedara con su mujer —dice Madre—. Cómo puede estar una tranquila. Con hombres como esos.

—Ajá.

—No sabía qué hacer. Una no conoce a sus yernos hasta que los ve en una situación límite.

—Ajá.

Llega Clavius. Disfrazado como báber en fin de semana. Pantalones Sansabelt y playera Polo azul turquesa.

—Hola.

—Hola —saluda Madre, indistinta.

—Hola, güey.

—Hey.

—¿Cómo está Marpis? —interroga Clavius y se sienta en el desayunador.

—Mal. ¿Qué esperabas?

—¿Qué tan mal?

—¿Quiere, joven? —pregunta la Paula, sartén en mano.

—Sí, por favor.

El huevo se desliza en el plato.

—Fractura múltiple en el brazo izquierdo, hombro separado de ese mismo lado y —Madre se pone los anteojos de vista cansada y coge una servilleta que está sobre la mesa y lee— "daño severo en el tejido de la cadera izquierda".

Se quita los lentes y los arroja contra la mesa. Mira a Clavius con hastío.

—¿Suficiente?

—Yo creo que sí.

—¿Y tú dónde andabas? Parece que todos los hombres de esta familia se dieron a la fuga anoche. Para darle la vuelta a sus obligaciones o algo.

—A mí no me veas —grazna Cuki—. Ya me tocó mi pedorriza.

—Yo tuve una reunión en el trabajo.

—Ajá. Debbie me dijo —Madre toma un pedazo de pan tostado y mastica cranc cranc—. No te creemos, claro.

—Hueva —farfulla Cuki.

Cranc cranc.

—Usted tampoco me tiene muy contenta, ¿eh?

—¿Otra vez con eso?

—Dejaste a Midyet aquí como tonta, esperándote.

Cuki respira hondo. No dice nada más en su defensa.

—Bueno, lo irónico de todo es que el viejo es el único hombre que estuvo disponible anoche. ¿Pueden creerlo?

—Francamente, no.

Pisadas en el hall que se aproximan a la cocina. Una cabeza se asoma. Es Padre. Canudo. Anteojos oscuros Ray Ban color maple. Panza guardada en una playera Polo amarilla. Suéter en la espalda. Pantalones Sansabelt.

Padre es como un clon bizarro de Clavius. O al revés.

—Hola, familia —Padre pone las llaves del auto y el periódico junto al hornito.

Cuki eleva los ojos. "Familia", piensa. Casi al mismo tiempo, Padre se acerca para que le dé un beso.

—¿No me va a saludar la celebridad?

Cuki obedece. Un beso pedorro en la mejilla. Clavius hace lo mismo.

—¿Qué te dijeron? —interroga Madre.

—Todo está bien ya —dice Padre, confianzudo—. Ed Rooney sigue arreglando las cosas, pero por lo menos ya nos aseguraron que no la van a remitir a la oficina del procurador. Sólo hay que pagar una multa.

—Ah, eso es bueno —respira, aliviada, Madre.

—¿Cómo están ustedes dos?

Clavius y Cuki siguen clavados en su huevo con jamón.

—Bien, Pa.

—Me da gusto. ¿Ya apareció Alo?

—Cuki habló con él —cuenta Madre—. Está en el campus.

—¿Y todo bien?

—Parece que sí —Madre se levanta—. ¿Quieres café?

—Sí, gorda, plis. Oye —Padre le da un puñetazo amistoso a Cuki en el brazo—, estuvo picudo el programa.

Todavía hay gente que usa la palabra "picudo".

—¿Lo dices en serio?

—Superenserio. No me encantó lo que dijiste de mí, pero así es el chowbiz, ¿no?

Cuki se encoge de hombros.

—Yo creo.

Llega la taza de café.

—¿Es descafeinado?

—Siempre es descafeinado —ladra Madre.

—Ah, entonces no. Necesito algo pesado —Padre se soba la panza albañilesca—. ¡Es que anoche estuvo duro el tiroteo!

Jo jo jo.

Nadie dice nada. Padre rompe el hielo, y lanza las palabras más celebradas de la mañana:

—Bueno, me voy.

Coge sus llaves y el periódico.

—Oigan, ¿por qué no van al rato al club? Podemos comer y tomarnos unas cheves —hace la forma de una pistola con la mano y la apunta hacia Cuki—. ¿Qué dices, campeón?

Cuki arremeda el gesto:

—Lo que tú digas, campeón.

—¡Eso! —Padre se levanta y camina hacia la puerta—. Ya que me perdí mis dieciocho hoyitos hoy, voy a estar en la tee de práctica por si se les ofrece algo, ¿vale?

"Vale", dicen todos al unísono.

Silencio.

Padre se asoma una vez más.

—Hey, Clavius, salúdame a esa buena chica de Debbie, ¿quieres?

—Claro, Pa.

De nuevo están solos.

Cuki ha terminado con su huevo con jamón.

Y Clavius ha dejado el plato a la mitad.

—Ya no quiero —dice.

—Pues ai déjalo.

Ding dong. Ese es el timbre. La Paula acude a la puerta.

Un minuto después, regresa.

—¿Quién es?

—Buscan al joven Cuki, señora.

Ahuevado, Cuki se roba un V8 del fridge y trata de abandonar la cocina.

—¿Cómo se dice? —xode Madre.

Cuki se para en seco:

—Gracias, Paula.

Sale al fin de la cocina. La Paula camina detrás de él.

Madre y Clavius se quedan solos.

El sol de la mañana entra por la ventana.

—¿Estás bien, hijo?

Clavius ve a Madre con una mezcla de interés y sorpresa.

—¿Cómo?

—Que si estás bien.

—No sé —Clavius se pone la mano en la boca—. Francamente, no sé.

Madre lo toma de la mano.

—¿Quieres hablar de algo?

Clavius toma aire. Y valor. Abre el pico:

—Sí. De anoche.

—¿Qué pasó anoche?

Ring ring. Ese es el teléfono.

—Ash.

Ring. Ring. Ring.

—¡Paulaaaaaaaa!

Ring. Ring. Ring. Ring.

—A ver, espérame —Madre se dirige al teléfono, empotrado en la pared—. ¿Bueno?

Morderse las uñas.

—¡Hooooooooooola!

Reacomodarse en la silla.

—¿Cómo estás?

Rascarse la nuca. Aburrido.

—Yo bien, gracias… ¿viste el programa? Sí… sí… a mí me encantó. ¡Y qué tal mi Cuki!

Clavius observa a Madre desde el desayunador. Posesionada del teléfono. Una imagen recurrente. Se levanta lentamente y camina hacia afuera. Madre se ha jalado ya una silla. Y cruza la pierna. Incluso ha prendido un cancro.

En silencio y haciendo un ademán, Clavius se despide. Recibe un pálido "adiosito" que Madre ejecuta con la mano.

Sale al hall. La puerta está abierta.

Clavius ahí parado, solo.

Piensa en los refrescos.

★ ★ ★

COLE ESTÁ PARADO en el jardín californiano, con un SevenUp en la mano. Retador. Pimp espera en el coche.

—Tich —saluda Cuki, a una distancia prudente.

—Man —saluda Cole.

—¿Otra vez Caprice? —interroga Cuki, tapándose el sol con la mano.

—No había de otro. Ya ves cómo son de eficientes los de Kaufman.

—Sí, claro.

Como dos pistoleros del oeste, Cole y Cuki no dicen nada, sólo se observan. Miradas duras. Forajidos paikis en un duelo de vida o muerte. Cole con el SevenUp. Cuki con el V8.

Rápido.

Desenfundar.

Beber de un solo trago.

Eructar.

Es un empate.

Se acercan.

—Man, me cagó lo que hicieron —señala Cuki.

—Qué quieres, tich. Era nuestro deber moral.

—Deber moral mis huevos.

—Y el programa estuvo intenso.

—Déjalo por la paz, gücy —Cuki lo señala con el dedo—. No quiero hablar de eso.

—Hecho —Cole cruza los pies—. ¿Vienes?

—¿Hoy también hay entregas?

—Sólo la que no pudimos hacer en la tarde. Por tu programa…

—¿Qué te acabo de decir?

—¡Hey! Sólo te estoy probando —Cole se rasca la cara—. ¿Entonces? ¿Vienes o qué pedo?

Cuki lo piensa durante un par de segundos.

Sólo un par.

—Déjame ir por mis cosas.

Cole se da media vuelta. Eleva el pulgar izquierdo. Pimp, adentro del Caprice, grita de la alegría.

—YO PENSÉ QUE te iba a dar más gusto verme.

Esa es Marpis. Con la voz muy baja. Apagada. Enchufada a un suero.

—Sí me dio gusto. Claro.

—¿Y Cole?

—Está con los Randyson —carraspea Danilo—. Está bien.

Silencio.

—Yo sé.

Danilo se desabotona un poco la camisa. Se echa aire con una revista que estaba en el buró.

—Qué calor va a hacer hoy.

Marpis arquea las cejas. Dice a duras penas:

—Y en la tarde va a llover. Como siempre.

—Sí —asiente Danilo—, como siempre —se levanta—. Le voy a subir un poco al clima.

El murmullo del aire acondicionado toma por completo la habitación. Marpis mira a la pared, muda.

★ ★ ★

LOS ENORMES OJOS verdes de Midyet llevan una media hora enterrados en el anuncio luminoso de Camel. El tipo del look a la Bond y bien mamadísimo y bien guapísimo parece que en cualquier momento se saldrá del letrero y dirá el eslogan entrecomillado:

"Me gustan por su sabor."

Unos lepes se corretean por la sala de abordar. Las mamás gordas con el *People* hecho churro en las manos conversan y ríen y hablan de la posibilidad de ir al área designada para fumar un cancro. Los monitores muestran, apáticos, la información de los vuelos internacionales. El suyo sigue retrasado. Por lo menos una hora más. Primo Perfecto lee una *Automundo Deportivo*. Y parece no prestar atención a nada a su alrededor.

Midyet se pone de pie. Caminar. Estirar las piernas. Los chamorros de fuera. Sus tíos le han dicho miles de veces que no viaje de falda. Y ella lo sabe. No es ninguna novata. Pero ese día en particular quería ponerse falda.

No puede explicárselo, realmente.

Décima vuelta al kiosko de revistas. Mirar hacia su derecha, a la entrada de la sala de abordar.

Nada. Nadie.

Pues sí, piensa. Nadie.

—Hola.

Voltea, asustada. Un báber guapetón, con blazer ligero y camisa, se para a su lado, muy sonriente. Tiene un periódico en las manos. Midyet regresa el saludo:

—Hola.

—¿Tu vuelo también está retrasado?

—Sí, caray. Llevo hora y media esperando.

—¿Tanto? Qué cosa…

Silencio.

—¿Vas a Saltillo? —pregunta, cortés, Midyet.

—¡No! —el báber se mete el periódico bajo el brazo—. Voy a Los Ángeles, de hecho.

—Oh.

—Aunque dudo que el clima esté tan bonito como aquí —sonríe el báber—. Y soleado.

Midyet mira hacia afuera, por el ventanal. El cielo es azul. Muy azul.

—Es cierto.

—Oye, disculpa que te moleste pero —dice el capitangalán, tartamudeando un poco—, ¿no saliste ayer en el fido?

Ella sonríe, chiveada. El talón de sus zapatos gira en la alfombra, y el chamorro parece asomarse y gritar "¡mírame, mírame!"

Midyet no puede olvidar que es mujer.

—Sí. Con Robin Simon.

—¡Exacto! Nunca había conocido a nadie que saliera en el fido.

—Bueno, ya puedes decir que conociste a la fulana que salió con el escritor en el programa de Robin Simon.

—¿Cuál escritor?

Midyet deja escapar una risita.

—¿Por qué la risa? —pregunta el báber.

—Por nada —se compone un poco—. Es que ayer no estaba precisamente en mi mejor momento.

—¿Por qué lo dices? Te veías muy bien.

Sonrisa. Dientes blancos. Las pestañas cubriendo la perfecta sensatez de esos ojos verdes.

—¡Gracias!

—Si no te molesta que te lo diga, creo que te pareces un poco a Jennifer Connelly.

Midyet se encoge de hombros.

—Nunca me lo habían dicho.

Silencio.

—Bueno, eso era todo —se despide el báber—. Feliz viaje.

—Igualmente. Feliz viaje.

El báber se aleja.

Midyet se queda sola.

Voltea de nuevo hacia su derecha, a la entrada de la sala de abordar de los vuelos internacionales. Suspira. Se pregunta si tendrá otro encuentro casual. Uno que sea completamente inesperado, feliz y cursi. Uno de esos que sudan reconciliación, con música romántica de fondo, esperando sólo a que corran los créditos. Como pasa en las películas.

Mmm.

El encuentro casual nunca llega. Una hora y cuarto después, Midyet está sentada en el avión, listo para despegar.

Los ojos verdes miran lo que hay más allá de la ventana.

✰ ✰ ✰

CUKI MIRA POR la ventana del Caprice. Ahí están las torres de colores, el mol de Satélite y del otro lado el Cine Apolo. La oficina de correos, la Zona Azul y el mol Twin Pines. Circulan a buena velocidad. Piensa que el tráfico en el Lyndon B. Johnson podrá bajar todos los sábados, pero en general cada año está más pesado. Un poco más pesado. Él sabe que cada vez será peor, peor hasta el grado en el que Naucalpan sea inhabitable. Así es el kipple.

Pimp juega con el casete de Kaufman-Rent-A-Car. En efecto, es lo suficientemente pendejo como para robarse a sí mismo. Cuki lo observa por el espejo de vanidad. Y mientras lo hace piensa en Midyet. Se pregunta si sigue en Naucalpan o si ya se fue. Y si la volverá a ver.

Sabe que sí. Sólo que no sabe cuándo.

En la cajita de cloruro de polivinilo dice claramente "ejemplar de cortesía". Pimp, rechoncho, bajo y grosero, urge a que pongan el casete.

Cool.

Ok, ponlo.

Venga, así.

Cuki inserta el casete en la ranura.

Play.

La música suena.

Ninguno de los tres sonríe.

Cuki regresa a su contemplación. Un anuncio de neón… el Hilton… una guayín retacada de lepes, seguramente en camino al Six Flags Over Texas. La esquina donde mataron a Manuel B. por la espalda. Perros atropellados. Sus cráneos reventados sobre el pavimento del progreso. Y aunque hoy el cielo es azul, tan encabronadamente azul que desde ciertos puntos del freeway se alcanzan a ver los volcanes, a Cuki le parece lo mismo de siempre: un horizonte grisáceo, frío, apático. Bang bang, estás muerto. Bang bang, no más Cuki.

—Man.

Ese es Cuki.

—¿Qué?

—¿Podemos ir a Flynn's?

Cole lo observa con extrañeza.

—¿Ahorita?

—Sí. Por favor.

—Pero tenemos que ir a entregar el paquete.

—Déjame ahí y luego los veo donde ustedes digan. Plis.

—¡Sí, sí, vamos! —exclama Pimp.

—¡Cállate, pendejo! —lo calla Cole, y se sume en su silencio. En su propio y privado silencio.

Dice, después de unos momentos:

—Bueno. Vamos —resuelve y pisa al acelerador—. Las dos entregas son en Deep Ellum. O sea que no hay pedo.

Flynn's está en una esquina. El letrero de neón reza "Flynn's: casa de Space Paranoids". El Caprice se estaciona enfrente. No hay muchos autos alrededor. No hay mucha gente, de hecho. La avenida, larga y con el pavimento caliente, parece abandonada.

—Gracias, tich —dice Cuki al bajarse.

—De nada. Ahorita te alcanzamos.

El Caprice se aleja run run.

Cuki entra al lugar.

Oscuro.

Sólo hay algunos paikis adictos. La concurrencia es baja los sábados al mediodía, saben.

Yo lo sé.

Y así veo, con horror, cómo se acerca Cuki al mostrador. Me concentro en seguir acomodando los premios, unos estúpidos osos de peluche de todos colores. Me volteo justo a tiempo para encararlo.

—Cuki.

—Hank.

Silencio.

—¿Qué haces? —pregunta Cuki, muy normal.

—¿Qué hago? Acomodar cosas.

—¿Y tu novia?

—Cindy descansa los sábados —me prendo un cancro—. Y no es mi novia.

—Claro.

Cuki saca un fajo de billetes. Lo pone frente a mí.

—¿Todo? —pregunto.

—Todo.

Empiezo a canjear los dólares. Después de un minuto, le entrego a Cuki la bolsa de tela con jareta, retacada de tokens.

—Listo.

—Gracias.

Cuki se aleja. Rumbo al rincón de Atari, claro.

—¡Hey!

Ese soy yo.

—¿Qué?

Quiero decirle cosas. Disculpas, explicaciones. Pedirle que todo sea como antes, que finjamos que no pasó nada. Pero no puedo. Sólo me sale un:

—¿Estás bien?

—No —responde Cuki después de una pausa, y resume su camino—. Pero gracias por preguntar.

Junto a la barra, la cubeta de cervezas está sola. Sólo hay un sujeto limpiando vasos. Decepcionado, Cuki se cruza de brazos.

Voltea para todos lados.

Entonces, de una esquina, aparece la encargada. Una güera o semigüera, increíblemente gorda y rellena, más bien chaparra, con una pony tail y playera pegadita con el logo de Flynn's levantado morbosamente por descomunales chichis y lonjas. Los ojos verdes se pierden en la cachetona cara de bagel.

—Hola —saluda Cuki, extrañado.

—¡Hola! —la gorda le sonríe de vuelta—. ¿Cómo estás?

Cuki duda un segundo.

—Bien. Gracias. ¿Y tú?

—Bieeeeeen —la gorda toma una cerveza y la limpia con un trapo—. ¿Miller High Life, verdad?

—Sí —responde, sardónico, Cuki.

Pok. Corcholata afuera.

—Son tres dólares.

Cuki paga con uno de diez. Mientras la gorda busca su cambio en una cangurera que sólo incrementa de tamaño su panza, comenta, muy santurrona:

—Bueno, hoy también salgo a las seis, por si te interesa...

Miermano parece reaccionar.

—¿Hablé contigo ayer, verdad?

—Sí. Les vendí cervezas a ti y a tus amigos.

—Claro...

—Y quedaste de pasar a las seis —se arregla un bucle dorado que le estorbaba en la frente—. Bueno, no quedamos, pero yo salgo...

—A las seis. Entendido.

—¡Exacto! —le entrega su cambio—. Cuatro y cinco y cinco son diez. ¿Listo?

—Gracias.

—¡Gracias a ti!

Cuki y la gorda se miran.

—Te llamas Mildred. Ya me acordé.

—Qué memoria, señor.

Lo último lo dice Mildred con un acento coqueto.

—¿Estás segura de que eres la misma persona? —interroga Cuki, y Mildred se cruza de brazos, fingiendo indignación.

—¡Claro! ¿A quién pensabas encontrarte?

Cuki no dice nada más. Sólo agradece con botella en mano y da un trago. Se enfila de nuevo al rincón de Atari, al tintineo de las máquinas tragamonedas, a esa música que nunca se acaba, que nunca languidece.

Las Arboledas, noviembre de 2003/ abril de 2004

ÍNDICE

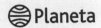 **Planeta**

España
Av. Diagonal, 662-664
08034 Barcelona (España)
Tel. (34) 93 492 80 36
Fax (34) 93 496 70 58
Mail: info@planetaint.com
www.planeta.es

Argentina
Av. Independencia, 1668
C1100 ABQ Buenos Aires
(Argentina)
Tel. (5411) 4382 40 43/45
Fax (5411) 4383 37 93
Mail: info@eplaneta.com.ar
www.editorialplaneta.com.ar

Brasil
Rua Ministro Rocha Azevedo, 346 -
8º andar
Bairro Cerqueira César
01410-000 São Paulo, SP (Brasil)
Tel. (5511) 3088 25 88
Fax (5511) 3898 20 39
Mail: info@editoraplaneta.com.br

Chile
Av. 11 de Septiembre, 2353,
piso 16
Torre San Ramón, Providencia
Santiago (Chile)
Tel. Gerencia (562) 431 05 20
Fax (562) 431 05 14
Mail: info@planeta.cl
www.editorialplaneta.cl

Colombia
Calle 73, 7-60, pisos 7 al 11
Santafé de Bogotá, D.C.
(Colombia)
Tel. (571) 607 99 97
Fax (571) 607 99 76
Mail: info@planeta.com.co
www.editorialplaneta.com.co

Ecuador
Whymper, 27-166 y Av. Orellana
Quito (Ecuador)
Tel. (5932) 290 89 99
Fax (5932) 250 72 34
Mail: planeta@access.net.ec
www.editorialplaneta.com.ec

Estados Unidos y Centroamérica
2057 NW 87th Avenue
33172 Miami, Florida (USA)
Tel. (1305) 470 0016
Fax (1305) 470 62 67
Mail: infosales@planetapublishing.com
www.planeta.es

México
Av. Insurgentes Sur, 1898, piso 11
Torre Siglum, Colonia Florida, CP-01030
Delegación Álvaro Obregón
México, D.F. (México)
Tel. (52) 55 53 22 36 10
Fax (52) 55 53 22 36 36
Mail: info@planeta.com.mx
www.editorialplaneta.com.mx
www.planeta.com.mx

Perú
Grupo Editor
Jirón Talara, 223
Jesús María, Lima (Perú)
Tel. (511) 424 56 57
Fax (511) 424 51 49
www.editorialplaneta.com.co

Portugal
Publicações Dom Quixote
Rua Ivone Silva, 6, 2.º
1050-124 Lisboa (Portugal)
Tel. (351) 21 120 90 00
Fax (351) 21 120 90 39
Mail: editorial@dquixote.pt
www.dquixote.pt

Uruguay
Cuareim, 1647
11100 Montevideo (Uruguay)
Tel. (5982) 901 40 26
Fax (5982) 902 25 50
Mail: info@planeta.com.uy
www.editorialplaneta.com.uy

Venezuela
Calle Madrid, entre New York y Trinidad
Quinta Toscanella
Las Mercedes, Caracas (Venezuela)
Tel. (58212) 991 33 38
Fax (58212) 991 37 92
Mail: info@planeta.com.ve
www.editorialplaneta.com.ve

Grupo **Planeta**   Planeta es un sello editorial del Grupo Planeta   www.planeta.es